TANJA
MOOSWALD

WAS BIST DU, Kay

novum pro

Bibliografische Information
der Deutschen Nationalbibliothek:

Die Deutsche Nationalbibliothek
verzeichnet diese Publikation in
der Deutschen Nationalbibliografie.
Detaillierte bibliografische Daten
sind im Internet über
http://www.d-nb.de abrufbar.

Gedruckt in der Europäischen Union
auf umweltfreundlichem, chlor- und
säurefrei gebleichtem Papier.

ISBN 978-3-99146-557-7
Lektorat: Theresia Riegler
Umschlagfotos:
Olga Popova, Samsem67,
Koldunova Anna | Dreamstime.com
Umschlaggestaltung, Layout & Satz:
novum Verlag
Innenabbildungen: Tetyana Farana

Die von der Autorin zur Verfügung
gestellten Abbildungen wurden in der
bestmöglichen Qualität gedruckt.

www.novumverlag.com

Gewidmet den Opfern
des Großbrandes im Einkaufszentrum
„Winterkirsche" im Jahre 2018.

Der Umzug in das neue Leben

Der alte Bus fuhr die endlose Landstraße entlang. Links und rechts zog Einöde an den staubigen Fenstern vorbei: Die gelben Strohstoppel der Getreidefelder, die schwarzen Rechtecke der frisch geernteten Maisfelder, Giebeldächer der Dörfer und ab und zu die langen Streifen der rostfarbenen Wälder baten dem Auge keine zu große Abwechslung. Nur sehr selten, wie ein Hoffnungsschimmer am Horizont, leuchtete in der Ferne kurz eine Teich- oder Seefläche auf.

Im Bus selbst herrschte ähnliche Atmosphäre: Die Passagiere starrten gelangweilt aus den Fenstern in die eintönige Landschaft hinaus oder, in eigene Gedanken vertieft, einfach vor sich hin. Manche von ihnen versuchten die örtliche Zeitung zu lesen, mussten aber schnell wieder aufgeben, als das nächste Schlagloch die Zeilen vor ihren Augen tanzen ließ. Nach ihrer Kleidung zu urteilen, waren die meisten von ihnen einfache Dorfleute, die in die Stadt fuhren, um irgendeinen langweiligen Papierkram zu erledigen, oder die Pendler, die in umliegenden Ortschaften ihre Jobs hatten.

Paul passte die schläfrige Atmosphäre im Bus ganz und gar nicht. Die Schläfrigkeit der Reisenden und die monotone Landschaft hinter seinem Fenster langweilten ihn zu Tode. Er saß wie auf heißen Kohlen, drehte sich auf seinem Sitz nach allen Seiten um und schaute verständnislos zu seiner Großmutter, die neben ihm saß. Sie war während der langen Reise eingenickt und in ihrem Sitz nach vorne gekippt. Ihr Kopf ruhte auf einem großen Bündel, das auf ihrem Schoß lag und das sie mit beiden Armen fest umklammerte, damit es ihr nicht auf den Boden rutschte. Es schien ihr nichts auszumachen, dass der Bus auf der schlechten Landstraße immer wieder holperte und alle Passagiere dabei in ihren Sitzen hochhüpften. Der Knoten ihres Kopftuches hatte sich gelockert, das Tuch selbst rutschte zur Seite und ihr aschgraues Haar kam zum Vorschein. Paul erinnerte sich gar nicht mehr, welche Farbe Großmutters Haare eigentlich hatten. Solange er auf der Welt war, seit fast vierzehn Jahren also, hatte er sie nur mit grauen Haaren erlebt. So gut wie alle Fotos in ihrem alten Fotoalbum waren schwarzweiß und gaben keine richtige Vorstellung von Großmutters Haarfarbe. Auf diesen Fotos war sie oft mit Großvater zu sehen – einem dürren, streng aussehenden Mann, der so gut wie nie lächelte. Sein gequälter Gesichtsausdruck auf manchen der letzten Fotos deutete auf eine schlimme Krankheit hin, an der er letztendlich starb, noch bevor Paul geboren wurde. Seine Großmutter dagegen war schon immer korpulent und Paul schmunzelte jedes Mal, wenn er auf den Fotos ihren massigen Körper neben der schmächtigen Figur seines Großvaters sah.

Jetzt schlummerte sie auf ihrem Bündel, als ob sie in der Stube in ihrem alten Sessel eingenickt wäre. Wie konnte sie nur so friedlich dösen, wenn ihnen beiden so etwas Aufregendes wie ein Umzug in eine Stadtwohnung bevorstand! Paul hielt die Langeweile nicht länger aus. Dazu kam, dass die Situation für ihn immer peinlicher wurde: Ein Passagier links von ihnen warf ab und zu amüsierte Blicke herüber. „Omi, wach auf! Du schnarchst!“, flüsterte er ihr ins Ohr. „He, was, wie? Oh, tut mir leid, Paschenka, muss eingenickt sein. Was steht da oben, welche Haltestelle?“ Die Großmutter hob ihren Kopf mit verrutschtem Kopftuch und blinzelte schlaftrunken um sich. „Erst Oberringen, Omi“, sagte Paul erleichtert. „Schlaf nicht mehr ein, es ist peinlich“, fügte er flüsternd hinzu. „Na gut, na gut, ich werde nicht mehr ...“ Ihr Kopf neigte sich nach vorne und die müden Augen schlossen sich wieder. „Es ist hoffnungslos“, dachte Paul seufzend und wandte sich der Aussicht hinter seinem Fenster zu. Aber das welke, eintönige Panorama konnte seine innere Unruhe auch nicht stillen. Ein Teil der Fahrstrecke verlief parallel zur Eisenbahn. Die Gleise begannen zu vibrieren, ein metallisches Zischen zerriss die klare Herbststille und ein Güterzug sprang hinter dem dunkelgrünen Nadelwäldchen hervor. Er sah klein aus – sogar kleiner als der Zug aus Pauls alter Spielzeugkiste. Dank der beachtlichen Entfernung erschien er langsamer und eine Zeit lang hielten die beiden Fahrzeuge miteinander Schritt. Währenddessen beäugte Paul die hellgrauen Wagen des Zuges, die von selbsternannten Künstlern mit bunten Graffitibildern bemalt waren. Schließlich überholte der Zug und verschwand mit triumphierendem Donnern in der weiten Ferne. Der Bus verfolgte im Schneckentempo weiter seine langweilige Route. Nach dieser kleinen willkommenen Ablenkung erregte nichts mehr Pauls Aufmerksamkeit, bis die ersten großen Gebäude des Vorortes und die breiten Straßen mit ihrem regen Verkehr auftauchten. Paul schaute neugierig, wie die farbigen Ampellichter sich in den Pfützen spiegelten und die vielen buntgekleideten Menschen die Straßen überquerten oder auf den Bürgersteigen aneinander vorbeieilten. Sie trugen kleine hübsche Ledertaschen mit sich oder Köfferchen mit Rädern und nicht Körbe oder Säcke, wie es im Dorf üblich war. Manche von ihnen hatten Kinder bei sich, die sie an der Hand hielten. Das alles, die mehrstöckigen Häuser, die vielen Menschen auf den Bürgersteigen und Autos auf den Straßen, wirkte auf Paul, der sein bisheriges Leben auf dem Land verbracht hatte. Es war befremdend und faszinierend zugleich. Wegen des dichten Verkehrs wurde der Bus immer langsamer und das trieb Pauls Ungeduld in die Höhe. Die Großmutter wachte auf und rieb sich mit dem Handrücken die vom Schlaf angeschwollenen Augen. „Fast da, mein Kindchen, fast da. Was für ein Gewimmel, guck dir das an!", sagte sie kopfschüttelnd zu Paul und deutete auf die vielen Menschen auf den Gehsteigen.

Das Déjà-vu kam wie aus dem Nichts, als ob ein Blitz ins Pauls Hirn einschlug. Er hatte nicht wirklich realisiert, was dieses Gefühl schon einmal da gewesen zu sein, ausgelöst hatte. Er starrte verkrampft in das frühabendliche Durcheinander auf den Straßen, um kein auch so kleines Detail zu verpassen: die Ecken der Häuser, hinter denen sich die schmalen Gassen schlängelten, die Metallzäune um die winzigen Gärten herum, die Hausdächer, die größtenteils flach waren, die meistens grauen Hausfassaden mit vielen Balkonen, auf denen unzählige Blumentöpfe hingen, aber nichts bestätigte diese merkwürdige Wahrnehmung. Und schon wieder: BAM! Wie eine kleine Explosion im Inneren seines Kopfes – eine alte hellrosa gestrichene Villa an der Kreuzung kam ihm verdächtig bekannt vor. Im Gegensatz zu anderen, eher langweiligen Stadthäusern hatte sie ein Giebeldach aus karminroten Ziegeln und eine kleine Windfahne in Form eines Hahnes. Das alles muss er schon mal gesehen haben! Paul starrte auf den verrosteten Hahn auf dem Dach und hörte plötzlich ein deutliches Klirren. Das Klirren war in seinem Kopf. „So muss die Windfahne klingen, wenn sie sich im Wind dreht", dachte er verwirrt.

Der Verkehr auf den Straßen war zu dieser Tageszeit so dicht, dass der Bus alle paar Meter stoppen musste. An einer Kurve, wo auf dem Bürgersteig ein alter knorriger Baum wuchs (was für eine Seltenheit für eine Großstadt!), überkam Paul das Gefühl, dass sich hinter der Kurve eine kleine Eisbude befinden müsste. Er wartete ungeduldig, bis der Bus in die Kurve abbog, aber da schaltete sich die Ampel auf Rot und er fluchte im Stillen. Pauls Herz hämmerte wie wild und er ballte seine schwitzenden Hände zu Fäusten. Er sah schon das Blau des Kiosks und das fröhliche Gesicht der Büdchenfrau im kleinen Fenster. Endlich bog der Bus in die Kurve ab und – NICHTS! Nur zwei Tauben, die am Rand einer großen Pfütze etwas Essbares vom Boden pickten. „Puh!", atmete Paul erleichtert auf. Er konnte seine extreme Aufregung selbst nicht verstehen. „Alles nur Einbildung! Ich war noch nie da", überzeugte er sich selbst. Und als ein paar Häuserblocks weiter kein breites, modernes Gebäude auftauchte, das er zu sehen erwartet hatte, bestätigte sich seine Überzeugung nur. Stattdessen sah er einen kleinen gemütlichen Park mit vielen jungen Bäumen und ein paar Sitzbänken.

„Wir sind da, Paschenka, wir sind da." Na endlich! Großmutter setzte sich aufrecht in ihrem Sitz und legte sich ihr Kopftuch ordentlich an. „Die Nächste ist unsere!" Sie zog den Bündelknoten fester zu und stand auf. Paul hob seinen Schulrucksack vom Boden hoch und folgte ihr zur Bustür. Der Ort, wo sie ausgestiegen waren, war ein gemütliches Viertel – nicht gerade im Stadtzentrum, aber auch nicht am Stadtrand. Die Häuser standen nicht zu dicht beieinander und die Leute auf den Bürgersteigen waren auch nicht sonderlich zahlreich. Vor fast jedem Haus gab es einen kleinen Spielplatz mit einer Schaukel und Wippe oder einer Rutschbahn. Die spielenden Kinder lachten und unterhielten sich laut. Für Paul, der in einem kleinen Dörfchen aufgewachsen war, gab es hier fast zu viel Action.

Er folgte seiner Großmutter, die, mit ihrem schweren Bündel huckepack, langsam aber zielstrebig auf eines der Häuser zusteuerte. „Das ist unser Liebstes, Paschenka, das ist unser Heim!", keuchte sie fröhlich. Es war kein großes Mehrfamilienhaus,

sondern ein ordentliches Vierfamilienhäuschen mit zwei Eingängen an beiden Haushälften. Die Großmutter watschelte zu rechtem Eingang, stieg fünf niedrige Stufen hoch und öffnete die schwere Eingangstür. Die warme Treppenhausluft schlug Paul entgegen, vollgefüllt mit fremden Gerüchen. Das matte Lampenlicht fiel auf die grauen Wände, die früher einmal weiß gefärbt waren, und auf den überraschend sauberen Fliesenboden. Ein einziges kleines Fenster, das sich über dem nächsten Treppenansatz befand, war ein beliebtes Ziel für die Jugendlichen, die es aus Langeweile immer wieder mit Steinen beworfen haben mussten, bis einer der Hausbesitzer es mit einem Holzbrett luft- und lichtdicht zugenagelt hatte. Ein paar Stufen führten zu einer Wohnungstür links, neben der sich zwei Personen unterhielten: eine magere alte Frau in einem für sie überproportional großen Jogginganzug, der von ihrem dürren Körper herabhing, und ein sympathisches junges Mädchen mit dunklem Haar, das es zu einem Pferdeschwanz hochgebunden trug. Neben dieser alten Vogelscheuche sah das Mädchen besonders jung und frisch aus. „Ah danke, danke, meine Liebe!“, sagte die alte Frau mit einer lauten, tiefen Stimme. „Was würde ich nur ohne dich machen!“ „Nichts zu danken!“, erwiderte das Mädchen. „Und nehmen Sie Ihr Rezept wieder, bevor ich es vergesse.“ Das Mädchen übergab der alten Frau neben einem Plastiktütchen einen Papierzettel. „Die Medikamente reichen für ein paar Monate. Wenn Sie noch was brauchen, rufen Sie mich ruhig an – ich bin noch eine Woche daheim.“ „Danke, mein Engel!“ Die alte Frau lächelte und die tiefen Falten in ihrem Gesicht wurden dadurch zahlreicher. Als die beiden Frauen die Neuankömmlinge bemerkten, drehten sie wie auf Kommando die Köpfe in ihre Richtung. Die Alte musterte Paul ein paar Sekunden lang, dann erschütterte ihr lauter Schrei das stille Treppenhaus: „Das ist ja Kay! Du bist es wirklich, Junge!“ Sie machte drei schnelle Schritte in seine Richtung und blieb direkt vor ihm stehen. Dann beugte sie sich nach vorne, sodass ihr Gesicht sich direkt vor seinem befand. Paul, erschrocken und verwirrt über das merkwürdige Benehmen der alten Frau, wich unwillkürlich zurück. Er hätte sich am liebsten hinter dem breiten Rücken seiner Großmutter versteckt, wollte aber nicht als Feigling dastehen. Er schaute ängstlich ins Gesicht der alten Frau, wunderte sich über die vielen violetten Falten und sagte nichts.

„Was bist du groß geworden!“, fuhr sie fort, als sie sich an ihm satt gesehen hatte. Sobald Paul den Atem der Frau roch, rümpfte er angewidert die Nase – aus ihrem Mund stank es unerträglich nach Zigaretten. Dazu mischte sich ein ätzender Parfümgeruch, der die ganze Sache zusätzlich verschlimmerte. Traktorabgase mitten ins Gesicht zu bekommen, wäre ihm viel lieber gewesen. Die Frau legte ihre faltige Hand auf seine Schulter und verzog ihre schmalen, farblosen Lippen zu einem freundlichen Lächeln. „Aber deine Augen sind dieselben wie früher. Ganz die Mutter! Ach, weißt du noch, als du damals ...“ „Ich grüße dich, Charlott!“, unterbrach Großmutter sie trocken, „Es freut mich sehr, dich wieder zu sehen.“ Die alte Frau ließ Pauls Schulter los und richtete sich wieder gerade auf. Paul atmete erleichtert

auf. „Olga! Ich glaube, ich spinne! Meine Güte, wie lange ist es her! Sieben Jahre, acht? Alt, alt bist du geworden, meine Liebe! Na ja, ich werde auch nicht jünger.“ Sie blinzelte kokett und brachte das ganze Treppenhaus mit ihrem tiefen Lachen erneut zum Erbeben. „Dein Mieter ist seit zwei Monaten weg“, fuhr sie fort, als sie fertig war. „Gott sei Dank! Ein komischer Kerl – hat nie ein Wörtchen gesprochen! Immer husch-husch – schnell an mir vorbei und die Türe zu. Wie eine Kakerlake! Der war mir echt unsympathisch, wenn du mich fragst.“Sie verzog ihre violette Miene. Dann musterte sie Paul und seine Großmutter mit ihrem scharfen, neugierigen Blick. „Und ihr beide zieht also bei uns ein? Was bin ich froh!“ Sie summte vor Freude irgendeine fröhliche Melodie. Um ihre Begeisterung besser zum Ausdruck zu bringen, streckte sie ihre Arme in die Höhe und schüttelte mit ihrem Kopf, sodass ihre kurzen, ebenfalls violetten Locken vor Pauls Nase wie wild hin und her flatterten. Alle ihre Bewegungen wirkten abrupt und zackig, wie die eines Wiesels. „Und, mein lieber Kay, wie alt bist du jetzt?“, wandte sie sich wieder Paul zu. „Sein Name ist Paul“, antwortete Großmutter für ihn und ihre Stimme klang dabei nicht besonders freundlich. Die stürmische Begrüßung ihrer alten Bekannten ging ihr sichtlich auf die Nerven. „Er ist dreizehneinhalb.“ Charlott klappte die Kinnlade runter und die dichten Augenbrauen kletterten ihr vor lauter Überraschung hoch auf die Stirn. „Paul?“, fragte sie ungläubig. „Ich erinnere mich nur an einen süßen Fratz namens Kay. Mein Gedächtnis hat mich bis jetzt noch nie im Stich gelassen!“ „Entschuldige uns bitte, Charlott! Wir müssen jetzt weiter.“ Großmutter schüttelte demonstrativ mit ihrem schweren Bündel vor Charlotts Nase. „Oh, wie blöd von mir!“, entschuldigte sich Charlott. „Ihr seid ja müde nach der langen Reise! Sahra, meine Liebe“, wandte sie sich dem jungen Mädchen zu, das während der ganzen Unterhaltung schweigend dagestanden hatte und verlegen von einem Fuß auf den anderen trat. „Hilfst du Olga mit ihrem Gepäck?“ Das Mädchen machte einen unsicheren Schritt in Großmutters Richtung, aber sie stoppte es mit einer höflichen Geste. „Nein, danke, mein Kind! Es ist gar nicht so schwer wie es aussieht! Ich schaffe das schon“, sagte sie freundlich, aber bestimmt und begann, mit Paul auf den Fersen, die Stufen zu der nächsten Etage hochzusteigen. „Ah, ich bin so froh, so froh!“, sang Charlott mit ihrer krächzigen Stimme hinter ihnen her. „Sie übertreibt maßlos“, dachte Paul verärgert. „Senile Alte!“ „Willkommen, willkommen!“, ertönte ihre Stimme von unten. „Danke, danke, Charlott, wir sehen uns sicher später noch“, warf ihr Großmutter, die bereits vor ihrer Haustür stand und in ihrer Tasche nach dem Hausschlüssel kramte, über die Schulter zu. Unten setzte Charlott ihre Unterhaltung mit dem Mädchen fort. Großmutter kramte und kramte vergeblich in ihrer alten Ledertasche und murmelte sich dabei etwas entnervt unter die Nase. Paul betrachtete währenddessen die alte, zerkratzte Holztür. Er fuhr mit den Fingern über die Kratzer und das Gefühl der tief in seinem Unterbewusstsein verborgenen Erinnerung kam wieder in ihm hoch.

„Wieso glaubt die Alte, dass sie mich kennt?“, fragte Paul, sobald sich die Tür hinter ihnen schloss. „Eh, weißt du, sie ist schon so alt, die Charlott“, antwortete Großmutter, die mit dem Gesicht zu einem fleckigen, staubigen Spiegel an der Wand stand und ihren Mantel auszog. „Sie müsste eigentlich längst bei ihrer Nichte wohnen! Die hat Charlott vor sechs Jahren zu sich geholt, um sie zu pflegen. Lange hat sie es, dem Schein nach, mit ihr nicht aushalten können.“ Die Großmutter beugte sich nach vorne, um ihre Schnürsenkel loszubinden, und Paul wunderte sich über die Breite ihres unteren Rückens. „Und das Altersheim kommt für Madam natürlich nicht in Frage!“ „Warum überrascht es mich nicht?“, dachte Paul bei sich. „Und wenn man so alt ist, dann wird man ... du weißt schon.“, sie klopfte sich mit dem Zeigefinger an die Stirn, „ein bisschen wunderlich.“ Nach diesen Worten wandte sie sich ihrem Bündel zu und das Thema war für sie gegessen. Aber nicht für Paul! Bei genauem Nachdenken kam ihm Charlott doch nicht so dement vor. Paul dachte an ihre aufgeweckte Art und den scharfen Blick ihrer Augen. Und wie aufrichtig ihre Überraschung gewesen war, als sie seinen echten Namen erfuhr! Dazu kam es, dass er seine Großmutter in- und auswendig kannte und es sofort spürte, wenn sie ihm etwas verheimlichen wollte. Es war auch diesmal so, aber es hatte keinen Zweck nachzuhaken. Wenn Großmutter etwas für sich behalten wollte, dann blieb es dabei – dazu war sie ja störrisch genug.

Das Zimmer mit dem Kleiderschrank

Die beiden gingen in die kleine, gemütliche Küche und Großmutter setzte sofort eine Kanne auf den Herd, um Tee zu kochen. Sie liebte Schwarztee und trank mehrere Tassen am Tag. Paul betrachtete es wie eine Art Sucht, aber die Großmutter sagte, dass es in ihrer Heimat alle so taten. „Zu Hause, Paschenka!", sagte sie zufrieden und setzte sich auf einen Hocker, der neben dem Küchentisch mit einer unappetitlich fleckigen Tischfläche stand. Der Hocker ächzte unter ihrem Gewicht. Paul setzte sich ihr gegenüber und die beiden aßen ihr Abendbrot, mit Tee für Großmutter und Milch für Paul. Danach gingen sie in der Wohnung umher und Großmutter stellte Paul ihr neues Heim vor. Viel gab es allerdings nicht zu sehen, da die Wohnung nur aus zwei Zimmern, einer Küche, einem schmalen, langen Flur und einem kleinen Bad bestand. Zu Pauls Enttäuschung gab es im Badezimmer nur eine Badewanne und keine Duschkabine – er hasste es, sich in einer Wanne waschen zu müssen. Ein Zimmer war deutlich größer als das andere und das nahm die Großmutter umgehend unter ihre Fittiche. Sie plante, es in den nächsten Tagen zu einem gemütlichen Wohnzimmer umzugestalten. Paul schnappte sich sofort das kleinere Zimmer. Das gefiel ihm auf Anhieb: das große, superweiche Bett, das Bücherregal an der Wand und der kleine Schreibtisch in der rechten hinteren Ecke. Der Tisch stand neben einem großen Fenster, das auf den Hinterhof des Hauses gerichtet war. Aber das, was ihn besonders beeindruckte, war ein gigantischer Kleiderschrank aus massivem Eichenholz. Schwer und dunkel, fast schon bedrohlich, stand er mitten im Zimmer und seine linke Seitenwand bildete mit der Fensterwand zusammen eine Art Nische, in der sich der kleine Schreibtisch fast komplett verbarg. Diese recht gemütliche Nische hatte es Paul besonders angetan. Sie war einfach perfekt für die vielen langen Stunden, die er als Schüler an einem Schreibtisch verbringen musste. Paul setzte sich probeweise in diese Nische und fühlte sich sofort wohl und verborgen. Er stellte sich schon im Kopf vor, wie cool alle seine Aufkleber an der dunkelbraunen Seitenwand des Schrankes aussehen würden. Er sammelte die Aufkleber seit seiner jüngsten Kindheit. Sie alle, ausnahmslos, waren Hundefotos: Hunde aller Rassen und Größen, natürlich je größer, desto besser. Hunde waren Pauls stärkste Leidenschaft. Solange er denken konnte, träumte er von einem, durfte aber nie einen haben. „Unser Geld reicht kaum für uns beide", so das Verdikt der Großmutter. Und basta, Ende der Diskussion – wie immer. Paul aber hütete seinen Traum immer noch, gab ihn nie auf und sammelte über die Jahre eine Menge Hundebilder, die er jetzt als eine Art der Einweihung seines neuen Zimmers an die Seitenwand des Kleiderschrankes anbringen wollte. Er nahm behutsam die Metallschachtel aus seinem Rucksack heraus, in der er die Aufkleber aufbewahrte. Ganz oben lag sein Lieblingsbild: ein riesiger Schäferhund mit heraushängender Zunge mitten in einem Sprung. Er nahm das Foto vorsichtig mit zwei Fingern raus, überlegte eine Weile, wo er das Bild am liebsten haben wollte, zog die dünne Folie auf der Rückseite des Bildes ab und drückte es schließlich mit der klebrigen Seite an die lackierte, leicht gewölbte Fläche des Schrankes. Sobald seine Finger das kühle Holz berührten, nahm er eine leichte Vibration wahr, die von Innenseite des Schrankes zu kommen schien. Am Anfang war es eine eher unbewusste Wahrnehmung, da Paul zu sehr in seine eigenen Gedanken vertieft war. Als er aber die ganze Handfläche an das Bild legte, spürte er deutlicher, wie eine neue, noch stärkere Welle die glatte Holzwand erschütterte. Erschrocken zog er seine Hand weg und starrte die Schrankwand fassungslos an. Eine Weile geschah nichts. „Vielleicht hat Oma nebenan ein schweres Möbelstück verschoben", dachte er. Das schien eine gute Erklärung für dieses merkwürdige Ereignis zu sein und er nahm den nächsten Aufkleber aus seiner Schachtel: einen prächtigen rostfarbenen Cockerspaniel beim Apportieren, sein zweitliebstes Bild. Er presste es an die gewünschte Stelle und prompt erschütterte sich die Schrankwand erneut. Diesmal war es keine leichte Vibration, sondern ein heftiger Schlag, der auch die restlichen Wände des Schrankes erzittern ließ. Vor Schreck wie betäubt, machte Paul zwei Schritte rückwärts. Er stand mitten im Zimmer und starrte den Schrank ratlos und ängstlich an. Was war das? Ist das jetzt wirklich passiert?! Er hielt die Luft an, um den Geräuschen aus dem Inneren des Schrankes besser lauschen zu können, aber alles blieb ruhig und still. „Was auch immer das war, das war voll krass!", dachte er und näherte sich langsam wieder dem Schrank. „Kann es sein, dass es nur dann passiert, wenn ich ihn berühre?", stellte er sich die Frage. Um diese Theorie zu überprüfen, gab es nur einen einzigen Weg, doch es dauerte ein paar Minuten, bis Paul genug Mut gefasst hatte, um seine Finger an die dunkle und kalte Schrankwand erneut zu legen. Diesmal war er schon vorbereitet und hatte sich so weit im Griff. Er streckte die Hand Richtung Schrank, seine zitternden Finger näherten sich langsam dem polierten Holz und berührten es schließlich. Der Schlag war so stark, dass er trotz ganzer Vorbereitung fast die Fassung verlor. Obwohl in diesem Moment sein größter Wunsch war, abzuhauen, unterdrückte er seine Panik und zwang sich dazu, seine Hand dort, wo sie eben war, zu lassen – fest an das dunkle Holz des Schrankes gepresst.

Der neue Schlag ließ den riesigen Schrank erbeben, viele andere folgten. Paul glaubte jetzt zu verstehen, wo das Epizentrum des Bebens lag: ungefähr fünfzig Zentimeter unterhalb der Stelle, wo seine Hand die Schrankwand berührte. Pauls Ohren nahmen auch ein leichtes Klatschen wahr, als ob kleine Handflächen auf die Innenseite des Schrankes anschlugen. „Es steht mir gegenüber, Angesicht zu Angesicht!" Bei diesem Gedanken lief es im kalt den Rücken runter. Nur die dünne Holzwand trennte ihn von etwas unfassbar Schrecklichem, das sich im Schrankinneren verbarg. Angsterfüllt lauschte er den Geräuschen aus dem Schrank und glaubte, eine dünne Stimme zu vernehmen. Sie erschien ihm sehr dumpf und weit weg, aber er zweifelte nicht daran, dass es sich tatsächlich um eine Stimme handelte. Paul konzentrierte sich ganz auf sie und schloss dabei

sogar die Augen, obwohl es ihm verdammt schwerfiel. „Kaja, Kaja!“, rief sie aus der weiten Ferne. Eine dünne Kinderstimme! Es folgte ein leises Schluchzen und wieder dasselbe: „Kaja, Kaja, ich will hiel laus!“ „Es will jetzt raus!“ Paul erschauderte, machte vier Schritte rückwärts und plumpste mit seinem Hintern auf das Bett. Alle Geräusche hörten augenblicklich auf. „Mist, Mist, was für ein verdammter Mist!“ Paul ballte seine klatschnassen Hände, die auf seinem Schoß zitterten, zu Fäusten. Er war schweißgebadet und schlotterte vor Aufregung. So was Paranormales hatte er noch nie erlebt! Er lief ins Nebenzimmer, wo seine Großmutter, über einer Truhe gebeugt, eine Menge Tücher ans Licht holte. Sie breitete die Tücher auf der abgenützten Samtfläche des alten Sofas aus und murmelte sich besorgt unter die Nase: „Hm, keine Betttücher da. Dann müssen sie da drüben im großen Schrank sein. Sieh mal nach!“ Sie drehte sich zu Paul und auf ihrem runden, molligen Gesicht erschien ein besorgter Ausdruck. „Ich hab’s doch gewusst! Der Bus war so voll wie eine Sardinendose. Kein Wunder, dass du jetzt krank bist, mein Lieber!“ Eilig lief sie zu Paul rüber und presste ihre weiche Handfläche gegen seine Stirn. „Mein Gott, bist du vielleicht blass! Ist dir etwa schlecht?“ „Nein, Omi, alles ist gut“, brachte Paul mühsam hervor. Wie konnte es nur sein, dass die Großmutter von dem ganzen Krach in seinem Zimmer nichts mitbekommen hatte?! Klar war sie nicht mehr die Jüngste, aber mit ihrem Gehör war bis jetzt alles in bester Ordnung. „Es liegt an der Luft im Zimmer. Sie ist irgendwie ...“ Er suchte nach einem passenden Wort. „Abgestanden?“, half Großmutter nach. Sie lief sofort in Pauls Zimmer und zum Fenster rüber. „O ja, das ist ganz stickig hier drin!“ Sie öffnete einen Fensterflügel und die erfrischend kühle, feuchte Herbstluft strömte herein. Paul sah aus dem Fenster und wunderte sich über die vielen bunten Lichter, die in der aufkommenden Dunkelheit des Abends aufleuchteten. „Hier drin müssen die Betttücher sein“, sagte Großmutter und lief direkt auf den unheimlichen Kleiderschrank zu. Zu Pauls Entsetzen öffnete sie mit einem Ruck die rechte Schranktür. Paul blickte ängstlich hinein und sah die zahlreichen Regale, die zum größten Teil leer standen. Auf zwei oberen sah er akkurat aufgestapelte Reihen von Bettwäsche. „Da sind sie ja!“, rief Großmutter erleichtert. „So, mein Lieber, ab ins Bett! Morgen müssen wir schon früh auf den Beinen sein. Ich habe um acht Uhr einen Termin beim Schulleiter der hiesigen Schule und wenn es gut läuft, kannst du dort gleich morgen anfangen!“ „Kann ich noch kurz unter die Dusche?“ Paul hegte noch die schwache Hoffnung, nach allem, was passiert war, nicht allein in seinem Zimmer bleiben zu müssen. „Morgen, alles morgen, mein Lieber! Hier, nimm die Lacken und Überzüge. Ich hole das Kissen und die Decke. Großmutter drehte sich um, um rauszugehen. „Eh, Oma!“, hielt Paul sie auf, „und was ist da drin?“ Er zeigte auf die linke Seite des Schrankes, die näher an seinem Schreibtisch war. DIE Seite. „Ah hier!“ Großmutter kehrte zum Schrank zurück und öffnete auch die linke Schranktür. Da war nichts zu sehen, außer einer langen Stange, auf der zahlreiche leere Kleiderbügel baumelten. Ihre Metallhaken leuchteten schwach im matten Lampenlicht. Beim Öffnen der Tür bewegten sie sich und schlugen leicht gegeneinander – es ertönte ein zartes Geklingel. „Das ist es, was ich gehört haben muss!“, dachte Paul mit freudiger Erleichterung. Der Schrank selbst erschien ihm sehr tief, seine hinteren Winkel verbargen sich im Dunkeln. Die Gerüche aus dem Schrankinneren erreichten Pauls Nase. Es roch nach alten Kleidern und Staub. Und ein bisschen nach Rauch. „Oma, wofür brauchen wir so einen riesigen Schrank? Können wir ihn nicht wegwerfen und uns stattdessen einen kleineren besorgen? Er frisst so viel Platz weg!“, beklagte sich Paul bei Großmutter. Sie schwieg eine Weile. Als sie ihm antwortete, klang sie niedergeschlagen. „Du hast Recht, Paschenka, aber ich kann ihn nicht einfach wegwerfen.“ Sie schaute Paul aus tieftraurigen Augen an. „Dein Vater hat ihn einmal gekauft. Er hat ihn sehr gemocht, gerade weil er so groß ist. Er scherzte mal, dass man ihn als Garage nutzen könnte. Er stellte einfach alles rein, was im Weg war! Da unten war immer alles voll. Er nannte das ‚mein Zimmer aufräumen‘.“ Sie lächelte ihren Erinnerungen zärtlich zu. Paul redete nie mit ihr über seine Eltern. Er wartete immer auf einen passenden Zeitpunkt, ohne zu wissen, wie er eigentlich aussehen sollte. In Wirklichkeit fürchtete er sich von diesem Gespräch, weil dadurch dem perfekten Bild seiner Eltern, das er in seiner kindlichen Fantasie geschaffen hatte, womöglich eine brutale Zerstörung drohte. Großmutter machte es ihm leicht, das Thema umzugehen, da sie alle von Pauls scheuen Versuchen, etwas über seine Eltern zu erfahren, im Keim erstickte. Darum wusste Paul so gut wie nichts über die beiden: weder wie sie gelebt hatten noch wie sie starben. Sein Wissen beschränkte sich aufs Minimum: So wusste er, dass sein Vater als Dachdecker gearbeitet hatte und bei einem echt dummen Betriebsunfall ums Leben gekommen war. Schon diese Erkenntnis traf ihn hart, da er, wie jeder Waisenjunge, eher glauben wollte, sein Vater wäre ein Kriegspilot gewesen, der bei einem Absturz sein Leben verloren hatte oder ein Naturwissenschaftler, der aus einer gefährlichen Expedition zu einem der Pole der Erde nie wieder zurückgekommen war. Jede Erinnerung an ihren geliebten verstorbenen Sohn brachte Großmutter zum Weinen und mehrere Tage danach befand sie sich in einem Zustand der tiefen Melancholie, in dem sie sich von Rest der Welt abkapselte und kaum noch ansprechbar war. Das war für Paul ein zusätzlicher Grund, das Thema zu meiden, da er es aufrichtig hasste, seine Großmutter weinen zu sehen. Über den Tod seiner Mutter wusste er noch weniger. Sobald im Gespräch mit neugierigen Nachbarn oder Bekannten ihr Name fiel, wurde Großmutter argwöhnisch und brach das Gespräch kurzerhand ab. Es musste etwas richtig Schlimmes zwischen den beiden vorgefallen sein, dass Großmutter so heftig auf den Klang ihres Namens reagierte, und Paul traute sich schon seit sehr langer Zeit nicht mehr, über seine früh verstorbene Mutter irgendwelche Fragen zu stellen. Unter dem Strich wusste Paul nur, dass seine Eltern tot waren. Es war eine Tatsache, mit der er leben musste, und er hatte gelernt, mit ihr zu leben. Zumindest konnte ihm keiner seine Traurigkeit anmerken. Er fühlte sich rundum wohl in seiner kleinen Welt und genau so sollte es bleiben.

Wie immer nach der Erinnerung an Pauls Vater wurde Großmutter schweigsam. Nachdem sie ihm sein Bettzeug gebracht hatte, ging sie mit einem kurzen „Gute Nacht" raus und schloss die Zimmertür ab. Während Paul sein Bett bezog, stand er gezwungenermassen mit dem Rücken zum Kleiderschrank, was ihm ein mulmiges Gefühl verschaffte. Er vergewisserte sich, dass alle Schranktüren fest verschlossen waren, und schlüpfte unter die kühle Decke, die sich schon sehr bald warm und kuschelig anfühlte. Der Lichtschalter befand sich in erreichbarer Nähe von seinem Bett, was an sich megapraktisch war. Er zögerte eine Weile, bevor er das Licht ausmachte. Es wurde stockfinster im Zimmer – die dicken staubigen Vorhänge, die Großmutter beim Rausgehen fest zugezogen hatte, ließen nicht den geringsten Lichtschimmer von draußen durch. Nach all den Strapazen des Tages fühlte sich Paul todmüde, hatte aber nachvollziehbare Angst, die Augen zuzumachen. Nach einer Weile verlor er den Kampf gegen seine Müdigkeit und verfiel in einen unruhigen Schlaf, in dem sich Träume aneinanderreihten, wie die Kurzepisoden in einer Trickfilmserie. Paul warf sich im Bett hin und her, seine warme Decke lag zerknüllt zu seinen Füßen. In seinen unruhigen Träumen gefangen, bekam er nicht mit, wie sich in der Tiefe der Nacht geräuschlos die linke Schranktür öffnete. Etwas Pechschwarzes kroch langsam heraus. Das unförmige Ding stand zuerst auf allen Vieren, dann richtete es sich mühsam auf und begann auf wackeligen Beinen in Richtung Pauls Bett zu laufen. Die Präsenz war halb so groß wie ein erwachsener Mensch und so dunkel, dass sie das geringste noch verbliebene Licht im Zimmer zu absorbieren schien. Sie war als eine schwarze Silhouette deutlich zu erkennen – eine echte Verkörperung der Finsternis! Sie lief mit winzigen Schrittchen zielstrebig auf den schlafenden Paul zu, schwankte bei jedem Schritt auf und ab und verlor ab und zu das Gleichgewicht. Bei jeder Schwankung prasselte schwarzer Sand auf den Bodenteppich. Im Laufen hinterließ die Kreatur eine dunkle bröselige Spur hinter sich. Schließlich erreichte sie das Bett und blieb am Kopfende stehen.

Der erste Albtraum

„Sie klemmt, verdammt, ich schaffe es nicht!“ In Pauls Stimme war eine große Anstrengung zu hören. Er hockte auf dem dreckigen Fußboden einer Garage neben einem alten Fahrrad und versuchte mit aller Kraft die in das Metall eingefressene Schraube, die das Rad fixierte, zu lösen. Der neue, glänzende Schraubenzieher verbog sich in seiner Hand, aber die hässliche, verrostete Schraube saß fest, wie eingeschweißt, und bewegte sich keinen Millimeter. „Beeile dich, Mann, er kann jeden Moment kommen!“, flüsterte sein Freund Sandro ihm dramatisch zu, rollte genervt mit den Augen und blickte über seine Schulter zum Garagentor, hinter dem die grüne Wiese und ein Stück strahlend blauer Himmel zu sehen waren. Sandro hielt das Fahrrad fest, während Paul mit der Schraube kämpfte. Das Fahrrad und die Garage gehörten Pauls Nachbar Frank, dem Sandro liebend gern verschiedenste Streiche spielte. Hier drin bewahrte Frank seinen alten Kram auf, auch sein Minitraktor stand da, völlig umhüllt von Spinnennetzen. Paul half Sandro oft bei der Verwirklichung seiner Ideen, obwohl so ein Zeitvertreib ihm persönlich viel weniger Freude bereitete als seinem besten Kumpel. Diesmal hatte Sandro die glorreiche Idee ausgeheckt, ihrem aufsässigen Nachbar ein Rad von seinem Fahrrad abzumontieren. Frank war praktisch immer mit seinem alten Rad im Dorf unterwegs – ob in den Dorfladen oder in die Kneipe. Oft fuhr er den beiden Jungs auf dem Weg zur Schule hinterher und rief ihnen die miesesten Beleidigungen und manchmal sogar Drohungen nach. Er konnte die beiden nicht ausstehen und nur der liebe Gott weiß, was er mit ihnen angestellt hätte, würde er sie in seine Finger bekommen. „Ich kann es nicht, es geht nicht! Versuch du es“, keuchte Paul, während ihm vor Anstrengung die Schweißperlen von der Stirn tropften. Er war schon bereit aufzustehen, als Sandros panischer Aufschrei ihn dazu brachte, sich wieder zu ducken. „Er kommt! Scheiße, Mann!“ In diesem Moment kippte das Fahrrad zur Seite, direkt auf Pauls Rücken, und stieß ihn zu Boden. Sein Schraubenzieher glitt ihm aus der Hand, landete mit einem „Klong!“ am Boden und rollte weg. Für den Bruchteil einer Sekunde verdunkelte sich das Garagentor leicht, die Silhouette seines Freundes zeichnete sich kurz in dem blaugrünen Rechteck ab und verschwand im Nirgendwo. Paul blieb allein in der dunklen Garage zurück. Er versuchte, sich von der Last des auf ihm liegenden Fahrrads zu befreien und tastete gleichzeitig nach seinem Schraubenzieher. Er zerkratzte seine Finger an der rauen, unebenen Fläche des Garagenbodens, aber etwas anderes als Dreck bekam er nicht zu fassen. Plötzlich verdunkelte sich das Garagentor erneut, diesmal viel stärker, und Pauls Nachbar erschien im Torrahmen. Seine große, massive Gestalt ließ den unbekümmerten Sonnenschein des herrlichen Sommertages nicht mehr rein und machte es für Paul endgültig unerreichbar. Paul blieb Angesicht zu Angesicht mit dem zornigen Mann, der seit einer gefüllten Ewigkeit davon träumte, ihn in seine Finger zu kriegen. Paul kauerte am Boden, ohne jede Chance unentdeckt zu bleiben. Franks kleine Glubschaugen rollten umher, bis sie Paul unter dem Fahrrad entdeckten. Ein ungutes Lächeln zeichnete sich auf seinem bärtigen Vollmondgesicht ab. Er freute sich sichtlich über die bevorstehende Rache für die langjährige Demütigung. Franks Gesicht wurde feuerrot, die Augen quollen heraus. Sein Mund öffnete sich unter seinem ebenfalls feuerroten Schnurrbart weit auf – ein gähnendes schwarzes Loch, aus dem jede Sekunde ein triumphierendes Lachen zu erwarten war. Aber zu Pauls großer Überraschung kam kein Mucks aus dem weit aufgerissenen Mund des Mannes. Er stand nur da und glotzte Paul dämlich an. Es herrschte eine Totenstille in der Garage, selbst das Vogelgezwitscher von draußen war nicht mehr zu hören. „Vielleicht schaffe ich es, zwischen seinen Beinen abzuhauen“, dachte Paul, aber die schwache Hoffnung erstarb, sobald er bemerkte, dass er sich nicht von der Stelle rühren konnte, als wäre ein schwerer Magnet in dem Garagenboden versteckt, der ihn zu sich runter zog. Sein Herz hämmerte wild in seiner Brust und er fühlte sich so elend wie noch nie zuvor.

Das komische Benehmen seines Nachbars nährte seine Angst. Er schaute wie hypnotisiert in das stumm lachende Gesicht und bemerkte zu seinem Entsetzen, wie Franks Mund sich immer weiter öffnete. Sein Unterkiefer bewegte sich immer weiter nach unten, wie ein Aufzug. Die roten Haare seines kurzgeschnittenen Bartes erreichten schon seine Brust und bewegten sich weiter Richtung Bauch. „Die Sehnen seiner Kiefergelenke müssen längst gerissen sein!", flitzte der schreckliche Gedanke durch Pauls Kopf. Er konnte seine Augen von diesem stummen Schrei seines Nachbars nicht mehr abwenden.

Die schmale, in die Länge gezogene Öffnung seines Mundes war pechschwarz und sah wie ein Tor zur Hölle aus. Aus ihm glotzte Paul die Finsternis an. Franks Kinn war jetzt auf der Höhe seines Bauchnabels angekommen und bewegte sich unaufhaltsam Richtung Knie. Noch einige Sekunden später zog es an seinen Waden vorbei und schon verdecken die roten Bartstoppeln Franks dreckige Stiefeln. Ein Entsetzensschrei saß in Pauls Brust gefangen, wie ein Tier im Käfig. Dieses Etwas, das direkt vor ihm stand, hatte nicht das Geringste mit einem menschlichen Wesen zu tun. Es war höchstens eine groteske Karikatur eines Menschen, Furcht einflößend und lächerlich zugleich. Plötzlich kamen schwarzen Rauchschwaden aus dem schrecklich verunstalteten Mund des Mannes. Innerhalb von Sekunden füllten dichte Rauchwolken den kleinen Raum. Sie umhüllten Paul, nahmen ihm die letzte Sicht auf die Dinge, die er für seine Rettung benötigen könnte, und drangen in seine Lunge ein. Er bekam keine Luft mehr, krümmte sich mit der Hand an seiner Kehle auf dem dreckigen Garagenboden und drohte jederzeit zu ersticken. Mit einem weit geöffneten Mund sog er die verseuchte Luft zum letzten Mal ein und verabschiedete sich von seinem Bewusstsein.

Der schlimme Traum war vorüber, doch vollständig wach wurde Paul nicht. Der nächste Albtraum hatte sich bereits, wie ein Oktopus, um sein Unterbewusstsein gewickelt und drohte ihn mit sich in den dunklen Strudel des Schreckens zu ziehen. Paul gelang es, diesen Teufelskreis zu durchbrechen und doch noch rechtzeitig wach zu werden, aber das, was er für die Wirklichkeit hielt, bereitete ihm einen noch größeren Albtraum. Er spürte, wie fremde Hände in seinem Gesicht rumfuchtelten. Als er es richtig realisierte, verflüchtigten sich augenblicklich alle Überbleibsel des schlimmen Traums aus seinem Kopf und er wurde hellwach. Alle seine Sinne wurden so scharf wie schon lange nicht mehr und er vernahm deutlich Großmutters Schnarchen aus dem Nebenzimmer. Aber der Rauchgestank aus seinem Albtraum war nicht nur immer noch präsent – er wurde sogar tausendmal stärker. Ein anderer, noch viel schlimmerer Geruch mischte sich dazu – ein süsslicher, fauliger. Paul kannte ihn aus dem Dorfschlachthof. Sein gesunder Selbstschutzinstinkt befahl ihm die Augen fest geschlossen zu halten, um seine Seele und seinen Verstand von einem unfassbar grauenhaften Anblick zu bewahren. Er lag auf dem Rücken und spürte entsetzt, wie kleine, glitschige Finger sein ganzes Gesicht abtasteten. Er fuhr zusammen, als eine Hand ihn plötzlich an die Wange schlug. Sie hinterließ eine klebrige Spur auf seiner Haut, wie die einer Nacktschnecke. Es war unbeschreiblich ekelhaft! Eine dieser Hände wanderte zu seiner Stirn, fummelte dort ein wenig herum und arbeitete sich bis zu seiner Nase zurück. Ein halbverwester Finger schlüpfte tief in sein linkes Nasenloch und begann es zu inspizieren. Die scharfen Kanten des halbgelösten Fingernagels zerkratzten Pauls zarte Nasenschleimhaut. Die Lähmung, mit der er aufwachte, hatte sich immer noch nicht vollständig verflüchtigt und er musste diese Tortur hilflos über sich ergehen lassen. Er verspürte eine kurze Erleichterung, als der Finger sich aus seiner Nase rauszog, aber dann schien die Kreatur ein neues Objekt zur Untersuchung gefunden zu haben: seinen Mund, der nach dem Aufwachen immer noch weit offenstand! Paul bereute es zutiefst, ihn nicht rechtzeitig geschlossen zu haben, aber es war bereits zu spät: Die Kreatur nutzte dieses Versehen schamlos aus und steckte alle fünf Finger seiner Hand in Pauls Mundhöhle, die sich sofort an seiner Zunge zu schaffen machten. „Es will mir die Zunge ausreißen!“, dachte Paul panisch und angewidert zugleich. Der Ekel löste seine Lähmung auf. Er spürte, wie ihm die Magensäure hochstieg und sein Mund füllte sich mit Speichel. Gleichzeitig stieg eine große Wut in ihm auf. Er fasste nach dem Handgelenk der Kreatur, aber seine Finger griffen ins Leere. Ein dumpfes Kichern ertönte. So leicht gab sich Paul nicht geschlagen und riss seinen Kopf ruckartig zur Seite. Die lästigen Finger glitten aus seinem Mund heraus und die Kreatur schrie überrascht auf. Dann begann sie mit einer hohen Stimme, die sich wie die Stimme eines Kleinkindes anhörte, zu klagen und zu jammern. Die kleinen Hände suchten

Pauls Gesicht wieder auf und versuchten es zu sich zu drehen, aber Paul machte es ihnen unmöglich, indem er seine Halsmuskeln versteifte. Die Kreatur schrie beleidigt und fordernd und zerrte schmerzhaft an Pauls langem Haar. Paul zwang sich, den dicken Kloß in seinem Hals runterzuschlucken und stieß durch fest zusammengebissene Zähne hervor: „Verpiss dich! Hau ab, du Ekelpaket!" Sobald das letzte Wort über seine Lippen kam, löste sich die Kreatur in Luft auf. Paul spürte ihre Präsenz neben sich nicht mehr, doch traute er sich noch lange nicht, seine Augen zu öffnen. Mit der Zeit gewann seine Müdigkeit die Oberhand und er döste wieder ein.

Tag eins.
Der erste Schulbesuch

Paul erwachte erst um sieben Uhr, als sein Wecker läutete. Das helle Morgenlicht, das ihm direkt ins Gesicht schien, ließ ihn die Augen wieder fest zukneifen. Die Vorhänge standen weit offen, genauso wie seine Zimmertür. Die Schranktür dagegen war fest verschlossen – genauso, wie Paul sie am Vorabend gelassen hatte. Er sog die Luft tief ein – keine Spur von Rauch. Nur feuchte Betttücher und sein eigener Schweißgeruch. Er rümpfte die Nase und stand auf. Irgendwo im Haus, weit von ihm entfernt und hinter vielen verschlossenen Türen, hörte er jemanden husten. Für Paul, der es nicht gewohnt war, sein Haus mit anderen Nachbarn zu teilen, hörte es sich äußerst merkwürdig an. Als er sich in der massiven, altmodischen Wanne aus Gusseisen kalt duschte, versuchte er die Geschehnisse der vergangenen Nacht zu analysieren und kam zum Entschluss, dass das Ganze nichts weiter als ein sehr lebendiger Albtraum gewesen war. Einiges an ihm kam Paul jetzt, im hellen Sonnenschein des neuen Tages, sogar ziemlich albern vor. Zum Beispiel die Geschichte mit Franks Fahrrad: sein Kumpel Sandro hätte ihn, Paul, niemals im Stich gelassen! Er hätte alles Mögliche versucht, um ihm aus der Patsche zu helfen. Er beschloss seinen Traum für sich zu behalten, um seine abergläubische Großmutter nicht unnötig aufzuwühlen.

Am Frühstückstisch hatte Paul nur wenig Appetit, was im Hinblick auf die Ereignisse der vergangenen Nacht überhaupt nicht verwunderlich war. Es beunruhigte seine Großmutter ein bisschen, aber die Appetitlosigkeit ihres geliebten Enkels hing aus ihrer Sicht mit der Aufregung wegen des bevorstehenden Schulbesuches zusammen.

Nach dem Frühstück ging es sofort nach draussen – in die morgendliche Hektik der Stadt, wo die zahlreichen Bürger zur Arbeit eilten. Der Weg zur Schule war nicht sonderlich lang und Paul konnte ihn sich recht gut merken. Die Hauptstraße war zu dieser Tageszeit stark befahren und sie mussten ewig warten, bis sich endlich eine Lücke in der endlosen Reihe der Fahrzeuge bildete. Sobald Paul sie sah, wollte er über die Straße eilen, wurde aber von seiner Großmutter ziemlich unsanft an der Kapuze zurück auf den Bürgersteig gezogen. „Nein, Pascha, doch nicht so!“, schimpfte sie aufgebracht. „Du musst auf die Ampel achten!“ Die Stimme der Großmutter zitterte vor Angst. „Du musst warten, bis das kleine rote Männchen da verschwindet und das grüne rauskommt!“ Die umherstehenden Menschen, die ebenso auf das grüne Licht warteten, wandten schmunzelnd ihre Blicke ab. Paul fühlte sich beschämt. „Ich weiß, was eine Ampel ist“, brummte er und schaute runter zu seinen Schuhen.

Der Schulleiter, ein kleiner Mann mittleren Alters, empfing sie mit einem freundlichen Lächeln. Eine runde Glatze schimmerte bereits durch den kastanienbraunen Flaum auf seinem Kopf. „Du musst also Paul sein“, sagte er nach einer kurzen Begrüßung. „Und Sie – die Oma? Nehmen Sie doch bitte Platz!“ Großmutter und Paul versanken in den weichen Ledersesseln, während der Schulleiter sich Pauls Papiere anschaute. Als er Pauls Zeugnisse mit den Augen überflog, nickte er zufrieden. Das schicke Büro des Schulleiters wirkte bedrückend auf Paul und er begann seine alte Schule schmerzlich zu missen. „Du bist ein guter Schuler, Paul!“ Der Schulleiter klappte die Dokumentenmappe zusammen. „Ich bin mir sicher, dass es mit dir auch bei uns genauso weitergeht!“ Er zwinkerte Paul aufmunternd zu und die Spannung im Raum löste sich allmählich auf. „Frau Kappler ist deine neue Klassenlehrerin. Sie ist seit vielen Jahren bei uns auf der Schule tätig und wird dich bei deinem Einstieg gut unterstützen.“ Der Schulleiter war bereits aufgestanden und lief um den Schreibtisch herum, um Paul die Hand zu reichen. Paul, der von seinem Sessel förmlich eingesaugt worden war, rappelte sich eilig auf. Der Schulleiter stand schon mit ausgestreckter Hand vor ihm. „Vor allem über deine Mathenoten wird sie sich sehr freuen! Mathematik ist nämlich ihr Hauptfach." Er neigte den Kopf zur Seite, wie ein Spatz, und schüttelte kräftig Pauls Hand. Gerade in diesem Moment läutete die Schulglocke und hinter der verschlossenen Tür des Büros ertönte das Getöse von Kinderstimmen und ein lautes Getrampel von Füßen – der Schulunterricht hatte begonnen und die letzten Schüler eilten in ihre Klassen. „Es sind so viele!", staunte Paul mit einem schmerzlichen Ziehen in der Magengegend. Die Vorstellung vor der bereits sitzenden Klasse aufzutreten, löste Unbehagen in ihm aus. „Ich wünsche dir einen guten Start!" Der Schulleiter begleitete Paul und seine Großmutter zur Tür und zeigte in die Richtung, die zu Pauls Klasse führte. Dann verschwand er wieder in seinem Büro, wie ein Vogel in seinem Vogelhäuschen.

Während Paul den langen, stillen Korridor entlanglief, bekam er endgültig weiche Knie. Er war völlig durcheinander und konnte keinen klaren Gedanken fassen. Vor der Klassentür machte er einen Rückzieher. „Warten wir, bis diese Stunde zu Ende ist", flüsterte er seiner Großmutter heiser zu. Sie zog erstaunt ihre Augenbrauen hoch. „Aber das sind ganze fünfundvierzig Minuten!" Sie nahm Paul bei den Schultern und schaute ihm prüfend ins Gesicht. „Du hast nicht etwa Angst? Oder doch?" Ein breites Lächeln ließ ihr Gesicht noch runder aussehen. Sie drückte Paul fest an sich, er spürte ihr Doppelkinn auf seinem Kopf. „Das sind alles Kinder, Paulchen, genau wie du. Es gibt welche, die gut zu einem sind, und es gibt eben Dööfchen. Aber du wirst es ihnen zeigen!" Sie schüttelte mit ihrer fetten, geballten Faust vor Pauls Nase. Nach diesen Worten drehte sie Paul um seine Achse und verpasste ihm einen leichten Schubs Richtung Tür, hinter der eine monotone Frauenstimme zu hören war – die Lehrerin erklärte gerade ein neues Thema. Paul erhob die Faust, um anzuklopfen, dann ließ er sie wieder sinken und erhob sie erneut. „Na mach schon!", munterte ihn Großmutter hinter seinem Rücken ungeduldig auf. „Es ist alles gut, geh jetzt!", flüsterte ihr Paul angespannt zu, ohne sich umzudrehen. „Ich komme um sechzehn Uhr wieder und hole dich ab", antwortete sie erleichtert und gab ihm von hinten einen dicken Kuss auf den Hinterkopf. „Nicht nötig", sagte er schnell, „ich finde selber nach Hause." „In Ordnung", ging sie auf seine Bitte ein und entfernte sich leise. Paul räusperte sich, fuhr mit der Hand über sein schulterlanges blondes Haar und klopfte anschließend an. Die Frauenstimme verstummte und er hörte, wie sich schnelle Schritte der Tür näherten. Sein Herz rutschte in die Hose. Die Türe öffnete sich und Paul wurde vom hellen Licht geblendet. Vor ihm stand eine ältere Frau mit hochgestecktem, rotbraun gefärbtem Haar. Sie wusste bereits über Pauls Ankunft Bescheid und begrüßte ihn freundlich. Dabei nannte sie ihn bei seinem Vornamen. Alle Begrüßungsworte verflüchtigten sich aus Pauls Kopf. „Guten Tag!", brachte er nach einer peinlichen Pause, die ihm selbst unendlich lang vorkam, heraus. „Herr Schulleiter hat mich zu Ihnen geschickt." „Komm bitte herein!" Die Lehrerin drehte sich zu der Klasse um. „Kinder, das ist Paul!", rief sie laut. „Er fängt heute bei uns an." Paul hörte ein aufgeregtes Flüstern. Die Schüler streckten ihre Köpfe, um ihn von ihren Plätzen aus besser sehen zu können. Paul schritt über die Schwelle, machte wie ein Schlafwandler ein paar mechanische Schritte vorwärts und blieb neben der Tafel stehen. „Wie begrüßen wir Paul?", fragte die Lehrerin mit Nachdruck. „Hallooo, Paaaul!" Die Stimmen klangen nicht gerade begeistert. Paul fröstelte unter allen den neugierigen Blicken. Zu erstem Mal in seinem Leben machte er sich Gedanken über sein Aussehen. Entsetzt registrierte er, wie alt und abgetragen seine Klamotten aussahen und seine Schuhe waren eine pure Katastrophe! Am ersten Tisch links von ihm, gerade neben dem Klasseneingang, saß ein bildhübsches Mädchen mit kristallklaren ausdrucksvollen Augen, frischen rosa Bäckchen und langem blonden Haar. Beinahe ein Engelsgesicht! „Die schminkt sich gewiss", dachte Paul verächtlich. Er wollte das Mädchen nicht länger anstarren, schaffte es aber nicht seine Augen von diesem wunderschönen Anblick abzuwenden. Er spürte, wie sein eigenes Gesicht dabei vor Scham rot anlief. Die Kinder, die sich inzwischen an ihm satt gesehen hatten, begannen belustigt miteinander zu tuscheln. Die sarkastischen Blicke, die die meisten von ihnen austauschten, verrieten ihm, dass ihr Urteil nicht gerade zu seinen Gunsten fiel. Da und dort ertönte ein leises Prusten. Dem blonden Mädchen entging Pauls verirrter Blick selbstverständlich nicht. Sie warf ihren hübschen Kopf zurück und antwortete darauf mit einem frechen Lächeln. Dann kniff sie ihre himmelblauen Augen zusammen, ihre blonden Locken glitten dabei wie Schlangen auf die Stuhllehne. Ihre ebenso hübsche dunkelhaarige Tischnachbarin lehnte sich an ihr Ohr und flüsterte ihr die giftigsten Bemerkungen über Pauls Aussehen zu. Die beiden kicherten. Paul kochte vor Wut. „Diese billigen Schaufensterpuppen!" Er hasste sie mit jeder Faser seines Körpers. „Such dir bitte selbst einen Platz aus", bat die Lehrerin Paul an und machte eine einladende Geste. „Später erzählst du uns unbedingt mehr von dir." Sie hatte es eilig, mit dem Thema fortzufahren und kehrte zu ihrem Pult zurück. Paul löste seinen Blick mühsam vom Gesicht des hübschen Mädchens und ließ ihn durch die Klasse schweifen. Er sah zwei freie Plätze – eins neben einem Mädchen in der Reihe rechts, direkt am Fenster und eins in der mittleren Reihe, neben einem großgewachsenen und recht korpulenten Jungen. Paul lief zu der mittleren Tischreihe, das Blut pochte in seinen Schläfen. Er entschied sich zu Gunsten des Jungen, dessen breites Lächeln Paul fälschlicherweise als freundlich empfand. „Der wird sicher selbst oft geneckt, so wie er aussieht", dachte Paul insgeheim und steuerte auf den leeren Platz zu. Wie bitter er sich getäuscht hatte, wurde ihm erst bewusst, als er bei dem Jungen ankam. Paul ließ seinen alten Rucksack auf den Boden plumpsen und war schon bereit, sich auf dem harten Holzstuhl niederzulassen, als der Junge plötzlich sein fettes Bein auf den freien Stuhl legte. Es sah aus wie ein Schweinerumpf, den man in das Hosenbein einer Jeanshose gestopft hatte.

Paul guckte ungläubig zu dem Jungen rüber. Sein Grinsen wurde breiter, das gewaltige Doppelkinn quoll aus seinem Poloshirtkragen, wie ein aufgehender Hefeteig. Der Junge zeigte mit seinem Daumen nach hinten, in die Richtung der anderen Plätze,

die aber alle besetzt waren, außer dem letzten Tisch. Das verstand Paul als: „Zieh Leine." Er schnappte wütend wieder seine Tasche und lief zu einem leerstehenden Tisch, ganz hinten in der Reihe. Frau Kappler, die die ganze Szene verfolgt hatte, schimpfte hinter seinem Rücken mit dem Jungen: „Simon, weg mit dem Bein! Weißt du noch, wie es dir selber erging, als du neu in der Klasse warst?" Paul hörte das scheußliche Gekicher um sich herum. Er war konfus, die ganze Sache verunsicherte ihn komplett. „Sie alle verspotten mich", dachte er verbittert. Er konnte nicht begreifen, wieso diese verwöhnten Stadtkinder so bösartig zu ihm waren. „Sie kennen mich doch überhaupt nicht! Wie kann man nur so oberflächlich sein!" Beleidigt wie er war, bemerkte er einige Augen nicht, die ihn verständnisvoll und bemitleidend ansahen. Er hatte genug von der ganzen Farce und wollte nun endlich sitzen. Aber es war nicht so einfach, wie er dachte. Als er bereits auf dem Weg zu dem leeren Tisch war, sprang plötzlich ein Mädchen auf, das neben einem mopsigen Jungen saß, und setzte sich rasch auf den Platz, auf den

Paul es abgesehen hatte. Was war das jetzt – ein neuer Streich? Paul traf rasch eine neue Entscheidung und wollte sich auf den eben frei gewordenen Platz neben dem mürrischen Jungen setzen, aber der legte unauffällig seinen Handrücken auf den noch warmen Stuhl neben sich und streckte Paul unmissverständlich seinen Mittelfinger entgegen. Dabei war der Blick seiner stahlblauen, tiefsitzenden Augen so kalt und abweisend, dass Paul fassungslos zurückschreckte. Es blieb ihm also nichts anderes übrig, als sich schweren Herzens neben dem flüchtigen Mädchen zu setzen, das ihn gastfreundlich ansah. Paul war sehr geladen und schnaubte laut, als er endlich Platz nahm. Alles, was er in diesem Moment brauchte, war die Ruhe, die ihm helfen sollte, wieder runterzukommen. Darum fuhr er hoch, als das Mädchen sich zu ihm rüber beugte und leise ihren Namen sagte: „Ilon." „Schnauze!", fuhr Paul sie schroff an. Die Lehrerin blickte kurz zu ihnen rüber, sagte aber nichts. Das Mädchen schien überhaupt nicht beleidigt zu sein. „Alles wird okay, mach dir bloß keinen Kopf", flüsterte sie ihm beruhigend zu. Eine Zeit lang schwiegen die beiden. Paul, der sich allmählich in den Griff bekam, versuchte sich auf die Tafel zu konzentrieren. Das Thema war nichts Neues für ihn, diesen Stoff hatte er auf seiner alten Schule schon längst gelernt. Das Mädchen dagegen tat nur so, als ob sie den Erklärungen der Lehrerin folgte. In Wirklichkeit wartete sie nur darauf, das angefangene Gespräch weiterzuführen und warf ungeduldige Blicke in Pauls Richtung. Schließlich brach sie das Schweigen erneut. „Der da", flüsterte sie in Pauls Ohr und deutete mit den Augen auf den Jungen, von dem sie gerade geflüchtet war, „ist ein Riesenarsch." „Wieso?", fragte Paul desinteressiert. „Du hast keine Ahnung!" Das Mädchen erhob leicht seine Stimme und Paul schaute besorgt zur Lehrerin rüber. „Er ist verrückt! Und nicht nur er allein – seine ganze Familie. Alle samt dort sind Schwerkriminelle!" „Uhu", murmelte Paul, ohne richtig zuzuhören. „Sein älterer Bruder sitzt im Jugendknast und sein Vater ...", sie blickte über Pauls Arm in sein Heft und rief erstaunt im Flüsterton: „Eh! Sag bloß nicht, dass du das Zeug schon begriffen hast!" „Ist überhaupt nicht schwer“, antwortete Paul knapp. Frau Kappler klopfte mit der Stiftspitze auf ihr Pult, damit Ruhe einkehrte. „Und jetzt, damit ich sehe, dass das Thema alle verstanden haben, eine kleine Übung“, wandte sie sich an die Klasse. Sie schrieb Werte an die Tafel und überflog die Tischreihen mit einem aufmunternden und zugleich fragenden Blick. Es wurde ganz still im Raum und viele der Kinder senkten die Köpfe über ihre Hefte. Paul streckte aus, ohne über mögliche Konsequenzen nachgedacht zu haben. „Bitte, Paul!“ Das Gesicht der Lehrerin strahlte freudige Überraschung aus. „Neunzehntausendsechshundertacht Kubikdezimeter“, gab er die richtige Antwort. „Wunderbar!“, lobte ihn die Lehrerin. „Mal sehen, ob noch jemand aufgepasst hat.“ Der böse Bub, der vor Paul saß, drehte sich halbwegs zu ihm um. „Jetzt haben wir einen Streber!“, flüsterte er verächtlich über seine Schulter hinweg. Von seiner Feindseligkeit lief es Paul kalt den Rücken runter. „Esel, konntest du denn deine blöde Klappe nicht halten?!“, beschimpfte er sich selbst. „Wow, das war bärenstark!“, flüsterte Ilon neben ihm anerkennend. „Jetzt weiß ich, wer mir die Nachhilfestunden geben wird.“ „Das kannst du dir verkneifen“, dachte Paul genervt und beäugte seine neue Schulkollegin aus dem Augenwinkel genauer. Sie war wesentlich kleiner als er selbst, mit langem kastanienbraunen Haar, das hinten zu einem dünnen Zopf geflochten war und wie ein struppiger Rattenschwanz aussah. Ihre dunklen Augen standen recht nah aneinander und schielten leicht, was ihrem Blick einen lustigen Ausdruck verlieh. Aber am allerlustigsten war ihre Nase, die groß und fleischig aussah, wie eine kleine Kartoffel mitten im Gesicht. Das Gesicht selbst war eher schmal, dadurch sah ihre dicke Nase umso witziger aus. Als Krönung hatte sie eine alberne Brille mit dicken runden Gläsern auf ihrer Kartoffelnase sitzen. Paul hätte beim besten Willen große Mühe gehabt, dieses Gesicht als hübsch zu bezeichnen. Das Mädchen bemerkte seinen Blick und errötete. Auch das machte sie auf eine lustige Art – von unten nach oben. Zuerst errötete das Kinn mit dem kleinen Grübchen in der Mitte, dann die schmalen Bäckchen und zuletzt die Stirn, wobei ihre dicke Nase blass blieb – wie ein verschneiter Berg, der aus einem Lavasee herausragte. Paul drehte sich schnell weg, um nicht loszuprusten. In diesem Moment läutete die Glocke. Alle außer Ilon und Paul sprangen erleichtert auf, strömten an der Lehrerin vorbei und raus aus der Klasse. Es war die große Pause und viele von ihnen hatten ihre Lunchpakete bei sich. Die anderen eilten zur Schulkantine, um frische Brötchen und Hörnchen zu erwischen. Paul wollte sich ein wenig Ruhe gönnen und hatte nicht vor rauszugehen, obwohl in seiner Hosentasche das Geld für das Mittagessen steckte. Ein dunkelhaariger, sportlich aussehender Junge kam auf seinem Weg nach draußen an Pauls Tisch vorbei. „Bleibst du während der ganzen Pause hier?", fragte er Paul ernst und warf nervöse Blicke Richtung Ilon. „Was geht dich das an?", dachte Paul, bejahte jedoch seine Frage. Der Junge nickte erleichtert und eilte zu seinen Kumpels, die neben der offenen Klassentür auf ihn warteten. Die Tür ging hinter ihnen zu und Paul und Ilon blieben allein im Klassenzimmer. Paul warf ungeduldige Blicke auf seine Tischnachbarin, voller Hoffnung, dass sie ebenfalls verschwinden würde. Doch er wartete vergeblich: Sie hatte das anscheinend gar nicht vor und zog sehr gelassen einen blauen Plastiksack mit ihrem Lunch aus ihrer großen Schultasche. Sie öffnete ihn und stellte eine große Lunchbox auf ihr Pult. Dann öffnete sie die Box mit einem lauten „Klack" und der himmlische Duft belegter Lachsbrötchen breitete sich im Klassenzimmer aus. „Man darf hier drin eigentlich nicht essen", wies sie Paul zurecht, während ihm das Wasser im Mund zusammenlief. Sein Magen erinnerte ihn mit einem lauten Knurren daran, dass er heute so gut wie nichts gegessen hatte. „Ich schon", antwortete das Mädchen stolz und nahm einen großen Bissen von einer der zwei riesigen Brothälften. Sie schmatzte genüsslich und schaute Paul dabei aus neugierigen Augen an. Die Lippen ihres kleinen Mundes glänzten vom Fischfett. Sie schob ihre Box mit dem restlichen Brötchen zu Paul rüber. „Danke, ich bin satt", sagte er trocken, während er das leckere Sandwich mit den Augen auffraß. Das Mädchen zuckte mit den Schultern. „Ganz wie du willst", sagte sie locker, schnappte sich die

Box und lief mit ihr zum Mülleimer. Sie hielt die Box mit dem Sandwich über ihn und war bereit, sie umzukippen, als Paul, der nicht glauben konnte, was er da sah, sie in letzter Sekunde stoppte. „Halt!", rief er laut. „Bist du verrückt?!" Er konnte nicht mitansehen, wie jemand so ein leckeres Essen in den Müll kippte. „Was ist?" Das Mädchen drehte sich verärgert zu ihm um. „Meine Stiefmutter gibt mir immer zu viel mit. Wenn ich jedes Mal alles aufessen würde, dann wäre ich schon längst so dick wie Simon!" „Okay, gib's mir", sagte Paul resigniert. Das Mädchen lief schmunzelnd zurück zum Tisch und stellte feierlich ihre Box vor Pauls Nase. Sie beobachtete mit zufriedener Miene, wie er sich gierig auf das Essen stürzte. In ein paar Bissen war das Brötchen weg. Paul leckte sich die Lippen ab – die Kombination von Lachs und frischer Butter war einfach umwerfend! Das Mädchen wunderte sich offensichtlich darüber, wie schnell er sein Essen verschlang. „Danke, sehr lecker", bedankte er sich höflich. „Das ist noch nicht alles!", antwortete sie und zog aus ihrem Plastiksack eine andere Box mit Keksen und eine kleine Flasche mit Orangensaft heraus. „Hier, bitte sehr!" Mit einer theatralischen Geste stellte sie das ganze Zeug auf den Tisch. Paul nahm sich einen Keks. Er war bröselig frisch, mit kleinen Schokostückchen drin. „Wir brauchen einen Pappbecher für den Saft", sagte Paul. „Wir können doch unmöglich aus der gleichen Flasche trinken." „Ist nicht nötig." Das Mädchen schob die Saftflasche in Pauls Richtung. „Ich hasse Orangensaft – danach ist der ganze Mund sauer!" Paul wusste bereits, was für ein Schicksal die Flasche erwartete, falls er sie nicht entgegennehmen würde, und zögerte nicht länger. Es störte ihn nur, dass das Mädchen ihn beim Essen die ganze Zeit beobachtete. Er versuchte, sich an ihren Namen zu erinnern. Es gelang ihm und er bedankte sich erneut: „Danke, Ilon. Deine Stiefmutter ist echt cool!" „Ja, ja das ist sie", antwortete Ilon, aber ihre Stimme klang nicht sonderlich überzeugt. „Sie ist sehr hübsch und immer nett zu mir. Sieht dir sehr ähnlich – dieselben Augen." Sie bemerkte, dass sie sich gerade verplappert hatte, und errötete auf ihre besondere Art. „Meine Mutter ist auch tot", sagte er mitfühlend, da er sich ihr gegenüber in der Pflicht fühlte, das Gespräch aufrechtzuerhalten. Immerhin war sie die Einzige hier, die nett zu ihm war. Aber sie sollte bloß nicht denken, er hätte vor, ihr seine ganze Lebensgeschichte zu erzählen! Ilons Augenbrauen schnellten sofort in die Höhe. Ihre kleinen runden Augen quollen vor lauter Überraschung hervor, man könnte denken, sie würden gleich ihre dicken Brillengläser berühren. „Meine Mutter ist doch nicht tot! Bist du verrückt?!“, fauchte sie ihn erbost an. „Wie kommst du überhaupt darauf?!“ Paul wusste nun wirklich nicht, was er gerade antworten sollte. „Ich dachte ja nur, weil du bei deiner Stiefmutter lebst …“, stammelte er verlegen. Vor allem war er über ihre Reaktion empört. Okay, er hatte einen Fehler gemacht. Das war aber noch lange kein Grund, derartig auszurasten! „Ja, meine Mutter, meine richtige Mutter ist echt scheiße!“ Ilon hörte sich unglaublich verärgert an. „Sie ist drogensüchtig und hat sich immer nur um sich selbst gekümmert! Darum hat mein Vater sich von ihr scheiden lassen und eine Neue geheiratet!“ Ihre Wut schien sich immer mehr zu steigern. Paul traute sich nicht, ihren Wortschwall zu unterbrechen. „Meine Mum ist jetzt auf Entzug. Es ist schon das dritte Mal! Und jedes Mal verspricht sie, mit ihren Drogen aufzuhören. Alles nur leere Versprechungen!“ Die Worte sprudelten nur so aus ihr heraus. „Vati hat ihr schon so viele Chancen gegeben. Ich hasse sie! Von mir aus kann sie verrecken!“ An dieser Stelle konnte Paul nicht länger schweigen. „Es ist falsch“, sagte er leise. Sie hörte sofort auf zu reden, als hätte sie nur darauf gewartet, unterbrochen zu werden, und lauschte aufmerksam. Paul suchte nach passenden Worten. „Weißt du, wenn es meine Mutter wäre, hätte ich ihr so viele Chancen gegeben, so viele nötig sind. Selbst eine Million! Ich hätte sie nie alleine gelassen, niemals! Wenn sie nur am Leben wäre …“ Als er fertig war, schwiegen beide eine Zeit lang. Ilon schien sich beruhigt zu haben und dachte über seine Worte nach. Erst jetzt realisierte sie, was er ihr mit seiner rührenden Ansage eigentlich vermitteln wollte. „Oh, es tut mir leid!“, sagte sie leise. „Es ist so schrecklich! Woran ist deine Mum denn gestorben?“ „Bei einem Brand“, antwortete Paul zerknirscht. Er wusste diese Information von seiner Großmutter und selbst nur deshalb, weil er sie bei einem ihrer Gespräche mit Bekannten heimlich belauscht hatte. „Das ist ja furchtbar!“ Ihr Mitgefühl schien ihm aufrichtig. „Du lebst also bei deinem Vater?“, wollte sie sofort wissen. „Meine Eltern sind beide tot. Ich lebe bei meiner Oma. Sie ist die Mutter meines Vaters.“ Ilons Mund öffnete sich zu einem erstauntem „Oh“. „Mein Gott!“, hauchte sie. „Tut mir sehr, sehr leid, Paul!“ „Es ist schon okay“, seufzte er. Er war recht froh darüber, dass sie sich endlich beruhigt hatte und nicht mehr schrie. „Meine Oma ist echt super!“, sagte er ein wenig fröhlicher. „Sie hat beschlossen, dass wir in die Stadt ziehen, weil es hier mehr Perspektiven für mein weiteres Leben gibt. Wegen Berufsmöglichkeiten und so ... Meine alte Schule war auch gut, einfach nicht so groß wie diese.“ Paul freute sich über den Themenwechsel, doch Ilons Neugierde ließ es nicht zu. „Und was ist mit deinem Vater passiert?“, wollte sie wissen. „Er war ein Dachdecker“, antwortete Paul widerwillig. „Ein Gerüst war schlecht zusammengebaut und er ist ...“ In diesem Moment öffnete sich die Klassentür einen Spalt weit und der böse Junge mit stahlblauen Augen schlich ins Klassenzimmer. Er spähte kurz über seine Schulter in den Korridor, um sich zu vergewissern, dass er von niemandem beobachtet wurde, und machte leise die Tür hinter sich zu. Dann drehte er sich zu Paul und Ilon um und ein ungutes Lächeln zeichnete sich auf seinen schmalen Lippen ab. Er bemerkte die leeren Lunchboxen auf dem Pult der beiden und sog die Luft ein, die immer noch nach Lachsbrötchen roch. „Aha, eine Familienidylle!“, rief er ihnen sarkastisch zu. Seinen eiskalten Blick auf Paul gerichtet, näherte er sich lässig Pauls und Ilons Tisch. Auf seiner Jacke klebten Semmelkrümel, die er im Laufen abschüttelte. „Ein Picknick zu zweit, was?“, höhnte er. „Na und? Bist du etwa neidisch?“, provozierte ihn Ilon. Er ignorierte sie, steuerte direkt auf Paul zu und baute sich vor ihm auf. Dann beugte er sich über Paul, seine tiefsitzenden Augen funkelten nur so vor Hass. Paul erwiderte seinen Blick ohne mit der Wimper zu zucken. Er war erstaunt darüber, wie viel Bosheit in dem Blick des Jungen zu sehen war, und verstand nicht, womit er sie verdient haben sollte. „Hör zu, du Schwuchtel!“ Seine Stimme klang heiser. Die Worte kamen einzeln heraus, wie schwere, kalte Wassertropfen, die aus einem Leck im Wasserrohr einer nach dem anderen zu Boden fielen. „Willst du wissen, wie man hier mit solchen Strebern umgeht? Ich kann's dir zeigen.“ Ohne seinen Blick von diesem hasserfüllten Gesicht abzuwenden, stand Paul nun auch auf. Sein Gegenüber wich keinen Millimeter von der Stelle, warf nur seinen Kopf ein wenig zurück. Man hörte ein leises „Schlirk“, als die Knöpfe von Pauls Hemd sich kurz an dem Reißverschluss seiner Jacke rieben. Jetzt standen sie Brust zu Brust wie Kampfhähne und vernichteten einander mit ihren Blicken. Pauls Gegner war einen halben Kopf größer und das erlaubte ihm auf Paul herabzuschauen. „Was ist, Memme? Soll ich dir gleich eine Lektion erteilen?“ Der Atem des Jungen roch widerlich. Wahrscheinlich war die Zahnbürste für ihn ein Fremdbegriff. Paul verspürte in sich eine unbändige Wut aufsteigen. Noch nie in seinem ganzen Leben war er als „Schwuchtel“ bezeichnet worden! Er wusste halt, dass er mit seinen langen blonden Locken, seiner Porzellanhaut und großen blauen Augen nach außen nicht gerade sehr maskulin wirkte, war bei so einer Frechheit aber trotzdem auf hundert. Oh, wie gerne würde er dieses Arschloch mit seinem Blick verbrennen und ihn dabei beobachten, wie er in Flammen aufgeht und Todesqualen leidet! Ilon beobachtete die Szene sprachlos, ihr Gesicht wurde kreidebleich. „Dein Hosenstall“, zischte Paul durch zusammengebissene Zähne. „Er steht offen.“ Der Überraschungsmoment war gelungen. Das schiefe Lächeln verschwand aus dem hochnäsigen Gesicht des Jungen. Instinktiv wich er von Paul zurück und sein verwirrter Blick wanderte runter zu seiner Hose. Paul nutzte diese Ablenkung, holte mit seinem rechten Arm aus und verpasste seinem Peiniger einen kurzen, aber heftigen Faustschlag ins Gesicht, der seinen Kopf zurückwarf. Dann stoß er ihn mit beiden Händen so heftig gegen die Brust, dass der Junge gleich mehrere Schritte rückwärts Richtung Schultafel lief und dabei fast das Gleichgewicht verlor. Er klammerte sich am

Lehrerpult fest, um auf den Beinen zu bleiben. Der Junge fasste sich an der Backe, dort, wo Pauls Schlag ihn getroffen hatte, und glotzte ungläubig zu Paul rüber. Sein Gesicht lief langsam dunkelrot an. Ohne zu zögern, ballte er die Fäuste und stürzte sich auf Paul. „Das war's, jetzt prügelt er mich windelweich!", schoss es Paul durch den Kopf. Er brachte sich in Position, um seinen Feind würdig zu empfangen – er war bereit, seine Ehre zu verteidigen, egal was es kostete. In diesem Moment flog etwas Schweres an Pauls Nase vorbei und plumpste auf den Boden, direkt unter die Füße des wütenden Angreifers. Der stolperte und fiel mit einem lauten Krach zu Boden. Dabei stieß er mit seinem rechten Unterarm kräftig gegen eine Tischkante und landete zu Pauls Füßen. Paul betrachtete fassungslos den Gegenstand, der den Jungen zu Fall gebracht hatte. Es war Ilons Schultasche, die sie direkt vor Nase des Angreifers auf den Boden geschleudert hatte. Paul funkelte Ilon böse an, sauer darüber, dass sie sich in seine Angelegenheit einmischte. Der Junge lag mit schmerzverzerrtem Gesicht am Boden. Dabei umklammerte er fest seinen Arm und stöhnte leise. Dann stand er auf und ging in seiner Wut auf Ilon los. „Stirb, du verfluchte Missgeburt!", schrie er wütend und fuchtelte mit seinem linken Arm vor Ilons Gesicht, traute sich aber nicht, sie richtig anzugreifen. Sein rechter Arm baumelte unnütze an seinem Körper. Dicke Schweißtropfen liefen ihm sein blasses Gesicht herunter. Paul packte ihn von hinten an den Schultern und zerrte ihn von Ilon weg, die vor lauter Angst den Kopf einzog und ihn mit beiden Händen zugedeckt hielt. Der Junge riss sich los, fasste Paul mit seiner gesunden Hand am Hemdkragen und versuchte ihn von sich wegzuschleudern. Paul, der mit seinen beiden gesunden Armen eindeutig im Vorteil war, wollte auf seinen Feind nicht mehr einprügeln, da es sonst ein unfairer Kampf gewesen wäre. Die beiden standen zwischen den Stühlen ineinander verhakt und ihre Muskeln zitterten vor Anspannung.

Zum Glück öffnete sich in diesem Moment die Tür zum Klassenzimmer und der Kopf einer älteren Frau erschien im Türrahmen.

Die beiden Jungs ließen sofort voneinander ab. Der besorgte Blick der Lehrerin schweifte von einem zum anderen und blieb an Ilon haften. „Was ist das für ein Lärm? Ilon, Schätzchen, ist alles in Ordnung mit dir?“ Sie schien so besorgt um Ilons Wohlergehen zu sein, dass sie weder den Schmerz des zusammengekrümmten Jungen, der seinen Arm fest umklammerte, noch Pauls aufgeknöpftes Hemd und zerzaustes Haar bemerkte. „Alles in bester Ordnung, Frau Haslimann!“, ertönte Ilons schwache Stimme. „Joel ist nur gestolpert.“ Noch bevor die Lehrerin auf ihre Aussage eingehen könnte, stürmte der verletzte Junge an ihr vorbei und raus aus der Klasse. Die Lehrerin schaute ihm kopfschüttelnd nach und drehte sich zu Paul um. Sie musterte ihn eine Zeit lang mit einem strengen, prüfenden Blick und ging wortlos wieder. „Puh, was war das denn?“ Paul fiel kraftlos auf seinen Stuhl zurück und fuhr sich mit der Hand über das feuchte Haar. „Na, was habe ich gesagt? Ist er nicht ein Psycho?“, fragte Ilon ihn in einem scherzhaften Ton und ging ziemlich gelassen um den Tisch herum, um ihre Tasche zu holen. „Du musst es besser wissen, immerhin saßt du mit ihm am gleichen Tisch“, antwortete Paul schroff. Er war immer noch sauer auf Ilon für ihre ungebetene Hilfe. Ilon, die sich für ihren Einsatz mindestens Anerkennung erwartete, machte eine beleidigte Miene und zuckte mit den Schultern. „Ich hatte keine andere Wahl!“, erwiderte sie Pauls böse Bemerkung, setzte sich wieder auf ihren Platz und drehte den Kopf weg. „Was soll das denn heißen?“, maulte Paul, aber statt zu antworten, stoß sie in ihrer Wut mit dem Ellenbogen gegen die leere Saftflasche, die auf dem Tisch stand. Das Fläschchen kippte und rollte zur Tischkante. Paul fing es auf, bevor es auf dem Boden landete, und brachte es mit dem restlichen Abfall zum Mülleimer. Ilon, die keine andere Möglichkeit sah, um Dampf abzulassen, begann laut und nervig mit ihren Fingern zu knacken. „Auf dieser Schule sind wohl alle verrückt“, dachte Paul entnervt, während er zu seinem Platz zurücklief. Zu seiner Erleichterung läutete gerade die Glocke und die anderen Kinder strömten, laut schwatzend, zurück in die Klasse. Paul hielt Ausschau nach Joel, aber er erschien nicht. Ilon bemerkte seinen suchenden Blick. „Er wird dich umbringen“, flüsterte sie ihm schadenfroh zu. „Er und sein missratener Bruder. Joel hat schon letzte Woche damit geprahlt, dass sein Bruder bald aus dem Jugendknast entlassen wird.“ Paul bedauerte, dass ihre Beleidigung so schnell vorüber war und er wieder keine Ruhe von diesem Plappermaul hatte. „Mag sein, aber du bist zuerst dran!“, gab er ihr zurück. „Vergiss nicht, es war deine Tasche, über die dieser Schwachkopf gestolpert ist.“ „MIR wird er sicher nichts tun“, antwortete sie in einem überheblichen Ton. „Ich bin eben unantastbar!“ Paul betrachtete von der Seite ihre stolze Miene. „Die hat echt einen Schaden“, dachte er bei sich.

„Paul, mir wurde gesagt, dass du da warst, als Joel sich den Arm gebrochen hat?“, wandte sich Frau Kappler an ihn, sobald sie mit einer kleinen Verspätung den Klassenraum betrat. „Wie ist es passiert?“ Paul wich ihrem fragenden Blick aus und starrte in sein offenes Buch, während sich alle neugierigen Blicke auf ihn richteten. „Ich habe meinen Rucksack fallen lassen und er ist darüber gestolpert“, murmelte er verlegen. Er war ein miserabler Lügner, das wusste er schon immer. „Das stimmt nicht!“, rief Ilon plötzlich von ihrem Platz aus. „Es war meine Tasche, Frau Kappler!“ Paul spürte, wie die respektvolle Neugierde in den Kinderaugen dem Sarkasmus wich und vernahm ein leises Tuscheln. Er wäre am liebsten im Boden versunken. „Jetzt blamiert sie mich noch vor der ganzen Klasse!“, dachte er verzweifelt. „Ihr Glück, dass sie ein Mädchen ist!“ Er ballte insgeheim die Fäuste und warf vernichtende Blicke zu Ilon rüber, die sie mit einem unschuldigen Gesichtsausdruck erwiderte. „Wer bringt Joel seine Sachen vorbei?“, wandte sich Frau Kappler an die Klasse. „Ich!“ Der dicke Junge meldete sich. „Danke, Simon!“ Die Lehrerin drehte sich zur Tafel um und Paul sah verwundert, wie Simon alle Joels Sachen eilig in seine große Sporttasche warf. „Nicht jetzt, Simon, wenn die Stunde um ist!“, wies ihn die Lehrerin zurecht. „Arschkriecher!“, dachte Paul verächtlich. Er konnte sich beim besten Willen nicht vorstellen, dass so ein Scheusal wie Joel echte Kumpels haben könnte. Eher hatte

Simon Angst, in Joels Ungnade zu fallen, und erkaufte sich dadurch seine Leutseligkeit.

Nach dem Schulschluss blieb Paul absichtlich länger sitzen und wartete, bis alle Kinder die Klasse verlassen hatten. Er fühlte sich ziemlich ausgelaugt und wollte unangenehmen Fragen aus dem Weg gehen. Frau Kappler saß bereits am Lehrerpult und korrigierte die Hausaufgaben, als er an ihr vorbei zur Türe lief. Sie nickte ihm freundlich zu und verabschiedete ihn. Paul trat in den kühlen, menschenleeren Flur. „Na endlich!“, rief ihm eine bekannte Stimme aus der Garderobenecke zu. „Hast du etwa Wurzeln geschlagen?“ Ilon schritt aus der Dunkelheit des Flurs auf ihn zu. Unterwegs versuchte sie mit ihrem linken Arm den Jackenärmel zu treffen, der ihr immer wieder entwischte. Paul verschlug es die Sprache. „O Mann! Wie werde ich diese Klette nur los?“, dachte er fast verzweifelt und ging an ihr vorbei Richtung Toilette, ohne ein Wort mit ihr zu reden. Er hoffte sehr, sie würde nicht länger warten wollen und bald verschwinden, aber als er rauskam, wartete sie immer noch auf ihn. „Was willst du von mir? Geh endlich nach Hause“, warf er ihr abweisend zu, als er an ihr vorbeilief. „Na, die Nachhilfe in Mathe natürlich, was denn sonst!“, rief Ilon und stellte sich ihm in den Weg. Sie sah, wie sich Pauls Augen vor Wut zu Schlitzen verengten und sagte schnell: „Du schuldest mir was, schon vergessen? Ohne mich hätte Joel deinen Kopf als Trophäe am Reißverschluss seiner Tasche hängen.“ „Spinnst du? Lass mich in Ruhe!“, erhob Paul die Stimme. „Außerdem geht es heute bei mir nicht“, erklärte er in einem ein wenig ruhigeren Ton. „Wir sind gerade eben eingezogen und ich muss meiner Großmutter beim Einrichten der Wohnung helfen.“ Ilon tat so, als ob sie ihn gar nicht gehört hätte. „Wir kaufen uns unterwegs Cola und eine Chipstüte. Welchen Geschmack hast du lieber – Paprika oder nature?“ Sie zog ihn am Ärmel der Jacke Richtung Ausgang. „Komm jetzt, es ist schon Viertel nach! Ich bleibe auch nicht lange!“ Die Klassentür, die einen Spalt weit offenstand, ging plötzlich auf und Frau Kapplers Kopf kam zum Vorschein. „Paul, kommst du mal kurz?“, rief ihm die Lehrerin zu. Er schob Ilons Arm beiseite und ging in die Klasse zurück. Unterwegs grübelte er, weshalb Frau Kappler ihn sprechen wollte. Er kam zum Entschluss, dass es etwas mit Joels Verletzung auf sich haben musste und war überrascht, als Frau Kappler die Türe hinter ihm fest abschloss und sich geheimnisvoll den Zeigefinger vor die Lippen hielt. Hatte sie etwa Angst, von jemandem belauscht zu werden? Sie setzte sich an einen der Tische und deutete auf den leeren Platz neben sich. Von dieser Geheimniskrämerei ziemlich verwirrt nahm Paul Platz. Frau Kappler warf einen beunruhigten Blick über ihre Schulter Richtung verschlossene Tür und beugte sich näher zu Paul. „Ich sehe, du hast dich mit Ilon angefreundet", sagte sie so leise, dass nur er sie hören konnte. Paul schüttelte den Kopf. Er verstand nicht, worauf sie hinauswollte. „Nein, nicht wirklich. Ich ..." Die Lehrerin stoppte ihn mit einer ungeduldigen Geste. „Es gibt nämlich etwas, was du über Ilon wissen solltest", sagte sie in einem Flüsterton. Paul war stinksauer. Schon wieder ging es um diese Verrückte! „Was kommt denn jetzt?", grübelte er. „Ist sie eine verdeckte Geheimagentin oder Erbin von Queen?" „Ilon ist ein besonderes Kind", flüsterte Frau Kappler Paul zu. „Weißt du vielleicht etwas über Epilepsie?" Als Paul langsam seinen Kopf schüttelte, redete sie weiter. „Epilepsie ist eine Erkrankung, bei der Menschen Anfälle bekommen" Sie sah seinen erschrockenen Blick und lächelte ihn warm und beruhigend an. „Es ist nichts Schlimmes! Ich sage es dir nur, damit du weißt was zu tun ist, wenn Ilon so etwas widerfährt und du als Einziger in ihrer Nähe sein solltest." Sie schaute ihm direkt in seine weit vor Verwunderung geöffneten Augen und ihr Blick wurde ernst. „Wenn Ilon plötzlich nicht ansprechbar ist, irgendwie blass wird oder nach hinten kippt, musst du dafür sorgen, dass sie sich nicht verletzt." „Und was soll ich tun?", fragte Paul leise. Wahrscheinlich kam ihr seine Stimme misstrauisch vor, da sie ihn an der Hand nahm und ihm mit einem festen Blick tief in die Augen sah. „Hör gut zu, Paul! Das ist mein voller Ernst! Versuch sie aufzufangen und halte ihren Kopf fest, damit sie ihn nicht am Boden oder an irgendeiner Kante anschlägt. Und ruf einen Erwachsenen um Hilfe – das ist ganz wichtig! Lass sie auf keinen Fall alleine, solange sie bewusstlos ist.“ Sie wartete eine Weile, bis Paul alle Informationen verdaut hatte. „Haben ihre Stimmungsschwankungen etwas mit ihrer Krankheit zu tun?“, fragte Paul, der nach einer logischen Verbindung zwischen Ilons emotionaler Verfassung und ihrer Krankheit suchte. Frau Kappler sah nachdenklich durch das Klassenfenster nach draußen. Sie ließ Pauls Hand los und sagte: „Ich habe keine Ahnung. Möglich wäre es. Ich bin auf dem Gebiet nicht wirklich kompetent. Es ist einfach wichtig, dass du sie so akzeptierst, wie sie ist und keine Panik kriegst, wenn so was passiert.“ Sie wartete, bis er sein Einverständnis mit einem zögerlichen Nicken bestätigte. „Die Klasse weiß Bescheid und sorgt dafür, dass Ilon nie allein bleibt. Zumindest nicht hier in der Schule. Die Kinder wechseln sich dabei ab.“ „Darum verhalten sich in Ilons Nähe alle so merkwürdig!“, leuchtete es Paul ein. Er begann allmählich die ganze Sache zu begreifen. Er verabschiedete sich von Frau Kappler zum zweiten Mal und ging mit einem mulmigen Gefühl aus der Klasse.

Ilons Anfall

Wie befürchtet, wartete Ilon neben der Klassentür immer noch auf ihn. Obwohl Paul es vor ihr zu verbergen versuchte, verstand sie sofort an seinem Gesichtsausdruck, dass es sich beim Gesprächsthema um sie gedreht hatte. Ihre Mine verfinsterte sich, was für Paul nichts Gutes hieß. Sie drehte sich um und lief schweigend nach draußen. Paul folgte ihr auf einer Distanz von ungefähr drei Metern. Ganz in ihrer Nähe zu sein, vermittelte ihm ein ungutes Gefühl. Aber draußen näherte sich Ilon ihm wieder, statt zu verschwinden, wie es sich Paul so sehr erhofft hatte. „Sie hat von MIR geredet, nicht wahr?“ Sie musterte ihn mit einem prüfenden Blick. Paul öffnete gerade den Mund, um irgendeine ausweichende Antwort zu geben, als sie ihn unterbrach. „Sag lieber nichts, ich weiß es auch so!“ Ihre Stimme bebte vor Wut. „O nein!“, dachte Paul erschrocken. „Bitte nicht jetzt!“ Aber es war zu spät. Ihre ganze Missgunst ergoss sich über seinen Kopf. „Jetzt weißt auch du, dass ich krank bin! Und bald sterben werde!“ Die breiten Nüstern ihrer Kartoffelnase bebten, als sie ihn anschrie. Pauls abweisender Blick goss nur noch mehr Öl ins Feuer ihres Zorns. „Ja, sterben!“, schrie sie ihn mit einer hysterischen Note in der Stimme an. „Epileptiker leben nicht lange, damit du es weißt!“ Sie klatschte sich mit der Handfläche auf ihren Haaransatz „Du hast keine Ahnung! Jedes Mal, wenn ich einen Anfall kriege, stirbt mir ein Haufen Hirnzellen ab!“ Ihre Stimme brach ab, sie war den Tränen nah. Paul wurde mit Problemen konfrontiert, von denen er keine Ahnung hatte und dabei hatte er selbst mehr als genug davon. „Hör sofort auf, so einen Mist zu verzapfen!“ sagte er scharf zur schluchzenden Ilon. „Die Medizin macht Riesenfortschritte – man hört’s jeden Tag in den Nachrichten. Die Blinden können wieder sehen und die Gelähmten laufen! Sie werden schon etwas gegen deine Anfälle erfinden.“ Er versuchte möglichst überzeugend zu klingen und es zeigte Wirkung. Ilon beruhigte sich rasch und schaute dankbar zu ihm auf. Sie lief weiter, als ob gar nichts gewesen wäre, während Paul immer noch vor Aufregung zitterte.

Auf der Bank neben dem Schultor saß einsam eine Person, die sofort zu winken begann, als sie Paul sah. Er erkannte seine Großmutter und verzog die Miene. Es stieß ihm sauer auf, dass sie ihn mit Ilon zusammen sah. Großmutter rappelte sich auf und näherte sich ihnen watschelnd. Ihre Hüftgelenke wurden steif vom vielen Sitzen. „Ich dachte schon, du kommst nie raus!", rief sie Paul erleichtert zu. „Oma, was machst du hier!", schimpfte er sie an. „Ich habe dir doch gesagt, ich komme alleine nach Hause!" „Ich war gerade in der Nähe einkaufen", erklärte sie. „Und dann habe ich beschlossen, da sowieso bald Schulschluss ist, auf dich zu warten. Du willst doch nicht, dass deine alte Oma die schwere Tasche selbst nach Hause schleppen muss?" „Ich kann Ihre Tasche tragen!", mischte sich Ilon in das Gespräch ein. Paul verdrehte die Augen. Schon steckte sie ihre dicke Nase in seine Familienangelegenheiten! „Und wer ist die junge Dame?", fragte Großmutter überrascht. „Ich heiße Ilon", antwortete Ilon schnell, „ich und Paul gehen in die gleiche Klasse!" Großmutter nickte und lächelte freundlich. „Und ich heiße Frau Mayer. Du kannst aber Olga zu mir sagen. Der erste Tag in der Schule und schon so eine hübsche Freundin!" Sie zwinkerte Paul scherzhaft zu. „Von wegen hübsch!", dachte Paul, zutiefst genervt über ihre Bemerkung. „So ein Koala-Gesicht!" Ilon fühlte sich geschmeichelt, ihre Nase leuchtete in ihrem errötenden Gesicht schneeweiß auf. Sie warf einen kurzen Blick zu Paul rüber, um festzustellen, ob er womöglich die Meinung seiner Großmutter teilte. Großmutter band ihr Kopftuch fester um ihren Kopf. „Püh, so eine Hitze zu dieser Jahreszeit!" Sie zog einen dünnen Notizblock aus ihrer Manteltasche und benutzte ihn als Fächer. Paul blickte zum wolkenlosen Himmel. In der Tat ließ der Spätweibersommer den Herbstnachmittag richtig hochsommerlich aussehen und zahlreiche Menschen auf den Straßen litten in ihren warmen Jacken und Mäntel. Großmutter schaute auf ihre Armbanduhr, die Viertel vor fünf zeigte. „Du musstest nicht etwa gleich am ersten Tag nachsitzen?“, fragte sie Paul besorgt. „Er und nachsitzen!“, kicherte Ilon. „So ein Mathegenie muss doch nicht nachsitzen!“ Sie lief zur Bank, um Großmutters Tasche zu holen. Paul überholte sie und nahm die Tasche an sich. „Ich trage sie“, sagte er grimmig und schob ihre Hand beiseite, woraufhin sie wieder ihre beleidigte Miene aufsetzte. Unerwartet entriss sie ihm seinen Schulrucksack und zog ihn auf ihren Rücken, noch bevor Paul ihn ihr wegnehmen konnte. „Dann trage ich das hier!“, sagte sie hochnäsig zu ihm und entfernte sich. Sie und Großmutter liefen gemeinsam durch das Tor nach draußen und Paul schleppte sich mit Großmutters Tasche in der Hand hinter ihnen her. Er hatte niemals gedacht, dass sein erster Feierabend so aussehen würde. „Du besuchst uns also?“, fragte Großmutter Ilon, während sie sich der Hauptstraße näherten. „Ja, Paul möchte mir das schwierige Mathethema erklären“, klärte Ilon sie auf. Großmutter drehte im Laufen ihren Kopf nach hinten zu Paul. „Das ist sehr löblich! Dann sorgen wir dafür, dass unser Gast sich bei uns wohlfühlt. Nicht wahr, Paul?“ Paul entfuhr ein schwerer Seufzer. Er schaute sich in der Stadt um. Er fand die vielen Menschen um sich herum und den regen Verkehr auf der Straße ziemlich chaotisch und fühlte sich in diesem blühenden Stadtleben irgendwie verloren und fremd. Die tief stehende Sonne schien ihm direkt in die Augen und wärmte sein Gesicht. Die vielen dunklen Flecken auf dem Bürgersteig, die einmal Pfützen waren, verschwanden restlos dank ihrer Kraft. „Können wir vielleicht kurz bei diesem Kleidergeschäft vorbeischauen?“, fragte Ilon plötzlich und zeigte auf den Eingang zu einem Kleiderladen an der Hauptstraße. „Paul braucht ein paar neue Anziehsachen. Bitte, bitte!“ Sie setzte einen flehenden Hundeblick auf. Großmutter blieb unschlüssig stehen und richtete ihren fragenden Blick auf Paul. Er musste sofort an die verachtenden Blicke des hübschen blonden Mädchens und ihrer dunkelhaarigen Freundin denken. „Warum nicht“, warf er in die Runde. Was sollte er dabei schon verlieren? Der Nachmittag war doch so oder so ruiniert. „Super!“, freute sich Ilon und steuerte auf den Laden zu. „Das Geschäft ist klein, hat aber prima Sachen! Und die Preise sind auch in Ordnung." Sie rannte die Stufen hoch. Großmutter versuchte keuchend, sie einzuholen. Paul bemerkte gleich neben dem Kleidergeschäft einen Friseursalon und bekam spontan eine Idee, die er erstmal für sich behielt.

Der Laden war wirklich klein. Die Kleiderständer, die einem im Weg standen, die kopflosen Schaufensterpuppen da und dort, ein paar Regale und ein Haufen Kunden, die einander auf die Füße traten – das alles wirkte auf ihn nicht sonderlich einladend. Ein Gemisch aus verschiedensten Parfümduften kitzelte in seiner Nase und nahm ihm den Atem weg. Er bekam von Großmutter ihre Geldbörse überreicht und der Einkaufsbummel konnte losgehen. Paul lugte in den Geldbeutel und biss sich auf die Lippe. Nach viel Geld sah es nun wirklich nicht aus. Er beschloss, sich auf das Notwendigste zu beschränken: ein neues Hemd und eine neue schwarze Jeanshose. Er kannte seine Größe und warf sich die Sachen über den Arm, ohne sie anzuprobieren. Paul wollte sich schon Richtung Kasse umdrehen,

als Ilon, die stets an seiner Seite klebte, ihn auf einen Pulli aufmerksam machte. „Diesen hier musst du unbedingt haben!“, sagte sie überzeugt und nahm den Pullover vom Kleiderständer. Sie baumelte den Pulli vor Pauls Gesicht.

Paul warf einen kurzen Blick darauf: eine tolle Khakifarbe, eine modische Aufschrift im Brustbereich. Im Großen und Ganzen ein cooler Pulli. „Ja, er sieht gut aus“, musste er zugeben. Paul nahm ihn und schaute sich den Preis an. Sofort runzelte er die Stirn. Der Pulli kostete mehr als alle Kleider, die er bei sich trug, zusammen. Er drückte den Pulli entschlossen wieder in Ilons Hände. „Danke, aber lieber ein anderes Mal.“ Als er sich kurz umdrehte, war Ilon aus seinem Blickfeld verschwunden und er atmete erleichtert auf. Als er sich durch die Menschenmenge Richtung Kasse zwängte, kam sie ihm wieder entgegen. Sie strahlte über das ganze Gesicht und überreichte Paul ein Tütchen mit dem Logo des Ladens. „Hier, ein Geschenk von mir!“, sagte sie stolz und drückte das Tütchen in Pauls Hand. „Trage es auf mein Wohl!“ Paul ahnte bereits, was drin war: der Pulli, den Ilon für ihn mit ihrem eigenen Taschengeld gekauft hatte. Paul war überwältigt über so eine Großzügigkeit und die Menge an Taschengeld, die Ilon bei sich trug. „Das war nicht nötig“, murmelte er verlegen. „Ich zahle es dir später zurück.“ Aber Ilon wollte nichts davon wissen. „Das ist ein Geschenk“, wiederholte sie mit Nachdruck. „Es bleibt nicht ewig so warm wie jetzt. Ich will nicht, dass du mich mit irgendwelchen üblen Viren ansteckst!“ Paul ertappte sich dabei, dass er sie plötzlich mit anderen Augen betrachtete. Bisher hatte er sie nur für eine hysterische, extravagante Zicke gehalten. „Vielleicht ist sie kein so schlechter Kumpel“, ging es ihm durch den Kopf. Er bezahlte seine Sachen und die beiden liefen zur Großmutter, die am Ausgang auf sie wartete. Draußen warf Paul einen kurzen Blick ins Innere des Friseursalons. Ein dünner Friseur, mit Schere und Kamm bewaffnet, tänzelte um einen sitzenden Kunden herum. Ilon fing seinen Blick auf. „Komm bloß auf keine dummen Gedanken!“, rief sie ihm warnend zu. „Ich gucke ja nur“, rechtfertigte er sich, aber Ilon wandte sich bereits an Großmutter. „Frau Olga, Paul will sich die Haare schneiden lassen!“ Die beiden begannen mit vereinten Kräften Paul seine Idee auszureden und Ilon legte sich dabei ganz besonders ins Zeug. Während ihre Argumente auf ihn niederprasselten, beschloss Paul insgeheim, nie in seinem Leben zu heiraten. Eine Frau zu haben, die ihm ständig vorgab, was er zu tun und zu lassen hatte? Nein, danke! Darauf konnte er verzichten! „Und was ist mit Chips und Cola?“, erinnerte er sie, als sie die Straße überquerten. „Vergesst diesen Müll!“ Großmutters Stimme klang streng. „Ihr verderbt euch die Bäuche! Ich habe einen schönen Schokokuchen dabei, den nehmen wir uns vor.“ Paul bemerkte, dass Großmutter und Ilon sich blendend verstanden. Zumindest kam es so rüber. Großmutter hörte dem ganzen Quatsch, den Ilon ihr unterwegs erzählte und der an Pauls Ohren ohne jegliche Beachtung vorbeiging, aufmerksam zu und stellte sogar ab und zu irgendwelche Fragen. Er war froh, als sie endlich zu Hause ankamen. Ilon ging sofort in der ganzen Wohnung umher und gab ihren Senf zu allem, was sie dort sah. Man sah ihr an, dass sie nicht oft bei den Leuten zu Besuch war und das nicht nur wegen ihrer Krankheit. Paul, der ihren Charakter inzwischen zu kennen glaubte, wusste genau, wieso es so war. Nur Großmutter war noch ahnungslos und hielt Ilon für ein artiges, liebes Mädchen.

Großmutter rief sie beide zu sich in die Küche, wo Ilon es sich sofort am Tisch gemütlich machte und sich mit den trockenen Keksen, die vom Frühstück übriggeblieben waren, vollzustopfen begann. Dabei vergaß sie nicht, pausenlos weiterzuquatschen. „Möchtet ihr einen Kakao zum Kuchen?“, fragte Großmutter, während sie ihnen Brote belegte. „O ja!“ Ilon klatschte von Begeisterung in die Hände. „Kakao, Kakao!“ Großmutter setzte schmunzelnd ein kleines Pfännchen Milch aufs Feuer. Während sie auf den Kakao warteten, gingen Paul viele Dinge durch den Kopf. „Ich sollte mal zum Training“, dachte er geknickt und knabberte lustlos an einem trockenen Keks herum. „Dieser Psycho Joel wird nicht lockerlassen. Gleich morgen werde ich ein paar Jungs darauf ansprechen. Sie müssen wissen, wo es hier in der Nähe einen guten Kampfkurs gibt." Dabei dachte er an einen konkreten Jungen – den dunkelhaarigen, sportlich aussehenden, der ihn in der Pause angesprochen hatte. Er war im Moment der Einzige, zu dem er Vertrauen schöpfte.

Als er aus seinen Gedanken aufwachte, redete Ilon gerade davon, was es in der Stadt so gab. „Wer will, der kann sich bei uns ganz gut amüsieren", erzählte sie Großmutter, die ihr aufmerksam zuhörte. „Es gibt ein Kino im Zentrum, nicht sehr weit von hier, und eine Eisdiele. Auch eine Disco, allerdings muss man ein bisschen Bus fahren." Sie blickte kurz Richtung Paul, um zu sehen, welchen Eindruck ihre Worte in Bezug auf Disco bei ihm hinterließen. Als sie keine Regung sah, fuhr sie mit ihrer Aufzählung weiter. „Das Kunstmuseum ist auch ganz nett. Was ich persönlich besonders gerne mag, ist die Stadtbibliothek – da bin ich fast immer am Wochenende. O ja, dann gibt es noch den Tierpark! Er ist ein bisschen abseits, fast schon auf dem Land, dafür gibt es dort Wildschweine, Rehe und sogar Wölfe zu sehen!" Sie machte eine kurze Pause, um zu verschnaufen, dann redete sie weiter: „Es gab einmal ein Kinderspielzentrum, ist aber vor Jahren ausgebrannt. Ein riesiges Haus in der Nähe der Hauptstraße und ganz neu!" Bei der Erinnerung ans Spielzentrum flackerten ihre Augen begeistert auf. „Oh, das war soo cool! Man konnte Trampolin springen und eine Kletterwand besteigen! Es gab auch eine Scooterbahn! Mein Vater ging oft mit mir hin. Und dann brannte es ganz plötzlich nieder. Ich war zwar noch klein, aber ich erinnere mich noch genau an diesen Tag." Dass diese Erinnerungen wirklich schlimm waren, sah man in ihren Augen – ihr Ausdruck veränderte sich, wirkte trüb und entgeistert. „Ich und mein Vater waren an diesem Tag einkaufen, ganz in der Nähe vom Zentrum. Ich weiß noch, wie alle um mich herum plötzlich zu schreien begannen und panisch rumrannten." Ihre Stimme klang jetzt ungewöhnlich leise. „Ich hörte, wie die Sirenen aufheulten und bekam Riesenpanik. Ich blickte in die Richtung, in die die meisten Leute zeigten, und sah schwarzen

Rauch. Furchtbar viel Rauch! Ich bin mir nicht sicher, aber ich glaube, an diesem Tag meinen ersten Anfall bekommen zu haben." Paul nahm plötzlich ein komisches Klimpern aus Großmutters Richtung wahr. Er drehte den Kopf und sah erstaunt, wie Großmutters Hand, in der sie einen Esslöffel hielt, kräftig zitterte. Der Löffel schlug dabei gegen die Kante der Zuckerdose. Er konnte sich dieses plötzliche Zittern nicht erklären. War sie so aufgebracht, weil sie über Ilons Anfälle erfahren hatte, oder gab es dafür einen anderen Grund? Er beobachtete mit einem besorgten Blick, wie Großmutter einen gehäuften Löffel Zucker aus der Dose nahm, um ihn in die auf dem Herd stehende Milchpfanne zu geben. Paul bezweifelte, dass sie ihn heil bis zur Pfanne bringen würde, da ihre Hände ihr nicht mehr zu gehorchen schienen. Wie befürchtet, kippte der Löffel in ihren bebenden Fingern zur Seite und der Zucker verteilte sich auf der ganzen Arbeitsfläche. Ohne ein Wort zu reden, schob sie den Zucker eilig zu einem Häufchen zusammen. Ihre Hand zitterte immer noch dabei, aber sie bekam sich allmählich in den Griff. Beim zweiten Versuch ging sie mit der ganzen Zuckerdose zur Milchpfanne und gab den Zucker aus einer geringen Entfernung in den Topf. Ilon, die in ihre Erinnerungen vertieft mit dem Rücken zu Großmutter saß, bekam nichts mit. Mechanisch, wie ein Roboter, rührte Großmutter mit dem Löffel in der Pfanne rum, verteilte den brütend heißen Kakao auf zwei Tassen und brachte eine von ihnen zu Ilon. Diese schüttelte ihre Erinnerungen ab und schnappte sich rasch die Tasse. „Oh, danke!", rief sie Großmutter dankbar zu. „Ich liebe Kakao!" Noch bevor Paul sie warnen konnte, nahm sie einen großen Schluck „Autsch, heiß!", schrie sie erschrocken auf und spuckte die ganze Ladung zurück in die Tasse. Bei diesem kleinen Unfall kam Großmutter rasch zu sich und ihr wurde klar, was für ein grober Fehler ihr unterlaufen war. „Entschuldige, mein Kind!", rief sie der hechelnden Ilon zu. Ihre Stimme war voller Reue. „Machen Sie sich keinen Kopf, Frau Olga!", beruhigte Ilon sie. „Ich habe selbst nicht aufgepasst." Paul schaute Ilon aufmerksam an. Irgendetwas stimmte nicht mit ihr: Sie sprach undeutlich, als ob ihr Mund voller

Brei wäre. Er erklärte es sich damit, dass ihre Zunge vom Kakao verbrannt worden war, seine Alarmglocken schrillten aber trotzdem. Sie versuchte weiter zu reden, wurde dabei aber immer langsamer. „Ich hät-te wis-sen müs-sen, dass Ka ..., Ka ..., ooo." Paul fixierte ihre Lippen. Sie begannen zu zucken. Ihnen folgten die Augenlider und schließlich die gesamte Gesichtsmuskulatur. Das alles sah nach einer grotesken Pantomime aus und war nichts für schwache Nerven! Ihre Augen bewegten sich schnell und chaotisch umher, ohne sich auf irgendein Objekt zu fixieren, und rollten schließlich nach hinten, sodass nur noch weiß zu sehen war. Ilon warf ihren Kopf weit nach hinten und der Rücken verbog sich wie ein überspannter Bogen. Alle ihre Muskeln verkrampften sich und sie kippte Richtung Fenster. Die ganzen Bemühungen von Frau Kappler, ihn zu belehren, waren umsonst – Paul saß wie gelähmt auf seinem Stuhl, mit von Staunen geöffnetem Mund und weit aufgerissenen Augen. Es war das erste Mal in seinem Leben, dass er einen epileptischen Anfall aus nächster Nähe sah. Es war die Großmutter, die Ilon zur Hilfe eilte, ihr ihren breiten, kräftigen Arm unter den Rücken schob und so ihren Sturz verhinderte. Ilons Beine waren ebenfalls verkrampft und der Hocker unter ihr kippte mit einem lauten Krach zu Boden. Dieses Geräusch half Paul aus seiner Starre heraus. Er sprang von seinem Stuhl und rannte um den Tisch herum zu seiner Großmutter, die allein das ganze Körpergewicht von Ilon hielt. Er schob mit einem Ruck den umgekippten Hocker zur Seite und packte mit an. Gemeinsam begleiteten sie Ilon in ihrem Fall kontrolliert zu Boden. Ilons ganzer Körper war hart wie Eichenholz. Die Wellen der Hochspannung durchzogen ihn und er begann heftig zu beben, als ob Tausende von Volt durch ihn hindurchschossen. Es erinnerte Paul an die Szenen aus „Der Exorzist", den er einmal heimlich geschaut hatte. „Paul, halte ihre Beine fest!", rief Großmutter dem geschockten Paul zu und er gehorchte blind. Obwohl er jede Fähigkeit klar zu denken verloren hatte, registrierte er, wie stark Ilons kleiner Körper war. Er musste seine ganze Kraft einsetzen, um ihn stillzuhalten. „Gib mir ein Tuch, schnell!", schrie

Großmutter ihm zu und Paul streckte seine Hand nach einem Küchentuch aus, das an der Stuhllehne hing. Er warf es Großmutter zu und sie schob es unter Ilons Kopf, der jetzt heftig am Boden schlug. Es war ein dumpfes, scheußliches Geräusch: „Bum, bum-bum, bum." Großmutter hielt ihren Kopf mit beiden Händen fest und versuchte ihn zur Seite zu drehen. Paul traute sich kaum, Ilon ins Gesicht zu blicken, so gruselig fand er das alles. Weißer Schaum kam aus ihrem Mundwinkel und sammelte sich auf ihrer rechten Gesichtshälfte. Paul sah, dass der Schaum sich leicht rosa färbte. „Sie hat sich auf die Zunge gebissen!", rief Großmutter verzweifelt. Sie gab sich die Schuld an allem: Hätte sie Ilon wegen des heißen Kakaos gewarnt, wäre ihnen allen das ganze Leid erspart geblieben. Sie wischte ihr behutsam den Schaum aus dem Gesicht. Paul litt auch unter Gewissensbissen. Er stellte entsetzt fest, dass er sich von Ilons zuckendem Körper ekelte. Es kostete ihm richtig Überwindung, sie festzuhalten. Dieses Ekelgefühl war schrecklich und er schämte sich dafür abgrundtief.

Endlich wurden die Krämpfe schwächer, die Zuckungen seltener und schließlich erschlaffte Ilons Körper. Paul schaute Großmutter fragend an. „Sie ist jetzt bewusstlos", sagte sie erschöpft. Sie ließ von Ilons Kopf ab und lehnte sich gegen die Wand. Ihr Gesicht war rot eingelaufen und sie atmete laut und schwer. Paul ließ Ilons Beine ebenfalls los und stand auf. Alles drehte sich vor seinen Augen und er wurde das Bedürfnis nicht los, sich die Hände zu waschen. Er überwand sich, ging zu seinem Platz und ließ sich auf den Stuhl fallen. „Puh, das war heftig!", ging es ihm durch den Kopf. „Sie braucht jetzt viel Ruhe", keuchte Großmutter beim Aufstehen. Sie schleppte sich in die Diele und kam mit einer warmen Decke zurück. Sie breitete die Decke über Ilons schlaffem Körper aus. Unter Großmutters großer Decke sah ihr Körper richtig klein und hilflos aus. Paul trocknete mit der Armbeuge die Schweißtropfen auf seiner Stirn. Er betrachtete Ilons Kopf, der von unter der Decke rausragte, und verspürte einen kurzen Herzstich. Ilons Gesicht sah irgendwie geschrumpft aus, die Haut hatte einen ungesunden, gelblichen Ton, wie die einer Achtzigjährigen. Eine heiße Mitleidswelle überrollte ihn und trieb ihm die Tränen in die Augen. Kein Kind sollte jemals so leiden müssen! Seine neue Freundin lag auf dem Boden in seiner Küche und er besaß nicht die geringste Macht, ihr irgendwie helfen zu können! Das war so unfair! Was ihm jetzt nur noch blieb, war das Warten, und genau das tat er. Neben ihm sank Großmutter schwer auf ihren Stuhl. Die beiden sprachen kein Wort miteinander und mieden, einander anzusehen. In der Küche herrschte die bedrückende Atmosphäre des Stillschweigens. Sie wurde beinah unerträglich und Paul atmete erleichtert auf, als Ilon die ersten Lebenszeichen zeigte. Sie machte ein schnarchendes Geräusch und ihre Augenlider flatterten hinter den dicken Brillengläsern wie Mottenflügel. Endlich schlug sie ihre Augen auf und sah sich in der Küche benommen um. Ihr Blick wirkte abwesend, als ob sie von einem anderen Planeten in unsere Welt zurückgekehrt war. Großmutters Finger berührten Pauls Hand und er fuhr zusammen – so blank lagen seine Nerven. „Erzähl ihr nichts darüber, was passiert ist", flüsterte sie ihm ins Ohr. „Es kann sein, dass sie sich an nichts erinnert." Paul schaute Großmutter ungläubig an. Woher wusste sie das alles? Ilons Blick wanderte ziellos umher und stolperte über Pauls Gesicht. Paul beobachtete alle Stadien ihrer Rückkehr in die Realität: Eine verschwommene Erinnerung spielte sich zuerst in ihren Augen ab, dann das mühsame Nachgrübeln und schließlich die bittere Erkenntnis. Sie stöhnte laut auf und machte die Augen wieder zu. Die Farbe kehrte rasch in ihre leichenblassen Wangen zurück, als sie vor Scham errötete. Sie schmeckte ihr eigenes Blut und verzog angewidert das Gesicht. Eine pralle Träne, rund wie eine Perle, rollte aus ihrem Augenwinkel. „Ich habe meine Pille doch genommen! Ich habe es nicht vergessen!", stammelte sie kaum hörbar. Pauls Mitleid erreichte seinen Höhepunkt. Er spürte ihre Scham, als ob es seine eigene wäre, und wusste nicht, wohin mit den schwitzenden Händen. Er wollte ihr etwas Aufmunterndes sagen, zum Beispiel: „Willkommen zurück auf der Erde", oder etwas Ähnliches, brachte aber kein Wort heraus. „Aha, unser Dornröschen ist aufgewacht!“, begrüßte sie Großmutter mit einer künstlichen Fröhlichkeit. Diese Begrüßung klang so falsch, dass Paul vor Peinlichkeit die Kopfhaut zu jucken begann und er musste sich am Nacken kratzen. „Warte, warte, mein Kind! Nicht so schnell, bleib noch ein bisschen liegen!“, rief Großmutter besorgt und eilte zu Ilon, die gerade versuchte, sich von der schweren Decke zu befreien. Sie stützte sich auf ihre vor Schwäche zitternden Arme und unternahm die ersten Versuche aufzustehen. Großmutter stützte sie dabei und hielt sie fest. Plötzlich flackerte das Entsetzen in Ilons Augen auf. Sie blickte unter die Decke, die ihre Beine zudeckte, und fasste sich panisch im Schritt. Dann blickte sie mit so einem traurigen und hilflosen Blick zu Paul auf, dass ihm die Seele wehtat. Anschließend schmiegte sie sich an Großmutters Schulter, verbarg das Gesicht im Stoff ihrer Bluse und brach in Tränen aus. Ihr ganzer schmächtiger Körper erbebte und sie schluchzte immer lauter. Pauls Mitleid schlug in Ärger um. Sie sollte aufhören, es reicht! Deswegen verspürte er Erleichterung, als Ilon zwischen zwei Schluchzern rausbrachte: „Ich will jetzt nach Hause. Bitte!“ Großmutter versuchte vergeblich, sie zu überreden bei ihnen zu bleiben, bis sie zu den Kräften kommt, aber Ilon war unerbittlich. Sie rappelte sich auf und lief schwankend an Paul vorbei in den Flur, ohne sich von ihm verabschiedet zu haben. Ihr Gesicht war rot und angeschwollen, die Brillengläser beschlagen. Großmutter begleitete sie und hielt sie dabei an den Schultern fest. Paul hörte, wie die Eingangstür hinter den beiden ins Schloss fiel und lehnte sich entkräftet mit dem Rücken gegen seinen Stuhl.

Der Zuckerschreck

Paul atmete tief durch und saß eine Zeit lang ruhig und gedankenlos auf seinem Stuhl. Es herrschte absolute Stille in der Küche. Der in seinem Knochenmark tiefsitzende Schock ließ langsam nach, Pauls Nerven beruhigten sich allmählich und seine Lebensfreude kehrte wieder zu ihm zurück. Endlich war er allein in seinem neuen Zuhause und konnte entspannt über alle Ereignisse des Tages nachdenken. Dabei war selbstverständlich nicht der Vorfall mit Ilon gemeint, sondern all die anderen Dinge. Er verspürte das freudige Kribbeln im Genick beim Hinblick auf seinen wohlverdienten Feierabend. Mit der guten Laune kam auch sein Appetit zurück und er lugte immer öfter zu dem köstlich duftenden Teller auf der Arbeitsfläche neben dem Herd. Er nahm sich die mit Schinken und Käse belegten Brote und aß die doppelte Portion auf – seine eigene und die von Ilon. Dann erinnerte er sich an den Schokoladenkuchen, den Großmutter erwähnt hatte. Er durchsuchte den Kühlschrank nach ihm, fand ihn aber nicht und kam zum Entschluss, dass der Kuchen immer noch in Großmutters Einkaufstasche sein musste. Paul sammelte die Decke vom Boden und brachte sie ins Wohnzimmer zurück. Dann schleppte er die schwere Tasche in die Küche und begann mit der Suche. Währenddessen vernahm er aus dem Augenwinkel eine kleine Veränderung auf der Arbeitsfläche, der er erstmal keine Bedeutung schenkte: Der verschüttete Zuckerhaufen, den Großmutter in Eile notdürftig zusammengeschoben hatte, wirkte flach, als ob ihn jemand wieder zerstreut und mit der Hand zu einer dünnen Schicht gepresst hätte. Paul steckte mit beiden Armen bis zu den Ellenbogen tief in der Einkaufstasche, als er ein leises Kratzen vernahm. Es erinnerte ihn an Sandkristalle, die an einer polierten Steinfläche scheuerten. Paul zog seine Arme aus der Tasche und ging unsicher auf die Arbeitsfläche zu. Er blinzelte ungläubig, als er sich das Zuckerhäufchen näher ansah.

Eine unsichtbare Fingerspitze steckte mittendrin und zog gerade eine dünne Linie, die dank der dunklen Granitfläche unter der schneeweißen Zuckerschicht gut sichtbar war. Die Linie machte eine Kurve und bildete einen kleinen Kreis. Dann zog sich eine neue Linie vom Kreis runter, die in einer Gabelung endete. Dann entstanden zwei Striche links und rechts, unterhalb des Kreises. „Ein Strichmännchen!“, begriff Paul, während er das übernatürliche Phänomen, das sich gerade vor seinen Augen abspielte, erstaunt betrachtete.

Es war so unwirklich, dass er nicht einen Hauch von Angst verspürte. Er beobachtete mit angehaltenem Atem, wie eine dünne Fingerspitze dem Männchen zwei Punkte für die Augen und ein schiefes Lächeln bescherte. Zu guter Letzt bekam das Männchen die Finger verpasst: jeweils drei dünnere Striche am Ende jedes Armes. Danach war Schluss. Paul wartete noch eine Weile, aber es geschah nichts. Er stand über die Arbeitsfläche gebeugt und wartete, als er plötzlich realisierte, dass sich der unsichtbare Zeichner, wer oder was es auch immer sein mochte, in diesem Augenblick an derselben Stelle befand, wie er selbst. Diese Erkenntnis ließ ihn erschaudern und er wich in einer plötzlichen Panikattacke von der Arbeitsfläche zurück. Er betrachtete das Bild aus einiger Entfernung und wurde den Gedanken nicht los, es schon paarmal gesehen zu haben. Es war ein stinknormales Strichmännchen, so wie es jedes Kind normalerweise gezeichnet hätte. Nur sein ganz individuelles schiefes Lächeln und der rechte Arm, der deutlich kürzer geraten war als der linke, machten ihn unverkennbar. Paul war zu müde, um länger nachzugrübeln, und fühlte sich zunehmend unwohl. So, als ob ihn jemand beobachten würde. Er lief in den Flur und kam mit einer Kehrschaufel zurück. „Zum Teufel mit dir!“, sagte er schroff zu dem Strichmännchen und kehrte es entschlossen mit einer Hand in die Schaufel. Dann lief er zum Mülleimer neben der Spüle und kippte den ganzen Zucker weg.

Großmutters kranke Freundin

Die Eingangstür im Flur ging langsam auf. Paul hörte Großmutters pfeifenden Atem und bald erschien sie selbst an der Küchenschwelle. Sie war schweißgebadet, ihr verrutschtes Kopftuch lag auf ihren Schultern und eine graue Haarsträhne klebte auf ihrer feuchten Stirn. Sie setzte sich schwer auf einen der Stühle, lehnte sich erschöpft zurück und schloss für einen kurzen Moment die Augen. Paul gab ihr Zeit, um zu verschnaufen, obwohl er so viele Fragen an sie hatte. Als ihre Atemzüge langsamer wurden und sie ihre müden Augen wieder öffnete, stellte er die erste davon. „Hast du sie nach Hause gebracht?“, fragte er vorsichtig und setzte sich ihr gegenüber. Großmutter schüttelte ihren Kopf, wobei sich eine andere Haarsträhne aus dem Haarknoten in ihrem Nacken befreite. „Nein, sie ist mir entwischt.“ Sie wickelte ihre Haare aus und legte den Haarknoten neu an. „Hat mir ihre Schultasche entrissen und ist über die Straße geflitzt, wie eine Furie! Noch bevor ich mich versah, war sie weg.“ Paul tat so, als juckte seine Nase. In Wirklichkeit wollte er nur ein breites Grinsen, das er unmöglich unterdrücken konnte, vor Großmutters Augen verbergen. Es war für sie wirklich an der Zeit, Ilons wahres Gesicht kennenzulernen. „Und wieso ist sie so erschrocken, als sie wach wurde?“, erinnerte er sich an Ilons panischen Gesichtsausdruck, als sie unter die Decke fasste. „Manchmal nässen sich Epileptiker bei ihren Anfällen an“, klärte Großmutter ihn auf und fügte mit Bitterkeit in der Stimme hinzu: „Armes Mädchen, so aufgeweckt und gescheit! Und wie beschämt sie sich dabei gefühlt haben muss!“ Dann sah sie Paul mit einem fast flehenden Blick an. „Ich bitte dich, Paschenka, meide sie nicht ihrer Krankheit wegen. Sie ist ein nettes Mädchen und bestimmt eine sehr gute Freundin.“ Paul konnte nicht glauben, was er da hörte. Dass seine eigene Großmutter ihn zu so was fähig hielt? Damit hat er nun wirklich nicht gerechnet! „Werde ich auch nicht!“ Seine Antwort klang ein wenig barsch.

„Das wäre auch nicht möglich, schließlich sitzen wir an gleichem Tisch." Als ob er nicht wüsste, dass Ilon für ihre Anfälle nichts kann! Seine Neugierde, was diese mysteriöse Krankheit anging, war sehr groß und er stellte ihr sofort die nächste Frage: „Woher weißt du so viel über Epilepsie?" Mit einem nachdenklichen Lächeln zeigte Großmutter Richtung Kochherd. „Bring uns mal, Paschenka, das Kakaopfännchen. Es ist schade, so einen feinen Kakao stehen zu lassen." Er tat wie ihm gesagt und wartete auf ihre Antwort, während sie den Kakao auf zwei Tassen verteilte. „Man weiß so einiges, wenn man ein Leben gelebt hat", sagte sie schließlich und nahm einen Schluck aus ihrer Tasse. „Hm, er hat sich ganz schön abgekühlt", bemerkte sie in einem bedauerlichen Ton. Dann räusperte sie sich. Es sah nach einer Geschichte aus und Paul machte es sich mit seiner Tasse in der Hand gemütlich. „Als ich noch ein kleines Mädchen war", begann Großmutter, „da lebte ich mit meiner Familie auf dem Land. Der Krieg war gerade zu Ende und die vielen Familien, die ins Landesinnere geflohen waren, sind nie mehr zurückgekehrt. Sehr viele haben ihre Väter und Söhne verloren. Es gab in ganzem Dorf nur noch fünf Familien mit Kindern. Alle Kinder waren unterschiedlich alt und arbeiteten mit den Erwachsenen Tag und Nacht, um ihre zerstörten Häuser und Ställe wieder aufzubauen." Sie unterbrach ihre Geschichte, um noch einen Schluck aus ihrer Tasse zu nehmen. Paul machte es ihr nach und wartete geduldig auf die Fortsetzung. „Direkt nebenan wohnte ein Mädchen. Es gab damals weder Lehrer noch Schule und wir verbrachten jede freie Minute miteinander. Nina, so hieß sie, hatte eine schwere Form von Epilepsie. Das heißt, sie hatte ihre Anfälle manchmal sogar fünf Mal am Tag! Ist auch kein Wunder, wenn man keine Ärzte hat, die einem Medizin geben! Damals ahnte noch keiner, was es für eine Krankheit war. Man wusste nur, dass sie die Menschen schwächte und für die schwere Dorfarbeit unbrauchbar machte. ‚Padutschaja', so hieß die Krankheit im Volksmunde. Ninas Eltern hatten sie längst aufgegeben, da sie ihnen bei ihrer Arbeit keine große Hilfe war. Das kleine Biest machte sich das, natürlich, zunutze, klebte die meiste Zeit an meinem Zaun und wartete, bis ich mit meinen Eltern von der Feldarbeit zurückkam. Wie habe ich sie damals für ihre Freiheit beneidet!" Großmutter lächelte ihren Erinnerungen zu. Der Blick ihrer hellblauen, wie ausgebleichten Augen war ins Leere hinter dem staubigen Küchenfenster gerichtet und suchte in weiter Ferne nach den Bildern aus der fernen Vergangenheit. „Wir waren damals wie Schwestern und gingen zusammen durch dick und dünn", setzte sie ihre Geschichte fort. „Wir waren, so zu sagen, ‚ne raslej woda'. Das bedeutet ‚unzertrennlich'", erklärte sie Paul den Spruch ihrer Heimat. „Meiner Mutter gefiel das nicht und sie verbot mir, mich mit Nina zu treffen. Sie befürchtete, ich konnte mich mit Ninas Krankheit anstecken, aber ich machte mir nichts draus. Jedes Mal, wenn meine Freundin bewusstlos umfiel, setzte ich mich neben sie und hielt ihren Kopf zur Seite geneigt, damit sie nicht an ihrer eigenen Zunge erstickte. Niemand hat es mir beigebracht, ich machte es nur aus blanker Intuition heraus." Großmutter trank ihre Tasse leer und rappelte sich schwer auf. Sie nahm ihre Tasse und auch die von Paul vom Tisch und watschelte mit ihnen Richtung Spüle. „Dann ging unser Haus zu Bruch und wir sind in ein anderes, leerstehendes Haus umgezogen, in einem Nachbardorf", warf sie Paul im Laufen zu. Bei der Spüle angekommen, schon mit dem Rücken zu ihm, sprach sie den letzten Satz ihrer Geschichte: „Seitdem sah ich sie nicht mehr und unser Kontakt brach ab." Paul war enttäuscht, dass die Geschichte so schnell zu Ende war. Ganz besonders darum, weil eine seiner wichtigsten Fragen unbeantwortet blieb. „Und du weißt nichts mehr von ihr?!", rief er laut, um das fließende Wasser zu übertönen. Dabei dachte er an Ilons verzweifelte Worte nach dem Schulschluss, die ihn seitdem nicht losließen. „Ich meine, du weißt nicht, ob sie früh gestorben ist?" Großmutter ließ eine der Tassen in das sich aufweichende Kakaopfännchen plumpsen und drehte sich erstaunt zu Paul um. „Wer soll gestorben sein – Nina?" Vor lauter Empörung fasste sie sich mit der tropfnassen Hand an die Brust. „Wie kommst du auf so was?! Als ich sie Jahre später traf, hatte sie einen Mann und drei Kinder!" Sie musterte ihn aus schmalen Augen und nickte ihm dann verständnisvoll zu. „Mach dir nicht zu große Sorgen um deine Freundin!“, beruhigte sie Paul. „Sie wird aus dieser schlimmen Sache schon rauswachsen!“ Sie kehrte ihm wieder den Rücken zu und Paul atmete erleichtert auf. Er konnte sich nicht wirklich vorstellen, dass man aus so einer Krankheit rauswachsen könnte, wie aus einem Paar alter Schuhe, seine Vermutung hatte sich jedoch bestätigt: nichts mit verfrühtem Sterben bei Epileptiker! Das alles hatte Ilon sich, vermutlich, aus ihrer Hypochondrie heraus selbst ausgedacht. Das musste er ihr unbedingt erzählen, am liebsten gleich morgen, in der großen Pause! „Sie ist nicht meine Freundin, bloß eine Schulkollegin“, korrigierte er Großmutter zum Abschied und ging auf sein Zimmer.

Fröhlich verließ Paul die Küche und hob unterwegs seine Tasche mit den neuen Kleidern auf, die auf einem Wandregal im Flur neben dem alten Telefon lag. Er fühlte sich nach dem üppigen Essen recht träge und wollte sich nicht unbedingt gleich mit Kleideraufräumen rumplagen. Außerdem gehörte es nicht zu seinen Lieblingsbeschäftigungen, Klamotten in die Schränke einzuräumen. Er ließ das Säckchen in eine Ecke neben seinem Schreibtisch fallen und begann sofort mit den Hausaufgaben. Hätte er sie auf später verschoben, wäre seine Lustlosigkeit, damit anzufangen, umso größer gewesen. Während er sich zu konzentrieren versuchte, fielen ihm immer wieder die Augen zu. Er beschloss, früh ins Bett zu gehen und kletterte sofort nach dem Abendessen, das eher leicht ausfiel, unter seine Kuscheldecke. Vorher vergewisserte er sich zu seiner Sicherheit, dass die Schranktür fest verschlossen war und schob sogar einen Stuhl davor, wobei er sich bei dieser Action ziemlich blöd vorkam. Dann zog er sich die Decke über den Kopf, ließ dabei nur ein kleines Atemloch frei und schloss seine müden Augen. Auf pechschwarzem Hintergrund erschien sofort ein brennendes Strichmännchen vor ihm. Seine Umrisse loderten lichterloh, als bestünden sie aus einer Benzinspur. Vom Feuer geblendet schritt Paul an ihm vorbei und fiel sofort in einen traumlosen Abgrund. Während er fiel, drang verschwommen, wie durch eine dicke Watteschicht hindurch, ein schwaches Geräusch zu seinen Ohren – das Weinen eines Kleinkindes. Kaum hörbar, aber unaufhörlich folgte es ihm in die bodenlose Tiefe, bis die schwarze Dichte um ihn herum alle Geräusche verschlang. „Ein Nachbarskind ist allein zuhause", registrierte er es mit dem letzten Funken seines kaum noch wachen Bewusstseins. „Es weint, weil es Angst hat." Wäre er nicht so ausgelaugt gewesen, hätte er sich bestimmt erinnert, dass seine einzige Nachbarin Charlott war, die garantiert keine Kinder hatte, und auch bei den Familien in der anderen Haushälfte keine Kleinkinder wohnten.

Tag zwei.
Auseinandersetzung mit Ilon

Er erwachte frisch und ausgeruht. Die ersten Sonnenstrahlen des neuen herrlichen Herbsttages kämpften sich durch die dicken Nebelschwaden bis in Pauls Zimmer hinein und wärmten sein von Schlaf errötetes Gesicht. Sein Fenster stand weit offen und der Stuhl befand sich wieder neben seinem Schreibtisch. „O je!", dachte Paul und kratzte sich am Rücken. Er musste sich eine gute Ausrede ausdenken, warum sich der Stuhl vor dem Schrank befunden hatte. Aber Großmutter hatte andere Sorgen und dachte nicht dran, ihn wegen des im Weg stehenden Stuhls zu befragen. Er hörte sie mit leiser Stimme telefonieren. Als er aus seinem Zimmer trat, legte sie gerade den Hörer auf. „Da ist etwas, was ich dir sagen muss", sagte sie zu ihm nach einem knappen „Guten Morgen". Paul, der sich gerade an ihr vorbei Richtung Bad zwängen wollte, blieb stehen und trat ungeduldig von einem Fuß auf den anderen. Es war reichlich spät und außerdem musste er dringend pinkeln. „Ich habe ein bisschen rumtelefoniert", redete Großmutter in einem sachlichen Ton, „mit einer meiner alten guten Bekannten. Es gibt da so eine alte Dame in der Nachbarschaft, die sucht Hilfe im Haushalt. Du verstehst schon, Boden wischen, einkaufen gehen, die Wäsche machen und so weiter. Sie zahlt gutes Geld, das können wir echt gut brauchen." Großmutter schaute Paul fragend an. „Ich könnte heute Nachmittag bei ihr auf Probe arbeiten, was denkst du?" Sie bemerkte, wie Pauls Gesicht sich verfinsterte, und versuchte ihn schnell umzustimmen, noch bevor er zu reden anfangen konnte. „Jetzt, wo die Miete für die Wohnung nicht mehr bezahlt wird, wird es für uns langsam eng. Und so eine Gelegenheit kommt nicht so schnell wieder! Komm schon, Paul, das sind doch nur ein paar Stunden am Tag!" „Könntest du denn nicht bei Charlott putzen?", schaltete Paul auf stur. „Sie braucht bestimmt auch Hilfe." „Du kannst dir bei ihr die Finger wund putzen – der alte Geizkragen zahlt dir keinen Cent, da kannst du Gift drauf nehmen!“, antwortete sie gereizt. „Und außerdem putzt ihre Nichte bei ihr völlig umsonst.“ „Sie sagte aber, dass sie ab der nächsten Woche nicht mehr da ist!“, erinnerte er sie an die Worte des Mädchens mit dem Pferdeschwanz. Für Paul zählte jedes Argument, um Großmutter zu überzeugen, nicht arbeiten zu gehen. Dabei ging es ihm nicht wirklich um ihr Wohl, sondern eher um seine eigene Haut. Er wollte um jeden Preis verhindern, in dieser unheimlichen Wohnung allein bleiben zu müssen, selbst wenn es sich dabei nur um ein paar Stunden handelte. Aber Großmutter ließ sich von ihm, trotz aller seiner Bemühungen, nicht umstimmen. Sie erinnerte ihn sogar daran, dass er kein Baby mehr war, und die großen Jungs brauchen ihre Großmütter nicht mehr rund um die Uhr. Sie fand eine Kordel in der Kommode und machte daraus einen Schlüsselanhänger für ihn. Paul nahm ihn widerwillig an sich und eilte ins Bad. Die gute Laune, mit der er aufgewacht war, war inzwischen verflogen. Während er in der alten Badewanne mit einer dicken Schicht Kalkablagerungen an dem rauen Boden duschte, dachte er über die Strategien nach, die ihm helfen sollten, in der Wohnung nicht allein bleiben zu müssen. Viele waren es allerdings nicht, egal wie lange er nachgrübelte. Er zog sogar in Betracht, die verpasste Nachhilfestunde mit Ilon nachzuholen, obwohl der Gedanke daran fast genauso unerträglich war, wie dem Kindesgeist ausgeliefert zu sein. Er wusste zweifellos, dass es sich beim Geist, der ihn aufsuchte, um einen Kindesgeist handeln musste – es sprach einfach alles dafür. Und genauso fest war er überzeugt, dass er alle unheimlichen Vorfälle für sich behalten würde. Er konnte nicht sagen, aus welchem Grund er so dachte, wusste aber mit Sicherheit, dass alles, was in letzter Zeit vorgefallen war, nur einzig und allein für seine Augen und Ohren bestimmt gewesen war. Die ganze Sache mit dem Kindesgeist war Paul nicht geheuer, trotzdem, war er fest entschlossen, die ganze Wahrheit über ihn herauszufinden. Darum erzählte er seiner Großmutter nichts von ihm, obwohl es womöglich seine letzte Chance war, sie zu Hause festzunageln.

„Nicht so hastig, ist schlecht für den Magen!“, warnte ihn Großmutter, als er sein Frühstück in sich hineinstopfte. Er war heute spät dran und beeilte sich, das Haus so schnell wie möglich zu verlassen. „Ist doch gar nicht schlimm, nur läppische zwei Stunden!“, beruhigte er sich selbst auf dem Weg zur Schule. „Ilon wird bestimmt aus dem Häuschen sein, wenn ich sie heute zu Besuch einlade. Sie rechnet sicher nicht damit, nachdem was gestern vorgefallen ist.“ Er war bereit, ihr zu zeigen, dass der gestrige Vorfall seine Haltung ihr gegenüber keineswegs beeinflusst hatte. Er hatte sogar den Pulli, den sie ihm geschenkt hatte, über das Hemd angezogen, um seine Loyalität ihr gegenüber zum Ausdruck zu bringen, obwohl der neue Tag wieder mal sommerlich zu werden versprach. Umso mehr war er überrascht, dass Ilon ihm die kalte Schulter zeigte, sobald er knapp vor Schulbeginn in der Klasse ankam. Sie erwiderte kurz seine Begrüßung und drehte ihren Kopf demonstrativ in eine andere Richtung. Sie zog sogar rasch ihren Arm weg, als sich ihre Ellenbogen zufällig berührten. Als Paul ihr daraufhin fragend ins Gesicht blickte, bemerkte er dunkle Ringe unter ihren Augen, so als ob sie gar nicht geschlafen hätte. Er überlegte, ob er sie gestern auf irgendeine Art beleidigt hatte, kam aber zum Schluss, dass er sich nichts vorzuwerfen hatte und sein Verhalten ihr gegenüber absolut korrekt gewesen war. Er zuckte mit den Schultern und widmete sich dem Lernprozess zu, insgeheim froh, dass ihm zumindest ihr Gequatsche eine Zeit lang erspart blieb. Joels Tisch stand leer und Paul spielte mit dem Gedanken, mit all seinen Schulsachen dorthin umzuziehen, ließ es aber doch sein, damit sie nicht denken würde, dass er sich von ihr ekelte. Bei erstem Ton der Schulglocke sprang Ilon wie eine überspannte Stahlfeder auf und machte sich aus dem Staub. Paul juckte der ganze Körper vor Hitze, aber er traute sich nicht, den Pulli auszuziehen, weil das Hemd darunter sicher ganz zerknittert und darum unansehnlich geworden war. Er machte sich die Pause zunutze, um sich ein paar Jungs zu nähern, und kam mit ihnen draußen im Flur ins Gespräch. Vor allem mit einem von ihnen, Claudio, verstand er sich auf Anhieb. Claudio war der sportlich aussehende Junge mit den kräftigen, muskulösen Oberarmen, der ihm schon gestern aufgefallen war. Paul freute sich, dass seine Intuition ihn nicht im Stich gelassen hatte: Sie beiden hatten ähnliche Hobbys und mochten die gleichen Sportarten. Claudios Kumpels waren auch ganz okay und Paul fühlte sich bald als ein eingeschweißter Teil ihrer Clique. Das schick aussehende Mädchen, dessen Name Diana war, stolzierte mit ihrer dunkelhaarigen Freundin an ihnen vorbei. Paul vernahm den neugierigen Blick ihrer großen blauen Augen und bekam einen Schweißausbruch unter seinem viel zu warmen Pulli. Der Schweiß durchtränkte sein Hemd und sein Herz machte plötzlich einen wilden Satz. Paul runzelte verwirrt seine Stirn – noch nie zuvor hatte ihn der Blick eines Mädchens derart aus der Fassung gebracht. Er versuchte festzustellen, ob die Neugierde in ihren Augen keine Einbildung seinerseits war, aber sie machte es ihm nicht leicht. Jedes Mal, wenn er sich nach ihr umdrehte, schaute sie in eine andere Richtung und plapperte ausgelassen mit ihrer Begleiterin, obwohl ihre Augen vor einer Sekunde noch Löcher in seinen Rücken gebrannt hatten.

Als Ilon sich in der großen Pause mit ihrem Lunchpaket auf den Weg nach draußen machte, folgte Paul ihr kurzerhand. Die feindselige Atmosphäre an ihrem Tisch machte eine Auseinandersetzung unvermeidlich, außerdem wollte Paul ihr unbedingt die Botschaft der Großmutter vermitteln, was ihre Krankheit anging. Im Großen und Ganzen war er ihr gegenüber positiv gestimmt und lief pfeifend nach draußen. Er suchte gerade den Schulhof nach ihr ab, als Claudio und seine Jungs ihm vom Sportplatz aus zuwinkten. Claudio deutete dabei auf einen Basketball unter seinem Arm und lud ihn unmissverständlich ein, mitzumachen. Paul winkte schweren Herzens ab und machte sich auf die Suche nach Ilon. Er fand sie auf einer Bank im hinteren Teil des Schulhofs sitzen. Ihr Lunchpaket lag ungeöffnet neben ihr. Ein Mädchen aus ihrer Klasse, das auf einem anderen Ende der Bank saß, sprang augenblicklich auf und entfernte sich, sobald Paul sich der Bank näherte. Er ließ sich neben

Ilon fallen und zog sich mit der Hand den Pullikragen runter. Die hochstehende Sonne war unerbittlich und er verschmachtete wie in einer Sauna. Ilon saß kerzengerade da, den Blick der kleinen, dunklen, nah beieinandersitzenden Augen ins Leere gerichtet. Paul legte lässig seinen Arm auf die Rückenlehne und sprach sie an. „Hey, was ist los mit dir?“, fragte er sie so locker wie möglich. „Bist du irgendwie sauer oder so? Wenn's wegen gestern ist, mach dir keinen Kopf – ist schon vergessen!“ Sie zeigte keine Regung, senkte nur ihren Blick. Ihre Augen begannen, sich mit Tränen zu füllen. Paul schaute verwundert, wie ihr die dicken Wassertropfen auf die Brillengläser fielen. Eine düstere Vorahnung stieg in ihm hoch und er dachte an die Flucht, aber es war bereits zu spät. „Hör auf!“, schrie sie plötzlich so schrill, dass er zusammenzuckte. „Hör auf, hör auf, hör auf!!“, wiederholte sie hysterisch zwischen den Schluchzern. Ihr Gesicht lief rot an, die Lippen bebten. Paul bekam es mit Angst zu tun. Was, wenn sie jetzt einen ihrer Anfälle kriegt und er ist ganz allein bei ihr? Sein Schweiß fühlte sich plötzlich eiskalt an. „Tu nicht so, als ob es dich interessieren würde, wie es mir geht!“, tobte

Ilon und spuckte beim Reden um sich. Paul fühlte sich in ihrer Nähe unwohl und schob sich zum anderen Ende der Bank, um von ihr nicht angespuckt zu werden.

Das goss nur noch mehr Öl ins Feuer ihrer Wut. „Hör auf, mir ständig nachzurennen und mich zu bewachen! Nur weil deine Oma und Frau Kappler es dir eingeredet haben! ‚Sei nett zu ihr, Paul! Sie ist doch so krank, Paul!'" Sie äffte die Leute nach, die Paul ihrer Meinung nach über ihre Krankheit aufgeklärt hatten. Paul platzte im wahrsten Sinne des Wortes der Kragen. „Lass Oma aus dem Spiel!", warnte er sie, aber seine Worte gingen an ihr vorbei. „Sei still!", brüllte sie ihn an. Ein paar jüngere Kinder, die in der Nähe der Bank auf dem Schulspielplatz spielten, drehten die Köpfe in ihre Richtung und lauschten ihrer Auseinandersetzung. „Tu nicht so, als ob ich dir nicht egal wäre! Du denkst, ich durchschaue dich nicht?!", warf sie ihm ihre albernen Vorwürfe an den Kopf. „Denkst du, ich sehe nicht, dass du ein Heuchler bist? Einfach ein Heuchler, weiter nichts! Ein beschissener, armseliger Heuchler!" Pauls Speichel fühlte sich plötzlich ganz bitter an, als hätte er in eine Grapefruit gebissen. Ihm riss endgültig der Geduldsfaden. Er spuckte sich vor die Füße und sprang auf. Was für ein Recht hatte diese widerliche, hässliche Eule, ihn so anzumachen? Die heiße Welle der Wut schnürte ihm kurz die Kehle zu. Er lief zu ihr rüber und baute sich mit geballten Fäusten vor ihr auf. „Was glaubst du, wer du bist?", fuhr er sie an. „'Ne blöde Zicke, weiter nichts! Was spuckst du hier rum, he?!" Er beugte sich zu ihr nach vorne und zischte ihr böse mitten in ihr verheultes Gesicht: „Denk nicht im Traum, noch mal mit mir so zu reden, verstanden?" Er bemerkte, wie sie vor Schreck den Kopf einzog und ihn mit den Händen zudeckte, wie gestern, als Joel sie angegriffen hatte. Aber seine Wut auf sie war einfach zu groß. Er hätte sie in der Luft zerreißen können! Um sich ein wenig abzureagieren, zog er den verhassten Pulli über den Kopf und schmiss ihn vor Ilons Füße in den Staub. „Und deinen Lumpen da – den kannst du behalten!" Er stand schwer atmend vor Ilon, die sprachlos zum Pulli am

Boden starrte, und vernichtete sie mit seinem bösen Blick. Die frische Brise kühlte seine hochgeschaukelte Wut ein wenig ab. Ein Schalter legte sich in seinem Kopf um und er schaute verwirrt zu Ilon rüber, die immer noch mit beiden Händen ihren Kopf zugedeckt hielt, in Erwartung eines Schlages. „Was mache ich da?", ging es ihm durch den Kopf. „Ich habe ein hilfloses, krankes Mädchen fast geschlagen!" Bei diesem Gedanken wurde ihm vor Scham flau im Magen. Egal, wie sehr sie ihn provozierte, erschien ihm sein Verhalten einfach unzulässig. Aber sich bei ihr für seinen Ausraster zu entschuldigen – nein, danke! Das wollte Paul auf gar keinen Fall! Dafür war sein Stolz viel zu sehr verletzt worden. Er drehte sich weg und ging zurück zum Schulhaus. Er hatte keine Lust mehr auf Basketball und war zu aufgebracht, um essen zu können. Er beschloss, dass er in Zukunft nie wieder etwas mit Ilon zu tun haben würde und wollte es ihr ab sofort klar machen. Er konnte nicht zulassen, dass sie mit ihrem unberechenbaren Charakter auch ihn zu einem labilen Menschen machte, der sogar in der Lage wäre, ein Mädchen zu schlagen!

Neben dem Schuleingang stand Simon, die dicken Hände in die Hosentaschen gestopft. Er redete gerade mit einem älteren Burschen, der wie ein echter Kickboxer aussah: breite Schultern, eine fette Glatze, die unter der hochstehenden Sonne glänzte, und die prallen Bizepse, die die kurzen Ärmel seines schwarzen T-Shirts förmlich sprengten. Simon lächelte schmeichelhaft und hielt nach jemandem Ausschau. Sein Lächeln verschwand aus seinem fülligen Gesicht, sobald er Paul erblickte. Er drehte sich zu dem Burschen um und flüsterte ihm aufgeregt etwas zu. Dabei deutete er mit dem Daumen über seine Schulter hinweg Richtung Paul, der gerade seine Hand auf die Türklinke legte.

Der Bursche, der bisher lässig an der Mauer gelehnt hatte, machte einen Schritt nach vorne, um Paul besser sehen zu können. Ihre Blicke trafen sich kurz und Paul blickte in Joels kalte, tiefsitzende Augen. „Das muss sein Bruder sein", verstand er, wandte

seinen Blick von den breiten Wangenknochen und der schmalen Stirn des Burschen ab und betrat die Schule. Er schenkte dieser Begegnung keine Bedeutung – es könnte viele Gründe geben, weshalb Joels Bruder seine Schule besuchte. Das ging ihn, Paul, nun wirklich nichts an.

In der Klasse angekommen, zog er eine klare Grenze zwischen seiner und Ilons Tischhälfte, indem er seinen Maßstab quer in die Mitte des Tisches legte. Es mochte ein wenig kindisch ausgesehen haben, vermittelte ihr aber unmissverständlich: ab sofort keine außerschulischen Gespräche mehr und Schluss mit der Freundschaft! Er hatte vor, sobald sich eine Gelegenheit ergab, den Platz zu wechseln. Dass sie sich bald ergeben würde, bezweifelte er nicht, da manche Jungs aus seiner neuen Clique sich recht darüber gefreut hätten, mit ihm am gleichen Tisch zu sitzen. Seine Maßnahmen erwiesen sich als überflüssig, da Ilon, die mit einer ziemlichen Verspätung in die Klasse kam, sich auf ihrem Platz ganz klein machte. Sie sah überhaupt nicht mehr so hochnäsig und überheblich aus wie vorher und duckte sich unter Pauls vernichtendem Blick über ihr Heft. Der Blick ihrer kleinen, traurigen Augen wirkte verloren und trüb. In Pauls Brust regten sich bei diesem Anblick keine anderen Gefühle als Schadenfreude.

Der mörderische Schnuller

Nach dem Schulschluss verließ Paul in schnellem Tempo den Schulhof, da er befürchtete, Ilon würde es versuchen, sich mit ihm auszusprechen. Zum Glück waren seine Befürchtungen umsonst, da Ilon weit und breit nicht zu sehen war, und Paul konnte endlich seine supercoole Idee in die Tat umsetzen. Er ging zielstrebig zum Friseursalon und verabschiedete sich dort von seinen langen Locken. Er lächelte sein Spiegelbild zufrieden an und fuhr mit der Hand über sein kurzes hellblondes Haar. Statt schlappen, weichen Haarsträhnen spürte seine Handfläche einen angenehmen stachelig-borstigen Widerstand. Auch sein gesamtes Erscheinungsbild hatte sich verändert: Er sah viel sportlicher und männlicher aus, weil seine breiten Schultern nicht mehr von dem langen Haar zugedeckt waren. Mit der neuen Frisur wirkte er auf sich selbst viel erwachsener und selbstbewusster. Eine Friseurin in Ausbildung mit superlangen leuchtend roten Fingernägeln, die gerade dabei war, seine Haare zu einem goldglänzenden Haufen zusammenzufegen, stupste ihn zum Spaß mit dem Besenstiel an. „Das war aber eine schicke Mähne!", sagte sie und zwinkerte ihm zu. Dieser harmlose Flirt ließ Paul erröteten, er lächelte zurück und nickte verlegen.

Paul verließ den Salon mit einem guten Gefühl, etwas richtig Cooles getan zu haben, und erinnerte sich an seine Ängste von heute Morgen erst, als er die Stufen zu seiner Wohnung hochlief. Er hegte insgeheim die schwache Hoffnung, seine Großmutter doch zu Hause vorzufinden, und stand nach dem langen Läuten eine Weile wartend vor der Eingangstür. Dann zog er seufzend seinen Schlüsselanhänger über den Kopf und zuckte zusammen, als aus der Wohnung unter ihm ein schweres Husten ertönte. Paul hatte Charlott seit seinem Einzug nicht mehr gesehen, hörte sie aber oft im Vorbeilaufen in ihrer Wohnung husten. Manchmal vernahm er diesen Laute, dank seiner beachtlichen Lautstärke, sogar in seinem Zimmer! „Vielleicht ist sie schwer erkältet“, dachte er und machte die Tür auf. Mit einem mulmigen Gefühl schloss er sie hinter sich ab und blieb eine Weile im dunklen Flur stehen. Er lauschte angestrengt den Geräuschen aus der Wohnung, hörte aber nichts außer absolute Stille. „Hallo“, rief er in diese bedrückende Stille hinein, „ich komme in Frieden!“ Er kam sich wie ein Astronaut vor, der einen völlig fremden, unberechenbaren Planeten betrat. Als Erstes lief er auf sein Zimmer und öffnete das Fenster, um die abgestandene Luft rauszulassen. Der kleine Raum füllte sich sofort mit den unterschiedlichsten Geräuschen von draußen, die, zu Pauls Freude, diese beinah bedrohliche Stille aus seinem Zimmer komplett vertrieben. Zu Pauls Ohren drangen das Rauschen des Straßenverkehrs von der relativ in der Nähe liegenden Hauptstraße und die fröhlichen Kinderrufe vom Spielplatz, der sich direkt unter seinem Fenster befand. Eine Kohlmeise zwitscherte in einer Ahornkrone friedlich ihr schlichtes Herbstlied. Beruhigt stellte Paul seinen Rucksack neben seinem Schreibtisch ab und bemerkte dabei die kleine Einkaufstüte mit den Kleidern, die immer noch in der Ecke auf dem Boden lag. Er beschloss, die Kleider gleich einzuräumen und lief mit der Tüte in der Hand zu seinem Kleiderschrank. Es wäre gelogen zu behaupten, er hätte keine Angst, die schwere, massive Schranktür zu öffnen. Er musste niesen, als die staubige Luft aus dem Schrankinneren in seine Nase drang. Paul zog ein paar Kleiderbügel heraus und begann seine Kleider in den Schrank zu hängen. Dabei bemerkte er aus dem Augenwinkel etwas Merkwürdiges auf dem Boden des Schrankes – ganz tief, in dem hinteren linken Winkel. Im Schein der wenigen Sonnenstrahlen, die es bis in das Schrankinnere geschafft hatten, leuchtete dieses Etwas himmelblau auf. Es passte einfach nicht ins Bild und Paul bückte sich tief in den Schrank hinein, um es besser sehen zu können. Das kleine blaue Plastikding steckte hinter einem losen Teil des Bretts, das die hintere Wand des Schrankes mit dem Schrankboden zusammenhielt. An dieser Stelle fehlten die Nägel im Brett und genau das hatte jemand ausgenutzt, um das Plastikteil dort zu verstecken.

Paul kniete sich in den Schrank und fuhr mit den Fingerspitzen über den glatten, abgerundeten Rand des Gegenstandes. Seine Neugierde wuchs immer mehr und er versuchte, den Gegenstand an dem rausragenden Teil zu packen und rauszuziehen, aber er steckte fest und Pauls Finger glitten immer wieder von ihm ab. Dann griff er tiefer hinter das Brett, um das Ding fester in den Griff zu bekommen, und schrie vor Schmerz auf. Etwas Spitzes bohrte sich tief unter seinen Fingernagel und er zog seine Hand mit dem verletzten Finger instinktiv zurück. Dabei kam der kleine Gegenstand mit, flog in hohem Bogen von hinter dem Brett heraus und landete auf dem Schrankboden. Paul lutschte am schmerzenden Finger und betrachtete verwundert den kleinen, himmelblauen Gegenstand. Es war ein ganz gewöhnlicher Schnuller! Aber ein gebrauchter, wie es aussah: Paul konnte an dem Gummiteil die Bissspuren kleiner Zähne erkennen und das Teil selbst war nicht mehr transparent, wie es bei neuen Schnullern immer der Fall war, sondern trüb. Aber wie kam es dazu, dass er sich an einem Schnuller gestochen hatte? Er sah zu dem winzigen Blutstropfen auf seiner Fingerspitze und dann wieder zum Schnuller runter. Etwas stimmte offensichtlich nicht mit ihm. Paul nahm vorsichtig den Schnuller an seinem Plastikteil und zog ihn aus dem Schrank ans Licht. Ihm wurde sofort klar, was seine Verletzung verursacht hatte: Der Schnuller war mit mehreren Stecknadeln vollgespickt worden! Die farbigen Plastikköpfe der Nadeln wurden in die Luftblase des Gummiteils reingedrückt und die glänzenden Metallspitzen ragten gefährlich heraus.

Paul betrachtete fassungslos den Schnuller, der von einem der harmlosesten Gegenstände der Welt zu einer tödlichen Waffe umgebaut worden war, und konnte es nicht begreifen, dass jemand zu so etwas Schrecklichem in der Lage war! Vielleicht hatte der Bösewicht sein grausames Ziel erreicht und das Baby getötet, dem der Schnuller gehörte, und dann die Mordwaffe einfach im Schrank versteckt? Vielleicht spukte deswegen der Geist eines Kleinkindes in seiner Wohnung umher? Diese Vermutung

erschien Paul, trotz ihrer Grausamkeit, ziemlich plausibel und er betrachtete den unheimlichen Schnuller mit Ehrfurcht. Anderseits war er ein rational denkender Mensch, der bei jeder unbeantworteten Frage nach einer passenden logischen Erklärung suchte. Von seiner Großmutter wusste er, dass ihr Mieter ein älterer Herr gewesen war, der in der Wohnung allein lebte und garantiert keine Babys hatte. Und noch früher lebte Großmutter selbst in der Wohnung, mit ihrem Mann – Pauls Großvater. Konnte einer dieser Leute den mörderischen Schnuller im Schrank versteckt haben? Selbst wenn es so wäre, wer sollte dann das Opfer sein? Soweit er wusste, war er selbst das einzige Kind in der Familie und war noch nie zuvor in dieser Wohnung gewesen, so die Großmutter. Die letzte Behauptung bezweifelte er jedoch zunehmend, da ihm immer mehr Sachen in der Wohnung bekannt vorkamen. Großmutter war alt und konnte sich täuschen – es könnte doch sein, dass er ein paarmal mit ihr vorbei gekommen war, zum Beispiel als sie nach dem Zustand der Wohnung sehen wollte. Aber würden seine eigenen Großeltern ihren einzigen Enkel umbringen wollen? Und vor allem auf so eine ungewöhnliche Art? Man musste voller Hass gewesen sein, um auf so eine Idee zu kommen! Dieser Verdacht klang, selbstverständlich, absurd und Paul wies seine Hypothese schnell zurück, aber eine andere Erklärung gab es einfach nicht. Er stellte sich vor, wie das ahnungslose Baby sich den präparierten Schnuller in den Mund steckte und eine tödliche Stecknadel verschluckte, die sich vom Mistding gelöst hatte. Er fühlte den unerträglichen Schmerz des armen Kindes, wie es von einem Stechen im Rachen ohnmächtig wurde, nicht mehr in der Lage nach Hilfe zu schreien. Oder noch schlimmer: Die Nadel schaffte es bis in seinen Magen und durchlöcherte seine Eingeweide! Paul erschauderte bei diesem Gedanken und schüttelte sich wie ein nasser Hund, um diese schreckliche Vorstellung loszuwerden.

Paul lief mit dem Schnuller in der Hand in die Küche und suchte nach einem leeren Marmeladenglas. Er legte den Schnuller ins Glas und entsorgte ihn dann im Mülleimer. Danach suchte er nach etwas Essbarem fest entschlossen, die ganze Sache mit dem Schnuller einfach zu vergessen. Als er eine Flasche Milch auf den mit einer schneeweißen Tischdecke frisch überzogenen Küchentisch stellte, bemerkte er einen kleinen Zettel neben dem Salzstreuer. „Bin um 18:30 Uhr zurück. Im Kühlschrank gibt es Pilzsuppe. Hab dich lieb. Omi“, lauteten die Worte auf dem Zettel. Pauls Mundwinkel zogen sich enttäuscht nach unten: Pilzsuppe gehörte nun mal nicht zu seinen Lieblingsspeisen und er beschränkte sich auf Milch mit Brot und Käse. Beim Kauen beobachtete er aus dem Küchenfenster eine schwarze Katze, die sich faul neben der Fassade des Nachbarhauses sonnte. Er beschloss, ihrem Beispiel zu folgen und legte sich nach dem Essen mit einem spannenden Buch in der Hand auf sein Bett. Er steckte sich ein Bonbon hinter die Backe und war gerade dabei, in die abenteuervolle Welt der Indianer einzutauchen, als er aus der Richtung des Schreibtisches ein leises Geräusch vernahm. Er drehte den Kopf zur Seite und beobachtete erstaunt, wie der Klebestift auf seinem Schreibtisch, den er gestern für eine Hausaufgabe in Geografie benutzt hatte, langsam zum Tischrand rollte und auf den Teppichboden plumpste. Es war windstill, trotzdem erklärte sich Paul dies mit einem Luftzug aus dem offenen Fenster. Er stand auf und kroch auf allen Vieren unter den Tisch, um den Klebestift zu holen. Es war durchaus schwierig, da sein Schreibtisch recht klein war und die Tischhöhe niedrig. Als er, von allen Seiten eingeklemmt, unter dem Tisch kniete, die Hand nach dem Stift ausgestreckt, überkam ihn wieder das unheimliche Gefühl, dies schon einmal erlebt zu haben. Sein kurzes Haar raschelte über die Unterseite der Tischplatte. Aus irgendeinem ihm selbst unbekannten Grund hob er den rechten Arm und berührte sie. Seine Finger spürten die leichten Kerben, die in dünnen Linien verliefen. Paul wusste plötzlich ganz genau, was es war. Er drehte sich langsam um und stützte sich auf die Ellenbogen, um besser nach oben blicken zu können, und da war es – das Strichmännchen, das ihm gestern in der Küche im Zuckerhaufen erschienen war. Es war mit einem Kugelschreiber in das weiche Holz der unteren Seite der Tischplatte eingeritzt worden und grinste Paul mit seinem Lächeln frech an. Unterhalb des Männchens sah er drei Buchstaben, die sein Blut einfrieren ließen. „K A Y" stand im Großbuchstaben da und obwohl das „K" spiegelverkehrt geschrieben war und das „Y" auf dem Kopf stand, erkannte Paul sofort den Namen, bei dem ihn Charlott an seinem Umzugstag versehentlich genannt hatte. Die Schreibart deutete auf ein Kleinkind hin. Paul übermannte das sehr ungute Gefühl, dass sein Unterbewusstsein noch viel, viel mehr unheimliche Dinge verbarg als ihm lieb war und die nie ans Licht kommen dürften. Er schnappte sich den Leimstift und begann rückwärts unter dem Tisch herauszukriechen. Er hatte schon die gute Hälfte der Strecke geschafft, da hörte er sie. Kleine Schritte, die sich ihm schleppend von hinten näherten. Paul hatte es verpasst, sich zu merken, aus welcher Richtung sie kamen – von der Schranktür oder aus dem Nebenzimmer. Aber das war ihm in diesem Moment völlig egal, da er einzig und allein an die Flucht dachte. Er bewegte sich mit seinem Hinterteil hektisch voran, was in seinem Fall nicht wirklich hilfreich war, da auf diese chaotische Art und Weise er viel langsamer ans Ziel kam. Paul realisierte verzweifelt, dass er es nicht mehr rechtzeitig schaffen würde, und erstarrte mit fest zusammengekniffenen Augen. Dabei

ragte sein Hinterteil schutzlos von unter dem Tisch hervor, sein Kopf und seine Schultern steckten dagegen immer noch unter der Tischplatte.

Alle Geräusche, die von draußen in sein Zimmer drangen, verstummten plötzlich, und er hörte nichts weiter als die schleifenden Schritte der Kreatur auf dem Teppichboden und ihren rasselnden Atem. Das kleine Wesen kam an den hilflosen Paul heran und stützte sich mit beiden Händen auf seinem Rücken ab. Angst, die einem Stromstoß ähnelte, fuhr mit ihren tausend Volt durch Pauls Körper hindurch, als er die Berührung der kleinen Hände auf seinem Rücken spürte. Er verkrampfte sich noch mehr und biss die Zähne so fest zusammen, dass ein lautes Knirschen ertönte. Schreien konnte er sowieso nicht, da seine Kehle gerade wie zugeschnürt war. Es roch unerträglich nach Rauch und verbrannter Hühnerhaut, und Pauls Mund füllte sich mit Speichel. Zu seinem Entsetzen spürte er, wie die kleine Kreatur, fröhlich vor sich hin plappernd, auf seinen Rücken kletterte und sich auf ihm aufrecht hinsetzte, wie auf einem Pferd. Das Gewicht des Wesens lastete auf ihm und er war völlig machtlos, sich dagegen zu wehren. Die kleinen Hände trommelten auf die Tischfläche über Pauls Kopf – die Schläge waren wie Donner in seinen Ohren. Dann begann es mit seinen Füßen auf Pauls Rippen einzuschlagen, wie auf die Flanken eines Pferdes. „Hoppe – Hoppe leite!", kreischte das kleine Ding immer wieder. Ein entsetzlicher Gedanke fuhr durch Pauls Kopf: „Es reitet auf mir!" Weil er sich nicht von der Stelle rührte, erboste die Kreatur immer mehr. Die kleinen harten Absätze ihrer Schuhe schlugen immer heftiger auf Pauls Rippen ein, bohrten sich regelrecht in seine Haut. Das Hämmern auf der Tischfläche wurde immer ungeduldiger und lauter. Der Schmerz in seinen Rippen und Ohren ließ Paul aus seiner Starre erwachen. „Ve-e-e, stammelte er benommen. Als er wieder die Fähigkeit zum Reden erlangte, wisperte er mit einer vor Angst viel zu hohen Stimme: „Verschwinde von mir! Geh weg, geh weg, geh weg!" Der Druck auf seinem Rücken verschwand, sobald er seinen Mund aufmachte. Der widerliche Gestank verschwand ebenso und Paul nahm wieder die Geräusche von draußen wahr. Das Jenseits und die Realität spielten gerade ein verrücktes Spiel mit seinem armen, überforderten Verstand und verschmolzen zu einer grotesk unwirklichen Dimension. Vor Schreck jaulend kroch er von unter dem Tisch hervor und verließ fluchtartig die Wohnung.

Der Besuch bei Charlott

Pauls Lage erschien ihm absolut ausweglos. Er saß auf den Stufen seines Treppenhauses und versuchte darüber nachzudenken, was ihm widerfahren war, aber die Gedanken flitzten nur in seinem Kopf hin und her, wie Eichhörnchen in einer Baumkrone. „Was ist hier los?", wiederholte er flüsternd immer wieder und schlug in seiner Verzweiflung mit den Fäusten auf seine Knie ein. Er musste sich so schnell wie möglich beruhigen, um gründlich über alles nachdenken zu können. Am liebsten wollte er nach draußen verschwinden, zum Sonnenschein und den Menschen auf der Straße, aber der Wohnungsschlüssel lag in seinem Zimmer auf dem Schreibtisch und keine Macht der Welt konnte ihn in diesem Augenblick dazu zwingen dort reinzugehen, um ihn zu holen. Außerdem hatte er viele Berichte über Wohnungsdiebe in Großstädten gelesen und konnte es nicht riskieren, die Wohnung unbeaufsichtigt zu lassen – immerhin bewahrte Großmutter dort alle ihre Ersparnisse auf. Höchstwahrscheinlich müsste er sowieso ab heute alle seiner freien Nachmittage hier draußen auf den Treppenstufen verbringen, also konnte er sich ruhigen Herzens schon jetzt daran gewöhnen. Seine Großmutter sollte von seiner Angst erstmal keinen Wind bekommen. Sobald er sie die Eingangstür öffnen hörte, würde er so tun, als hätte er sie aus dem Küchenfenster kommen sehen und wäre ihr entgegengeeilt, um ihr die schwere Einkaufstasche, die sie stets mit sich rumschleppte, abzunehmen. So könnte er auch die unangenehmen Fragen vermeiden, die sie ihm bestimmt stellen würde, wenn sie ihn bei ihrer Ankunft auf den Stufen des Treppenhauses vorfinden würde. Paul wurde das Gefühl nicht los, dass seine Kleider mit dem bestialischen Gestank der Kreatur vollgetränkt waren, und versuchte sich mit seinem Ärmel den Rücken abzuwischen, indem er seinen rechten Arm so weit wie möglich nach hinten ausstreckte und kräftig daran rieb. Er tat es so lange, bis ihm endlich klar wurde, dass der schlimme Geruch, wie vermutlich alles andere auch, nur ein Produkt seiner kranken Fantasie war. Als er sich so weit in den Griff bekam, um klar denken zu können, begann er alle unheimlichen Ereignisse der letzten Zeit aneinanderzureihen, um einen logischen Zusammenhang dahinter zu entdecken. Er kam zu mehreren Schlüssen. Zuallererst, dass der Geist nur ihn aufsuchte, weil er nur dann erschien, wenn er, Paul, ganz allein in der Wohnung oder in seinem Zimmer war. Zweitens, dass er zweifellos bei einem Brand ums Leben kam und ihm, Paul, etwas vermitteln wollte – genau wie alle Geister in den unzähligen Horrorfilmen, die er sich, vor seiner Großmutter verborgen, immer wieder ansah. Manchmal hinterließen sie Botschaften mit Blutschrift, wie „Help me“, oder so was in der Art. Und der dritte, der letzte Schluss gefiel ihm am allermeisten: Der Geist wollte ihm nichts Böses, andernfalls hätte er ihn längst umgebracht, indem er ihn in der Nacht erwürgte oder unerwartet direkt vor seinen Augen auftauchte und sein Herz mit seiner entsetzlichen Erscheinung zum Stillstand brachte. Darum erarbeitete er eine Strategie, wie er handeln musste. Erstens, er würde niemandem vom Geist erzählen, da es seine persönliche Angelegenheit war. Was würde es auch ändern, hätte er das alles seiner Großmutter anvertraut? Sie würde ihm einfach nicht glauben und womöglich sogar für ein verwöhntes Kind halten, dem sein neues Leben in der Stadt nicht gefiel und es darum versuchte, sie mit allen Mitteln dazu zu bewegen, wieder zurück aufs Land zu ziehen. Außerdem hatte sie genug eigene Probleme am Hals und noch einen Umzug in so einer kurzen Zeit konnte er ihr sowieso nicht zumuten. Und wer würde ihm garantieren, dass ihn der Geist selbst nach seinem Rückzug in Ruhe ließ, so wie er sich an ihm festgebissen hatte? Also musste er da allein durch. Es war SEINE Aufgabe herauszufinden, was der Babygeist von ihm wollte. Vielleicht, wenn er seinen Wunsch erfüllte, würde er ihn ein für alle Male in Ruhe lassen?

„Hallo, Peter!“, krächzte eine raue Stimme hinter Pauls Rücken und eine dürre, kalte Hand legte sich auf seine Schulter. Pauls

Nerven lagen blank – er zuckte heftig zusammen und fuhr wild herum. Charlott machte einen schnellen Satz rückwärts und zog die Augenbrauen hoch. „Wow, ich wusste nicht, dass du so schreckhaft bist!" Sie schaute ihn mit zur Seite geneigtem Kopf neugierig an. Mit ihrem eckigen Gesicht und der spitzen Nase erinnerte sie Paul an eine freche Elster. Heute trug sie einen weiten, dunklen Kaschmirpullover und schwarze Leggins. Der Pullover hing über ihrem mageren Körper wie ein Kartoffelsack, aus dem zwei dünne Beine wie Grillspieße rausragten. Jedes Kleidungsstück an sich mochte schön und kostspielig gewesen sein, verlor leider in Kombination mit Charlott seine gesamte Eleganz. „Mein Name ist Paul", korrigierte Paul ihren Fehler. „Wie geht es Ihnen?", fragte er sie ein paar Sekunden später aus purer Höflichkeit heraus. „Paul, Peter – was spielt das für eine Rolle? Ist doch sowieso ein- und dasselbe!", antwortete sie gereizt und machte eine kreisende Bewegung mit dem langen, grässlichen Fingernagel ihres Zeigefingers. Paul war sprachlos über ihr arrogantes Auftreten. „Ich brauche dringend eine Kleinigkeit aus dem Kiosk an der Ecke. Weißt du schon, wo er ist?" Paul grübelte nach. Er erinnerte sich an einen kleinen Kiosk an der Hauptstraße, der an seinem Schulweg lag und wo Ilon gestern ihre Cola und Chips kaufen wollte. Er nickte und bekam sofort eine leere Zigarettenpackung in die Hand gedrückt.

„Ich brauche genau diese Marke. Zwei Packungen!" Obwohl Charlott sich bemühte, leise zu reden, hallte ihre Stimme von den Hauswänden, wie in einer Turnhalle. Paul ging ihr überhebliches Getue mächtig auf die Nerven, aber aus Respekt zu ihrem hohen Alter traute er sich nicht, ihr zu widersprechen. Er ertappte sich dabei, wie sich seine Hand bereitwillig nach dem Geld ausstreckte, das Charlott ihm entgegenhielt. „Wissen Sie etwa nicht, dass an Jugendliche unter sechzehn Jahren keine Zigaretten verkauft werden?", fragte er sie höflich. Sie winkte seine Frage mit einer ungeduldigen Geste ab. „Die Verkäuferin dort schuldet mir was", antwortete Charlott in dem für sie typischen überheblichen Ton. „Sie würde dir sogar eine Flasche

Whisky geben, wenn's für mich ist!" Ihr ohrenbetäubendes Lachen klang wie ein Hundebellen, das in einem heftigen Hustenanfall endete. Sie beugte sich nach vorne und stützte sich auf dem Treppengeländer ab. „Sie ist wirklich schlimm erkältet", dachte Paul, während er mit der leeren Zigarettenpackung in der Hand das Haus verließ. Die Strahlen der untergehenden Sonne wurden schwächer und wärmten kaum noch. Paul erzitterte in seinem dünnen Hemd und ohne Jacke. „Die frische Luft wird mir guttun", dachte er und rannte schnell zum Kiosk. Er wollte, der offenen Wohnungstür wegen, so schnell wie möglich zurück sein. Es gefiel ihm nicht, dass Charlott ihn wie ihren Diener behandelte, aber einfach alles an ihr wirkte so dominant, dass er ihre Bitte unmöglich abschlagen konnte. Er stellte sie sich auf einem Schlachtfeld vor, wie sie, auf einem verschwitzten Ross sitzend, ihren Unterordneten Befehle erteilte. Es war so lustig, dass er für einen kurzen Moment alle seine Sorgen vergaß und insgeheim grinste.

Die alte Hexe log nicht – die Verkäuferin im Kiosk gab ihm wirklich die Zigaretten, sobald das magische Wort „Charlott" fiel. Mit den Packungen in der Hand rannte Paul zurück und überreichte sie Charlott, die auf der Schwelle ihrer Wohnungstür auf ihn wartete. „Ist aber flott gegangen", kicherte sie zufrieden und streckte ihre Krallen nach den Zigaretten aus. Sie schnappte sie sich wie ein Falke seine Beute und faltete sich erneut in einem Hustenanfall zusammen. Paul sah in ihr violettes, mageres Gesicht und bekam allmählich Zweifel. Charlott sah so krank aus, dass er es falsch fand, ihr Zigaretten zu bringen. „Kleingeld kannst du behalten", brachte sie zwischen zwei Husten mühsam hervor. Es waren nur ein paar Münzen und Paul steckte sie einfach ein, ohne groß zu diskutieren. Er drehte sich um, um wegzugehen, hielt aber inne und sah nach oben zu seiner Wohnungstür. Es war etwas in seinen Augen, das Charlott aufhorchen ließ. Sie sah ihm seinen Unmut, seine Betrübtheit und seine Zerrissenheit an und pfiff ihn zurück. Er drehte sich überrascht zu ihr um. „Hey, Paul!", erinnerte sie sich plötzlich genau an seinen richtigen Namen. „Komm mal kurz rein, Junge!“ Gefügig folgte Paul ihr in ihre Wohnung, wie jemand, der nichts zu verlieren hatte.

Charlotts Wohnung war genau wie seine eigene, nur spiegelverkehrt. Der dunkle Flur war mit diversen Möbeln vollgestopft und erschien dadurch noch viel schmaler als seiner. Paul, der sich im Dunkeln an Charlotts dürren Rücken orientierte, schlug sich ein paarmal ziemlich schmerzhaft an den scharfen Kanten der Schränke, bevor er in der Küche ankam. Unterwegs bemerkte er überall Nebelschwaden herumschweben und fragte sich, wo sie wohl herkamen. Als er in der Küche ankam, beantwortete sich seine Frage von allein, als er auf dem Küchentisch einen mit Zigarettenkippen prallgefüllten Aschenbecher sah. Manche rauchten noch und die ätzenden Wölkchen, die den kleinen Raum füllten, trieben Paul Tränen in die Augen. Seine Lungen fingen sofort zu brennen an und er bekam einen Hustenanfall, so ähnlich wie Charlott. „Dicke Luft, was?“, spottete Charlott und öffnete das Fenster einen Spalt weit. Das war nur ein Tropfen auf dem heißen Stein, machte die unerträgliche Luft in der Küche aber trotzdem ein wenig besser. Paul sog die einzelnen Sauerstoffmoleküle gierig ein, die es bis zu seiner Nase geschafft hatten. Charlott verzog ihre Miene. „Ich hasse frische Luft“, krächzte sie angewidert. „Sie macht mich immer so depressiv!“ Sie öffnete den Wandschrank und kramte lange nach irgendwelchen Küchenutensilien, die dort durcheinander lagen: Pfannen, Tassen und Besteck, alle auf einem Haufen. Paul machte sich diese Zeit zunutze und sah sich in Charlotts Küche um. Abgesehen vom mit einer dicken Aschenschicht bedeckten Tisch und Boden, sahen alle anderen Gegenstände relativ sauber aus. Die Einrichtung der Küche war eigenartig, wie die Besitzerin selbst: Neben schlichten, fast schon billigen Sachen sah er recht teure Sammelstücke. Zum Beispiel, auf einem ovalen Aluminiumtisch, der eher wie ein Bistrotisch aussah, lag eine schöne antike Tischdecke, an der man durch die Ascheschicht vage die feinen Stickereien erkennen konnte. Neben dem emulierten weißen Gasherd, der beinah unbenutzt aussah, hingen am Küchenfenster schwere Samtvorhänge – nicht nur eine unpassende, sondern auch gefährliche Nachbarschaft. Hinter ihnen gab es noch einen dünnen, halbdurchsichtigen Vorhang aus Gaze, der von Charlotts Zigarettenausdunstungen ganz vergilbt war. Dem Schein nach verschwendete Charlott ihre Zeit nicht gerne mit Kochen. Sie warf zwei Stoffservietten auf den Tisch, die sie aus dem besagten Wandschrank rausgeholt hatte. Wie alle Sachen in der Küche waren sie mit einer Zigarettenmarinade durchtränkt worden. „Stehst du immer noch da, wie ein Löffel in der Sülze?“, grollte sie, als sie sich nach ihm umdrehte. „Setz dich mal endlich!“ Von ihrem militärischen Ton angetrieben, beeilte sich Paul, auf einem der zwei großen, weichen Halbsesseln Platz zu nehmen. Charlott beobachtete ihn mit dem Funken eines Lächelns in ihrem faltigen Gesicht. Paul spürte, dass sie trotz ihres harten Auftretens und barschen Tones in ihrem tiefsten Inneren doch einen weichen Kern besaß. Sie stellte eine Kaffeetasse für sich und ein Porzellanglas für Paul auf die Tischdecke. Dann marschierte sie Richtung Kühlschrank und öffnete ihn mit einem Ruck. Paul sah die gähnende Leere auf den Kühlschrankregalen. Keine Milch, keine Eier, keine Butter, nur eine große Colaflasche an der Kühlschranktür und ein flaches Päckchen Schinken in einer der hintersten Ecken. „Wovon lebt sie?“, wunderte sich Paul. Charlott schnappte sich beides und drehte sich auf einem Absatz schwungvoll zu Paul um. Der bewunderte die Beweglichkeit, die sie trotz ihres Alters und ungesunden Lebensstils aufwies, und verglich sie mit seiner viel jüngeren Großmutter. Der Vergleich fiel mit Abstand zu Charlotts Gunsten aus. „Na, wie findest du es hier bei uns?“, fragte sie ihn, während sie ihm die Cola einschenkte. Für sich goss sie eine Tasse Kaffee aus einer großen Thermosflasche auf dem Tisch. Paul zuckte mit den Schultern. „Ganz okay, glaube ich.“ „Und die Schule?“, bohrte sie weiter nach. „Auch ganz gut“, sagte er geduldig und beschloss die Gelegenheit zu nutzen, um ihr eine wichtige Frage zu stellen. Während er den Mut fasste, versuchte Charlott die Schinkenpackung zu öffnen. Sie zog an der kleinen Zunge der von Kondenswasser beschlagenen Plastikfolie, die ihren Fingern immer wieder entglitt. Um sich nicht länger damit rumzuplagen, stach sie ihren langen, wie eine Kralle gebogenen Fingernagel durch die Folie hindurch und schlitzte sie auf. Zufrieden schob sie die Packung zu Paul rüber. „Danke, ich habe schon gegessen", sagte er möglichst höflich, aber Charlott winkte nur ab. „Erzähl mir nichts, die Kinder in deinem Alter sind immer hungrig. Ich war selber so – konnte den ganzen Tag ununterbrochen essen. Nimm, nimm! Schade nur, dass es kein Brot im Haus gibt." Paul beäugte zweifelnd ihre magere Figur und nahm sich eine Scheibe. Der Schinken war zweifellos fein, aber ihn ohne Brot zu essen war nicht so seine Sache. Paul konnte nicht damit aufhören, sich über Charlotts Lebensstil zu wundern. „Sie kauft sich teure Zigaretten und hat kein Brot im Haus!" Er kaute lustlos auf einem Stück Schinken herum, während Charlott an ihrer Kaffeetasse nuckelte. Die ganze Zeit über lauschte er den Geräuschen aus dem Treppenhaus. Falls sich die Eingangstür öffnen sollte, würde er es, dank der dünnen Hauswände, unmöglich verpassen können. Paul spülte den salzigen Schinken mit einem Schluck Cola runter und stellte endlich die Frage, die ihm auf der Zunge brannte: „Erinnern Sie sich vielleicht, wie Sie mich vorgestern Kay genannt haben? Können Sie mir bitte sagen, wieso?" Charlott verzog ihr Gesicht, als hätte sie in eine Zitrone gebissen. „Sag DU zu mir! Ich mag es nicht, gesiezt zu werden!" Paul bemerkte, dass sie nach seiner Frage sichtlich nervös wurde. „Ah, das!", rief sie verlegen und begann die Gegenstände auf der Tischdecke sinnlos hin und her zu schieben: zuerst den Aschenbecher, dann die Thermoskanne. Dann wanderten ihre Finger zu ihrer Serviette und begannen sie hektisch zu falten. Währenddessen mied sie es, in Pauls fragendes Gesicht zu sehen. Wer Charlott gut kannte, würde behaupten, sie wäre von den Zweifeln zerrissen. Endlich zogen sich ihre Finger zurück und schlossen sich wieder um die Kaffeetasse. „Es war ein Versehen", sagte sie schnell, aber ihre Augen, im violetten Schatten versunken, flitzten immer noch wie kleine Tierchen hin und her. „Sie kann nicht flunkern, genau wie Oma!", verstand Paul. „Es gab einmal einen kleinen Jungen hier im Haus, der Kay hieß“, fuhr sie fort. „Auch so ein Puppengesicht.“ Ihr Zeigefinger stach in die Richtung von Pauls Gesicht, aber er überhörte ihre unhöfliche Bemerkung. Er wartete angestrengt, ob sie etwas mehr dazu sagen würde, aber sie machte keine Anstalten dazu. „Was ist mit dem kleinen Jungen passiert? Ist er vielleicht gestorben?“, fragte er mit einer verzweifelnden, fast flehenden Stimme. „Gestorben? Was für ein Blödsinn!“, prustete sie. „Eine wirklich absurde Idee! Sie sind eines Tages einfach ausgezogen, von jetzt auf gleich. Der Junge und seine Mutter.“ „Bist du dir ganz sicher?“, bohrte Paul nach. Es fiel ihm nicht leicht, Charlott zu duzen, aber er tat es, um ihr zu imponieren. „Bitte, überlege es dir noch einmal, es ist sehr wichtig! Es gab doch damals so einen Brand hier in der Gegend ...“ Er erinnerte sich spontan an Ilons Erzählung über den Brand im Kinderspielzentrum vor ungefähr sechs Jahren und zählte eins und eins zusammen. Charlott verschluckte sich an ihrem Kaffee und ihr ohrenbetäubendes Husten erschütterte die kleine Küche. „Und ob ich mich daran erinnere!“, gab sie zu, als sie fertig war. „Die Großnichte meiner guten Bekannten ist bei diesem Brand ums Leben gekommen. Sie war damals erst fünfeinhalb. Armes Mädchen!“ Sie kaute an ihrer blassen Unterlippe und war hin- und hergerissen. Paul sah genau, dass sie an ihren Zweifeln litt, und spürte in seinem Inneren, dass sie wesentlich mehr wusste, als sie ihm sagte. Schließlich ertrug sie den intensiven Blick seiner tiefblauen Augen nicht mehr und gab nach. „Verflucht noch mal!“, heulte sie auf. „Verdammter Bockmist! Es tut mir leid, Junge, ich kann mit dir nicht darüber reden! Ich habe Olga mein Wort gegeben, dass ich dir NICHTS über deine Vergangenheit erzähle, um dich nicht zu traumatisieren. Sie meint, es war eine verdammt schlimme Zeit für dich, weißt du?“ Jetzt war Flehen in ihrem Blick. „Bitte, Paul, stell mir zu diesem Brand keine Fragen mehr, abgemacht? Du weißt doch, was es heißt, wenn man jemandem sein Wort gibt, oder etwa nicht?“ Paul war verzweifelt. Er wusste nur zu gut, was es bedeutete, jemandem sein Wort gegeben zu haben. Wenn die beiden Damen ein

Komplott gegen ihn beschlossen hatten, was für eine Chance hatte er noch, der Wahrheit auf die Schliche zu kommen? Charlott sah ihm seine Verzweiflung zweifellos an. „Sei mir nicht böse, Paul. Wir können von mir aus über sonst alles reden – über Gott und die Welt, aber bloß nicht über diesen Kay!", bat sie ihm freundlicherweise an. „Sag mir nur das eine: Ob er vielleicht mein Bruder war? Er lebte doch in meiner Wohnung, oder nicht?" Paul gab seine letzte Hoffnung nicht ohne Kampf auf. Charlott presste ihre farblosen Lippen zu einem Schlitz zusammen und schüttelte heftig den Kopf. Die violetten Locken flatterten dabei um ihre Ohren. „Ich habe dir bereits zu viel gesagt", sagte sie entschlossen. „Hoffentlich verpfeifst du mich nicht bei Olga!" Paul stoß ihre Sturheit sauer auf. Wäre er bloß gestern zu ihr gekommen, bevor seine Großmutter mit ihr geredet hatte, dann hätte sie ihm alles erzählt! Jetzt musste er diesen schweren Weg selbst gehen. Er beschloss, heute noch mit seiner Großmutter zu reden, und diesmal würde sie seinen Fragen nicht mehr ausweichen können!

Ein leises Knurren ertönte hinter Pauls Rücken. Ein tiefes, vibrierendes Geräusch, das immer lauter wurde und in ein schimpfendes Fauchen über ging. Es kam so unerwartet, dass Paul wild herumfuhr. Aus seinem halbvollen Glas schwappte die Cola direkt auf seine neue Jeans über. Ein ausgewachsener feuerroter Kater, durch Schinkengeruch angelockt, schlich sich langsam aus dem Flur an den nichtsahnenden Paul heran. Mit geduckten Schultern und hoch erhobenem Hinterteil, das hin und her wippte, war er jederzeit bereit, Paul anzugreifen. Seine weit geöffneten bösen Augen mit großen schwarzen Pupillen reflektierten das Licht aus dem Fenster und leuchteten dabei tiefgrün auf, wie zwei Smaragde. „Jetzt springt er mich an!", schoss es durch Pauls Kopf. Instinktiv erhob er den rechten Ellenbogen vors Gesicht, um es von den scharfen Krallen zu schützen.

„Spinnst du, Vulkan!", donnerte Charlotts Stimme von ihrer Tischecke zum Kater rüber. „Hau ab, du Teufelsbrut!" Sie schnappte

kurzerhand den Küchenschwamm und warf ihn nach dem Kater, der, wie ein Kugelblitz, davonsauste und in der Dunkelheit des Flurs verschwand. „Wow!“, rief Paul, erleichtert über den misslungenen Angriff. „Ist er immer so böse?“ „Er mag keine Fremden“, erklärte Charlott. „Und schon gar keine Jungs! Als er noch ein Jungtier war, wurde er oft von ihnen geplagt.“ Sie lief dem Kater nach, um ihn im Wohnzimmer einzusperren. Eine verschwommene Erinnerung tauchte plötzlich in Pauls Kopf auf. Er saß als kleiner Junge auf dem Steinboden eines Treppenhauses. Er spürte sogar die kalten Steinplatten unter seinen Pobacken. Mit der rechten Hand hielt er ein kleines rotes Kätzchen an einem Bein fest und mit der linken versuchte er, seinen glatten Rücken zu streicheln. Er konnte die Faszination und Erregung eines Kleinkindes wiederempfinden, das ganz allein, ohne die lästige Aufsicht der Erwachsenen, seine erste Begegnung mit einem Haustier ungehemmt und herrisch genoss. Das Kätzchen miaute mit seinem dünnen Stimmchen verzweifelt und versuchte sich mit allen Kräften aus seinem Griff herauszuwinden. Es drehte sich auf den Rücken, kratzte und biss in seine Hand. Die Kratzer brannten wie Feuer, der ganze Unterarm war mit den querverlaufenden, anschwellenden Strichen übersäht. Seine Entschlossenheit, das kreischende Tier nicht loszulassen, wuchs mit jedem neuen Kratzer umso mehr. Dazu mischte sich Wut und er schleifte das arme Geschöpf ungeduldig über den Boden – näher zu sich. „Hey, Junge, lass ihn sofort los!" Eine raue Frauenstimme platzte mitten in seine Erinnerung hinein. „Siehst du etwa nicht, dass er Schmerzen hat?!" Erschrocken und beschämt zugleich, ließ er das Katzenbeinchen sofort los. Das Tier rappelte sich auf der Stelle auf und verschwand in einem Türspalt. Die Erinnerung tauchte wieder in die Tiefe von Pauls Unterbewusstsein ab, aber der Nachgeschmack blieb bestehen. Der Hilferuf der kleinen Katze hallte weiterhin in seinen Ohren. Aber was, bitte schön, hatte diese Erinnerung mit hier und jetzt zu tun? War die kleine rote Katze wirklich Vulkan und die schimpfende Frau Charlott? Er war dazu geneigt, diese Frage mit einem „Ja" zu beantworten.

Aufgeschoben
ist nicht aufgehoben

Schwere Schritte im Treppenhaus ließen Paul aufhorchen. Er erkannte sie sofort: Seine Großmutter lief, laut atmend, die Treppe hoch. Er hatte sie beinah verpasst! Nichts mit der Hilfsbereitschaft eines besorgten Enkels! Jetzt musste er ihr Rede und Antwort stehen, wieso er sich draußen rumtrieb, während die Wohnungstür offenstand. Paul bedankte sich höflichst bei Charlott für ihre Gastfreundschaft, verabschiedete sich hektisch von ihr und eilte seiner Großmutter nach. Er erwischte sie schon oben, als sie mit dem zum Anklopfen erhobenen Arm vor der Wohnungstür stand. „Was machst du denn hier?!", rief sie verwirrt, als er plötzlich hinter ihr auftauchte. Er machte vorsorglich die Tür für sie auf. „Charlott hat mich gerade gerufen", antwortete er mit gesenktem Kopf und schritt ihr nach in den dunklen Flur. „Ihr ist eine Zigarettenpackung hinter den Schrank gefallen und sie brauchte meine Hilfe, um sie von dort auszufischen." Den echten Grund, weshalb sie ihn um Hilfe bat, wollte er, natürlich, für sich behalten. Großmutter drehte sich sofort zu ihm um und musterte ihn mit einem prüfenden Blick. „Ah ja! Wie hat sie es nur bis hierher nach oben geschafft, unsere alte Charlott?" Paul hörte Zweifel in ihrer Stimme und bemühte sich, sie zu beseitigen. „Oh, du kennst sie schlecht! Sie ist noch voll fit!" Zu seiner Erleichterung hakte sie nicht lange nach, sondern lief müde in die Küche, um ihre Teekanne aufzusetzen. „Du magst sie nicht sonderlich, nicht wahr?", fragte Paul Großmutter, während er ihre schwere Tasche hinter ihr herschleppte. „Wieso denn nicht?" Großmutter kramte in der Schublade des Küchenschranks nach einem ihrer Teebeutel. Statt zu antworten, stellte sie ihm selbst eine Frage: „Kannst du vielleicht ein paar Kartoffeln schälen, Paschenka? Ich habe uns Forellen für das Abendbrot besorgt." Paul ging ihr bereitwillig zur Hand und schälte die Kartoffeln über der Spüle, während sie die Fische aus der Tasche rausnahm. Paul besaß keine große Erfahrung in Bezug auf Küchenarbeit, seine ungeschickten Finger schnitten viel zu viel von der Kartoffel ab und die dicken Schalen, die eher nach Schnitzen aussahen, verstopften im Handumdrehen den Abfluss der Spüle. Während er arbeitete, wartete er die ganze Zeit angespannt auf Großmutters Reaktion auf die von ihm gestellte Frage. Er dachte schon, sie würde unbeantwortet bleiben und begann über andere, aus seiner Sicht viel wichtigere Dinge nachzudenken, als Großmutter selbst darauf zu sprechen kam. „Charlott ist keine hilflose alte Frau, die mit einem Fuß im Grab steht, o nein! Ich kenne sie lange genug, glaub mir, und kann dir eins sagen: Eine größere Tratschtante hat die Welt noch nicht gesehen! Sie wusste schon immer alles über alle, obwohl sie ihr Haus so gut wie nie verlässt!" Großmutter fand endlich ihren Beutel und legte ihn in ihre Tasse, deren Wände vom vielen Tee voller brauner Ablagerungen waren. „Dazu kommt noch", fuhr sie mit ihrem vernichtenden Urteil fort, „dass sie so arrogant und grob ist, wie sonst keiner. Sie flucht wie ein Matrose und qualmt obendrauf noch wie eine Lokomotive!" Paul war inzwischen mit seinen Gedanken ganz anderswo und hörte kaum noch, wie sie über Charlott herzog. Er wusste genau: Je länger er das Gespräch hinauszögerte, desto schwerer würde es für ihn, damit anzufangen. Er wollte Großmutter richtig damit überrumpeln, um zu vermeiden, dass sie sich wieder irgendwelche Ausreden ausdachte. „Oma", fasste er endlich Mut, „erzähl mir bitte von meiner Mutter. Ist sie beim Brand im Spielhaus gestorben, hier in der Stadt? Und hatte ich, möglicherweise, einen älteren Bruder?" Nach reichlicher Überlegung war er zum Schluss gekommen, dass sein toter Bruder (wenn es sich beim Geist tatsächlich um seinen Bruder handelte) auf jeden Fall älter gewesen war als er selbst und aus irgendeinem Grund aus seinem Leben verschwand, als er, Paul, ganz klein oder noch gar nicht auf der Welt war. Wäre es anders gewesen, hätte er sich an ein Baby erinnern müssen, das mit ihm unter einem Dach lebte. Seine Stimme war brüchig vor Aufregung, als er Großmutter diese zwei Fragen stellte. Sie ließ ihre Tasse stehen und fuhr mit ihrem massigen Oberkörper zu ihm herum. „Hat es etwa Charlott so erzählt?!“ Es war deutlich Drohung in ihrer Stimme zu hören und Paul beeilte sich, ihre Vermutung zu widerlegen. „Nein, Charlott war es nicht!“ Er musste mit Bedauern feststellen, dass er sich für dieses wichtige Gespräch kein bisschen vorbereitet hatte und suchte verzweifelt nach den passenden Worten. „Blödmann!“, beschimpfte er sich insgeheim. Natürlich wird Großmutter seine Unsicherheit ausnützen und ihn wieder abwimmeln. Das musste er um jeden Preis verhindern! „Es ist so“, begann er unter ihrem argen Blick. „Ich weiß einfach, dass ich hier schon früher gelebt habe. Viele Sachen kommen mir so bekannt vor! Schau mal“, er ließ die Kartoffel in die Spüle plumpsen und lief mit tropfnassen Händen in die andere Ecke der Küche, wo der Kühlschrank stand. „Wenn ich den da verschiebe, sieht man am Boden eine kaputte Fliese.“ Er versuchte unter Großmutters erstauntem Blick den schweren Kühlschrank zur Seite zu schieben. „Siehst du!“, schrie er triumphierend, als die abgeschlagene Ecke einer Bodenfliese auftauchte.

„Woher weiß ich das, wenn ich nie hier gewohnt haben soll, eh?“ Er sah sie aus großen, leuchtenden Augen an und zitterte vor Anspannung wie ein Espenblatt. „Ah, ja!“, erinnerte er sich dann an Charlotts Kater. „Da gibt es noch Vulkan! Ich weiß genau, dass ich mit ihm gespielt habe, als er noch ein Kätzchen war!“ „Ja, du hast recht“, gab Großmutter gezwungenermaßen zu. „Du warst tatsächlich schon ein paarmal da. Aber was hat das mit dem Tod deiner Mutter zu tun?“ Paul wusste keine Antwort darauf und fühlte sich gefangen. Er grübelte verzweifelt, wie er diese zwei Sachen miteinander verknüpfen konnte. „Ja, an sie erinnere ich mich auch!“, bluffte er. „Wie wir alle hier in dieser Wohnung gelebt haben! Ich, du, sie und mein Bruder – alle zusammen! Wie war sein Name nochmal?“ Er sah hoffnungsvoll ins bestürzte Gesicht seiner Großmutter und feierte insgeheim seinen schnellen Sieg. Sie war so nah dran alles zuzugeben! Großmutter drehte sich zu ihrer Teekanne auf dem Herd um, die pfeifende Geräusche von sich gab. Schweigend nahm sie die Kanne vom Feuer und goss den dunklen, würzig duftenden Tee in ihre braune Tasse. Dann lief sie mit der Tasse in der Hand zum Tisch und setzte sich schwer auf einen der Stühle. Währenddessen stand Paul mitten im Raum und zitterte unaufhörlich. Großmutter sah ihn nicht mal an, sondern rührte nur nachdenklich in ihrer dampfenden Tasse, dann seufzte sie schwer. „Ich wusste, dass der Tag kommen wird, an dem du mir diese Fragen stellst, Paul“, sagte sie schließlich resigniert. „Du hast keine Ahnung, wie schwer es für mich ist, mit dir darüber zu reden!“ Sie senkte den Blick zu ihrer vollen Tasse. „Ich werde dir alles erzählen!“, sagte sie plötzlich entschlossen und hob ihren Blick zu Paul, dessen Herz vor Freude für einen Moment zu schlagen aufhörte, bevor es wieder wie wild zu hämmern anfing. „Aber nicht heute!“, fügte sie genauso plötzlich hinzu und erstickte damit Pauls Freude im Keim. Sie verengte ihre Augen und sah Paul mit einem festen Blick an. Er sah seine Hoffnung den Bach runtergehen, als er ihren Blick erwiderte. „Warum nicht!“, schrie er empört auf. „Warum ist ‚wann anders‘ besser als jetzt?! Damit du dir irgendwelche Lügen ausdenken kannst?! Ich will nicht länger darauf warten!" Pauls Stimme klang beinah weinerlich, da jede Zelle seines Körpers vor Enttäuschung schrie. In seiner Wut bemerkte er nicht, dass er seine Großmutter anbrüllte, was für ihn normalerweise ein absolutes Tabu war. Großmutter ließ sich durch seinen schroffen Ton nicht einschüchtern und blieb hart. „Warte nur ein paar Tage, mein Lieber", sagte sie sanft zu Paul, der vor Zorn brutzelte. „Ich weiß, dass es dein gutes Recht ist, alles über deine Familie zu wissen, aber habe Geduld, mein Junge. Bald kommt der Jahrestag, und ich erzähle dir die ganze Wahrheit. Wir gehen sogar zusammen dorthin, versprochen! Gib mir nur noch ein wenig Zeit, Paul, bitte! Versprichst du es mir?" Paul hatte ihre erzwungene Bereitschaft ihm die ganze Wahrheit zu erzählen gar nicht überzeugt, aber er nickte schweren Herzens. Was blieb ihm auch anderes übrig – sie einer Folter zu unterziehen oder ihr die Geschichten vom Geist zu erzählen? „Jahrestag wovon?", fragte er grimmig. „Der Jahrestag vom Brand im Kinderspielzentrum", antwortete sie leise. „Bei dem meine Mutter gestorben ist?", fragte er müde. Nach der ganzen Aufregung fühlte er sich schlapp und entkräftet. Großmutter machte eine undefinierbare Geste, als stimmte seine Vermutung nur zum Teil. „Es war eine sehr schlimme Zeit für uns alle, Paul", sagte sie ernst. „Damals dachte ich, ich hätte dich für immer verloren". „Wieso?", fragte er ohne jede Begeisterung. „Bin ich etwa bei diesem Brand auch fast gestorben?". Großmutter schüttelte langsam den Kopf. „Schon, aber nicht beim Brand. Hören wir jetzt bitte damit auf, Paul?" Der flehende Blick ihrer mit bedingungsloser Liebe erfüllten Augen zwang ihn dazu, mit seinem Verhör Schluss zu machen. „Oh mein Gott!", schrie sie plötzlich auf. „Du blutest ja!" Paul schaute an sich runter und bemerkte Blutstropfen an seiner Hose und den Bodenfliesen. Er nahm seine Hände vors Gesicht und sah einen tiefen, haardünnen Schnitt an seinem linken Daumen. Er musste sich beim Kartoffelschälen in die Hand geschnitten haben. Besorgt sprang Großmutter auf und rannte ins Bad, um ein Desinfektionsmittel und ein Pflaster zu holen. Für Paul bedeutete es nur eins: Das Gespräch war zu Ende. Er ließ sich auf einem der Stühle nieder und wartete geduldig, bis Großmutter seinen Daumen versorgt hatte. Dann holte er den Schulrucksack aus seinem Zimmer und verbrachte den Rest des Tages mit seinen Hausaufgaben auf dem Wohnzimmerboden. Großmutter, die nach so einem herzzerreißenden Gespräch wie üblich kaum noch ansprechbar war, interessierte sich kaum, warum er zusammengefaltet am Boden hockte, obwohl in seinem Zimmer ein bequemer Schreibtisch zur Verfügung stand. Vor dem Zubettgehen nahm Paul einen uralten Radiorekorder mit auf sein Zimmer, errichtete sich aus zwei Decken eine Art Höhle, in der er den Rekorder platzierte, und hörte, mit einer Taschenlampe bewaffnet, allerlei Musik bis spät in die Nacht. Als er einschlief, hatte seine Lampe kaum noch Batterie und die Luft in seinem Loch war so stickig wie in einer echten Höhle.

Tag drei.
Die unheimliche Begegnung im Park

Paul wachte mit Kopfschmerzen auf. Er streckte seinen Kopf unter der Bettdecker hervor und betrachtete grimmig den fröhlichen Sonnenschein, der durch den schmalen Spalt zwischen den Vorhängen in sein Zimmer strömte. Das Blut pochte in seinen Schläfen, als er die Küche betrat. Wie versprochen sprach er Großmutter nicht auf das heikle gestrige Thema an. „Sie hat mich um Zeit gebeten und die wird sie bekommen", so entschied er für sich und übte sich in Geduld. Er sah die dicken Tränensäcke unter Großmutters roten Augen und verstand, dass er allein schuld an ihrer schlaflosen Nacht war. Das sorgte bei ihm für manche Gewissensbisse. Als er sah, wie sie zum offenen Fenster ging und gierig nach Luft schnappte, machte er sich ernsthafte Sorgen um sie. Am liebsten wäre er ganz nah an sie ran getreten und hätte sich von ihr fest drücken lassen, wie früher, als er noch viel jünger war. Aber aus irgendeinem Grund, konnte er es nicht mehr. „Omi, ist alles okay?", fragte er sie besorgt und zog an ihrer Bluse, während sie beim offenen Fenster mit dem Rücken zu ihm stand. Sie drehte sich mit einem künstlichen Lächeln auf den blassen Lippen zu ihm um. „Was soll mit mir nicht in Ordnung sein, Paschenka? Deiner Oma geht es besser denn je!" Sie fuhr ihm liebevoll mit den weichen Fingerknöcheln über die Wange. „Für uns beginnt gerade ein neues Leben! Da bleibt es keine Zeit, um zu kränkeln, nicht wahr?" Paul beruhigte ihre vorgespielte Fröhlichkeit nicht wirklich, trotzdem war er ihr für ihre Aufmunterung dankbar.

Obwohl er seiner Großmutter die Zeit gönnte, die sie brauchte, hatte er selbst so gut wie keine. Obwohl der Geist ihn in der vergangenen Nacht in Ruhe gelassen hatte (vielleicht weil seine Großmutter im Nebenzimmer die ganze Nacht lang über ihm wachte), würde er in naher Zukunft mit Sicherheit nicht mehr so zimperlich sein. Paul fühlte mit jeder Faser seines Körpers, wie sich ein unsichtbares Energiefeld um ihn herum spürbar verdichtete. Das Schlimmste dabei: Er spürte es sogar, wenn er nicht auf seinem Zimmer war! Er beruhigte sich, indem er sich selbst einredete, es müsse alles an dem Stress liegen, da er so viel Stress wie in den letzten Tagen noch nie zuvor hatte. Darum war der heutige Tag in der Schule eine willkommene Erholungsoase für ihn. Weder Aggressor Joel noch Nervensäge Ilon waren heute da und er genoss die absolute Ruhe an seinem Arbeitsplatz regelrecht. Er machte sich ganz breit – selbst auf Ilons Tischhälfte und auf ihrem Sitzplatz lagen seine Notizblätter und Hefte. Er begann ernsthaft über die Vorteile eines Einzelplatzes nachzudenken. Paul saß bequem zurückgelehnt auf seinem Stuhl, schrieb die Übungen ins Englischheft und die Sonnenstrahlen wärmten fleißig sein Gesicht. Weil er in der vergangenen Nacht nicht genug geschlafen hatte, fielen ihm fast die Augen zu. Um nicht gänzlich einzuschlafen, ging er in der großen Pause mit Claudio und seinen Kumpels nach draußen, um ein paar Körbe zu werfen. Nach der Schule liefen die beiden Jungs gemeinsam Richtung Haltestelle. Paul begleitete seinen besten Kumpel, der zu der Kinderkrippe fahren musste, um seine kleine Schwester abzuholen. Sie schlenderten langsam die Straße entlang. Paul trug Claudios Ball bei sich und Claudio hatte ihm seinen Arm um die Schulter gelegt. Was gibt es Schöneres auf der Welt, als den Arm eines guten Kumpels auf den eigenen Schultern zu spüren? Dieses Gefühl misste Paul sehr, seit er sich von seinem Busenfreund Sandro verabschiedet hatte. Er fand es lustig, dass seine beiden Freunde italienische Namen trugen und lächelte insgeheim seinen Gedanken zu. „Schleppst du eigentlich immer so viele Papiere mit dir rum?“, fragte er Claudio und deutete auf die dicke Mappe unter seinem linken Arm. Claudio war seit Jahren der Vorsitzende des Klassenrates und hatte schon ein bisschen mehr Papierkram am Hals als seine Mitschüler „Das sind Ilons Hausaufgaben“, antwortete Claudio naserümpfend. „Sie schwänzt in der letzten Zeit öfter die Schule. Darum werden ihre Noten immer schlechter. Wenn es so weitergeht, muss sie die Klasse wiederholen, da kommt sie nicht drum herum!“

Paul nutzte die Gelegenheit, um ihm über Ilon ein paar Fragen zu stellen. „Sag mal, ist die schon immer so ...", er überlegte sich ein passendes Wort, „... bescheuert gewesen?" „Meinst du launisch und so?", half ihm Claudio eine passendere Bezeichnung zu finden. „Genau! Und hysterisch und lästig dazu!" Claudio lächelte verständnisvoll. „So schlimm ist sie erst geworden, seit ihre Mutter vor circa zwei Jahren die Familie verlassen hat. Aber in den letzten Tagen hat sie ihren eigenen Rekord gebrochen. Du weißt doch, woran es liegt, oder?" Er schupste Paul belustigt mit seiner Mappe in die Seite. „Keinen Plan, was du da redest", antwortete Paul ahnungslos. „Was denn wohl! Vielleicht, dass sie auf dich total abfährt, du Trödel? Das sieht sogar ein Blinder!" Claudio lachte herzhaft und Paul schüttelte verärgert seinen Arm ab. „Spinnst du? Halt deine dumme Klappe!", fuhr er ihn mit feuerrotem Gesicht an. „Musste das sein?", dachte er beschämt. „Das ist doch voll dumm!" Dass Claudios Scherz nicht böse gemeint war, verstand er aber und die beiden verabschiedeten sich im Guten voneinander. Vorher verabredeten sie sich nach dem Essen für ein Fußballspiel beim Schulhaus.

Heute war Mittwoch, Nachmittag war schulfrei und Paul hatte eine Menge Zeit, mit der er nichts anzufangen wusste. Er brannte nicht darauf, schnell nach Hause zu kommen, wo der Babygeist auf ihn lauerte. Er rechnete kurz nach: Bis Claudio mit seiner Schwester zu Hause ankam, würde ungefähr eine halbe Stunde dauern. Dann ein kleiner Snack und ein Abstecher bei Ilon wegen der Hausaufgaben. Im Großen und Ganzen rechnete er mit mindestens einer Stunde, die er totschlagen musste, und beschloss, einen kleinen Spaziergang zu unternehmen. Währenddessen gingen ihm viele Gedanken durch den Kopf. „Sind eigentlich alle Mädchen so unmöglich oder nur die hässlichen?", stellte er sich die Frage. Vor seinem inneren Auge erschien neben dem doofen Koalagesicht von Ilon Dianas hübsches Barbiegesichtchen.- Beide hatten zusammengezogene Augenbrauen und Schmolllippen, als wären sie jederzeit bereit loszuschimpfen. Paul schüttelte den Kopf, um das Bild aus seinem Hirn zu vertreiben. Mädchen waren eben kompliziert, es war einfach so. Man sollte sich davor hüten, mit ihnen etwas gemeinsam zu haben, wenn man nicht unbedingt wert drauflegte, verrückt zu werden. Bei Jungs dagegen war alles easy: Es gab Idioten wie Joel und gute Kumpels wie Claudio. Dann dachte er wieder an das misslungene Klärungsgespräch mit seiner Großmutter. Vor allem manche ihrer letzten Worte warfen in seinen Augen die Rätsel auf. „Wir werden zusammen dorthin gehen", hatte sie gesagt. Was meinte sie wohl damit?

Paul lief gerade die Hauptstraße entlang, die zu dieser Zeit nicht sonderlich voll war, als er plötzlich ein bekanntes Gesicht bemerkte. Ein genauerer Blick reichte, um festzustellen, dass er sich nicht täuschte: Ilon und eine fremde Frau kamen ihm gerade entgegen! Blitzschnell flitzte Paul von dem Bürgersteig zu einem kleinen Kiosk rüber und versteckte sich hinter seiner Ecke. Aus seinem sicheren Versteck heraus beobachtete er das seltsame Paar, das stillschweigend die Straße entlang an ihm vorbeilief. Die relativ junge Frau, die ein kleines Kind auf dem Arm sitzen hatte, hielt mit ihrer anderen freien Hand Ilons Hand fest, als wäre sie ein kleines Mädchen. Ilon selbst lief schweigend und mit gesenktem Kopf neben ihr und sah alles andere als begeistert aus. Ohne ihre alten Schulklamotten sah sie irgendwie anders aus – auf keinen Fall hübscher, einfach nur anders. Ilon trug in ihrer freien Hand einen großen Blumenstrauß aus dunkelroten, beinah schwarzen langstieligen Rosen, den sie unachtsam wie einen Küchenbesen hinter sich her am Boden schleifte. Die in allen Regenbogenfarben leuchtende Plastikverpackung, die den Strauß bedeckte, war am dreckigen Asphaltboden abgerieben worden. Paul verstand nicht, wieso sein Herz wie wild zu hämmern begann, als er sich das Gesicht der Frau näher ansah. So schrecklich sah sie nämlich gar nicht aus! Im Gegenteil, sie sah sogar recht hübsch aus! Sie hätte sogar noch viel junger und hübscher ausgesehen, wenn ihre großen, ausdrucksvollen blauen Augen vor lauter Weinen nicht so angeschwollen wären und ohne die langen dunklen Kleider, die sie vom Kopf bis Fuß umhüllten und sie, trotz ihrer Eleganz, wie eine Nonne aussehen ließen. Die Frau musste sehr viel Zeit mit Heulen verbracht haben, denn in ihren Augenwinkeln waren schon kleine Fältchen sichtbar, die in so einem jungen Gesicht nichts verloren hatten. Paul war sicher: Wäre ihr schulterlanges Haar nicht so hell gewesen, hätte man in ihm mit Sicherheit die eine oder andere graue Strähne gesehen. „Das muss Ilons Stiefmutter sein", verstand Paul. Das Kind auf ihrem Arm langweilte sich sichtlich über diesen lahmen Spaziergang, es wandte und drehte sich nach allen Richtungen. Es versuchte, sich aus Mutters festem Griff zu befreien, um auf den eigenen Füßen gehen zu können – alt genug wäre es bestimmt dafür. Es protestierte laut und kämpfte gegen Mutters Griff an, aber vergeblich. Die Mutter hielt es, trotz der vorwurfsvollen Blicke der vorbeilaufenden Menschen, fest in ihren Armen und obwohl sie alle ihre Kräfte dafür benötigte, ließ sie auch Ilons Hand nicht los. „Wie die Hexe von Hänsel und Gretel, als sie die beiden in ihr Lebkuchenhaus schleppte, um sie dort in Ruhe zu fressen", ging es Paul durch den Kopf, als er die seltsame Gruppe mit einem neugierigen Blick verfolgte. Als sie eine beachtliche Strecke zurückgelegt hatten, kam er aus seinem Versteck heraus und folgte ihnen, von Neugier getrieben, ein Stück weit auf ihrem Spazierweg. Er wollte nur wissen, wohin sie so herausgeputzt und mit finsteren Mienen an einem ganz normalen Tag hinliefen. Es sah nach einem Friedhofsbesuch aus, aber der städtische Friedhof befand sich am Stadtrand, weit weg von hier. Paul wusste das genau, da er am Tag seines Einzuges mit dem Bus daran vorbeifuhr. Paul tauchte in einer großen Studentengruppe unter, die laut und fröhlich plappernd von der anderen Straßenseite angelaufen kam, und lief Ilon und der Frau unbemerkt hinterher. Er musste keine Sorgen haben, entdeckt zu werden, da die beiden sich gar nicht nach den Seiten umsahen und nur mit gesenkten Blicken vor sich hinstarrten. Das Kleinkind dagegen drehte sich sehr lebhaft in alle Richtungen und für einen kurzen Moment traf sich der mürrische Blick seiner dunkelbraunen Augen mit dem von Paul. Jetzt sah Paul genau, dass es sich beim Kind um einen Jungen handelte. Pauls Aufmerksamkeit schüchterte ihn ein und er drehte sich mit einem Schmollmund weg, jederzeit bereit loszuheulen. Er begann an Mutters Haaren zu zerren und deutete mit seiner Hand in die Richtung des großen Jungen, der ihn verfolgte, aber niemand schenkte seinen unverständlichen Lauten Aufmerksamkeit. Damit das Kind ihn nicht auffliegen ließ, streckte Paul ihm die Zunge heraus und machte eine schreckliche Grimasse dazu. Wie erhofft, erschrak der kleine Wicht und versteckte schluchzend sein Gesicht auf Mamas Schulter. Nun konnte Paul der kleinen Gruppe ungestört folgen. Sie liefen noch ungefähr zweihundert Meter weiter geradeaus und bogen nach rechts ab, zu einem kleinen umzäunten Park mit jungen Bäumen, den Paul bereits an seinem Umzugstag aus dem Busfenster gesehen hatte. Genau in der Mitte des Parks befand sich ein Brunnen mit sprudelndem Wasser und hinter ihm leuchtete etwas aus hellgrauem Marmorstein auf, das wie eine Gedenktafel aussah. Genau auf diese kleine Tafel steuerte die seltsame Gruppe zu, an den wenigen Menschen auf den Bänken vorbei, die es sich mit einer Zeitung oder einem Eis in der Hand gut gehen ließen. Auch sie verfolgten Ilon und ihre Begleiter mit verwunderten Blicken. Die Frau schien all die neugierigen Augen gar nicht zu bemerken. Sie lief wie in einer Trance an ihnen vorbei und blieb erst vor der Gedenktafel stehen. Sie schüttelte leicht Ilons Hand, um sie wachzurütteln. Daraufhin beugte sich Ilon vor der Tafel nieder und legte ihren Blumenstrauß auf den mit Herbstblättern bedeckten Boden. Das alles sah nach einer gut eingeübten Routine aus. Paul bemerkte auch die anderen Blumensträuße, die unter der Gedenktafel am Boden lagen und unterschiedlich alt aussahen, und überlegte, ob sie vielleicht nicht auch von Ilon und ihrer Stiefmutter an den Tagen zuvor dort abgelegt worden waren. Plötzlich verstand er, dass sie mit ihrem Vorhaben eigentlich fertig waren und sich jederzeit in seine Richtung umdrehen könnten. Panisch schaute er sich nach Versteckmöglichkeiten um und schlüpfte schließlich hinter eine niedrige, aber ziemlich dichte Hecke. Er musste in die Hocke gehen, damit seine

Schulter und sein Kopf nicht die Sträucher überragten. Seine Sorgen erwiesen sich als überflüssig, da die Frau anscheinend gar nicht vor hatte, sich so schnell von der Gedenktafel wegzudrehen. Sie senkte ihren Kopf noch tiefer zu Boden und Paul sah, wie ihre Schultern in einem stummen Tränenanfall erbebten. Ilon schaute kurz zu ihr auf und riss daraufhin verärgert ihre Hand aus Stiefmutters Griff. „Du hast versprochen, dass du heute nicht heulst!", drang ihre erboste Stimme zu Pauls Ohren. Er sah, wie Ilon sich auf ihrem Absatz um hundertachtzig Grad drehte und mit schnellen Schritten Richtung Tor ging. Das Kind in Mutters Armen nutzte ihre momentane Schwäche aus und strampelte sich ebenfalls frei. Am Boden angekommen, lief es sofort zum Brunnen rüber und begann mit dem sprudelnden Wasser zu spielen. Der Frau blieb nichts anderes übrig, als den beiden zu folgen. Sie hob das lautprotestierende Kind hoch und versuchte, Ilon im Halbrennen nachzuholen. Dabei verfingen sich ihre Beine in den viel zu langen Zipfeln ihres dunklen Mantels, sie stolperte mit dem zappelnden Kind in den Armen und verlor unter den erschrockenen Blicken der sie beobachtenden Menschen fast das Gleichgewicht. „Ilon, warte doch mal!", flehte die Frau sie an, aber Ilon lief ohne Stopp weiter. „Das ist so typisch!", dachte Paul sarkastisch. „Eine blöde Zicke, wie immer." Als sie an seinem Versteck vorbeilief, drehte sie urplötzlich ihren Kopf zur Hecke, als hätte sie gespürt, dass er dahinter versteckt saß. Paul dachte schon, er würde auffliegen, und bekam einen Schweißausbruch. Er stellte sich die Szene vor, die Ilon mit Sicherheit liefern würde, sobald sie ihn entdeckte. Aber, zum Glück, wurde sie in diesem Moment von Frau mit dem lauthals schreienden Kind in den Armen eingeholt, und alle drei verließen den Park. Paul wartete einen Moment lang, ob sie nicht doch zurückkehren würden, und kletterte erst dann von hinter der Hecke hervor, als sie sicher außer Sicht waren. Sein Bein war eingeschlafen und er hinkte Richtung Gedenktafel, um sie sich näher anzusehen. Es handelte sich um eine hellgraue Marmortafel, in die vier Namen eingraviert waren. Unter den Namen befanden sich das Geburts- und das Todesjahr, wie es bei allen Gedenktafeln normalerweise der Fall war. Paul schaute sich diese Angaben genauer an und ein kalter Schauder lief ihm den Rücken hinunter. Alle Verstorbenen, ausnahmslos, waren Kinder! Das Jüngste musste, seinen Berechnungen nach, erst zwei Jahre alt gewesen sein! Bei zwei anderen handelte es sich höchstwahrscheinlich um Zwillinge, da sie sich das gleiche Geburtsdatum teilten. Zwei Jungs, die am gleichen Tag zur Welt kamen und ebenso am gleichen Tag starben! Paul traute seinen Augen nicht. Wie konnte nur so etwas Schreckliches passiert sein?! Er schaute sich fragend um, aber keiner war in der Nähe, der ihn aufklären könnte, und er selbst war zu schüchtern, um bei jemand Fremden nachzufragen. „Ich frage später bei Charlott nach – sie weiß ja sonst alles“, dachte er und lief von der Tafel weg. Als er das Parktor fast erreicht hatte, hielt ihn eine alte Frau in einem langen dunkelgrauen Mantel und mit einem Koffer auf Rädern auf, der bis oben mit religiösen Prospekten vollgepackt war, die sie unter den Parkbesuchern verteilte. Paul hatte schon oft von solchen Menschen gehört, die für neue Mitglieder der Kirchengemeinde warben oder den christlichen Glauben der breiten Masse näherbrachten. Er selbst, obwohl er mit seiner Großmutter oft während der religiösen Feste die Dorfkirche besuchte, hielt es für unnötig, sich mit solchen Menschen auf lange Gespräche einzulassen, darum nahm er ohne Widerrede einen der Prospekte entgegen, die die Frau ihm anbot, und bedankte sich höflich. Daraufhin zog er seinen Schulrucksack vom Rücken, um den Prospekt darin zu verstauen. Mit dem Rucksack in der Hand drehte er sich wieder weg, um seinen Weg nach draußen fortzusetzen. Aber gerade, als er der Kirchenfrau den Rücken kehrte, geschah etwas dermaßen Unheimliches, dass sein Blut sogar Jahre später bei jeder kleinsten Erinnerung an diesen Moment gefror. Die Frau ging nämlich nicht, wie erwartet, ihrer Wege, sondern blieb ihm dicht auf den Fersen. Paul hörte das klappernde Geräusch der Kofferräder hinter sich und dachte zuerst nicht viel dabei. Wer weiß, vielleicht musste sie denselben Weg laufen wie er auch. Aber mit jedem seiner Schritte kam sie näher an ihn ran, bis er ihren schnellen Atem in seinem Nacken spürte. Genervt von ihrer lästigen Verfolgung, wollte er sich nach ihr umdrehen und überlegte sich bereits Worte, die von ihr nicht als Beleidigung verstanden werden könnten, als sich völlig unerwartet ein sehniger Arm wie eine eiserne Schlinge um seinen Hals schloss. Völlig überrumpelt ließ Paul seinen Rucksack fallen und packte den Arm fest mit beiden Händen, mit der Absicht ihn von seiner Kehle wegzureißen, aber doch vorsichtig genug, damit die alte Frau keinen Schaden davontrug. Dabei staunte er, wie hart sich der Arm der Alten anfühlte und wie viel Kraft darin steckte. Er wunderte sich unermesslich über die ungeheure Stärke dieses gebrechlichen Geschöpfes. Er rief das Bild der Frau in seine Erinnerung: unscheinbar, schmächtig, mit blasser Haut und dünnen Ärmchen. Das hier dagegen musste der Arm einer Bodybuilderin sein! Er versuchte, wenigstens seine Finger zwischen seinen Hals und den stahlharten Muskeln des Armes zu schieben, aber nicht mal das gelang ihm! Alles, was er bei dieser Aktion erreichte, waren die Kratzer an seinem Hals, die er sich während des Kampfes mit eigenen Fingernägeln zufügte. Die eiserne Schlinge zog sich immer fester um seinen armen Hals, bis vor seinen Augen bunte Kreise erschienen. Sie bewegten sich langsam in alle Richtungen, wie auf einem Computermonitor im Sparmodus. Kalte Panik stieg in Paul hoch, er konnte weder atmen noch schreien! Die Frau riss mit einem Ruck seinen Kopf nach hinten, noch näher an sich heran. Er hörte seine Halswirbel knacken und ein gellender Schmerz schoss ihm sein Rückenmark hinunter. Paul widersetzte sich diesem mörderischen Druck mit aller Kraft, seine Halssehnen waren bis zum Zerreissen gespannt. Noch ein bisschen und seine Wirbel hielten dem Druck nicht mehr stand! „Sie will mir das Genick brechen!“, schoss es ihm durch den Kopf. Er stand kurz von der Ohnmacht und erschrak selbst über die Leichtigkeit, mit der er an seinen nahen Tod dachte.

Sie standen jetzt ganz nah aneinander, waren fast miteinander verschmolzen. Der Körper der Frau fühlte sich eiskalt an, als wäre sie festgefroren. Sie brachte ihre Lippen näher an Pauls

Ohr und er fuhr vor Ekel zusammen. Der Atem der Frau roch modrig, wie die Kleider eines Toten, der viele Jahre im Sumpf gelegen hatte. Sie begann ihm mit der Stimme einer Besessenen Zitate aus der Bibel ins Ohr zu flüstern: „Da sprach der HERR zu Kain: Wo ist dein Bruder Abel? Er sprach: Ich weiß es nicht. Bin ich denn der Hüter meines Bruders?“ In ihrem religiösen Wahn erhob sie ihre Stimme zu einem bellenden Schrei. „Was hast du getan! Horch, das Blut deines Bruders schreit zu mir vom Ackerboden! Und nun – verflucht bist du, verbannt vom Ackerboden, der seinen Mund aufgesperrt hat, um aus deiner Hand das Blut deines Bruders aufzunehmen!“ „Du verfluchte Fanatikerin, hau ab von mir!“, versuchte Paul so „laut“ wie möglich zu denken und es funktionierte tatsächlich! Als ob sie seine Gedanken gehört hätte, ließ die Frau so plötzlich von ihm los, dass er jeden Halt verlor und nach ein paar rotierenden Armbewegungen, die einen verzweifelten Versuch, das Gleichgewicht wieder zu erlangen darstellten, schwer auf sein Hinterteil plumpste. In der nächsten Sekunde sprang Paul wie von Taranteln gestochen auf und drehte sich sofort nach allen Seiten um, aber zu seinem Erstaunen sah er hinter sich nichts weiter als gähnende Leere. Die Frau war wie vom Erdboden verschluckt! Nur ein rotnasiger Säufer, mit einem runden Bierbauch und einer grünen Flasche in der Hand beobachtete ihn amüsiert von seiner Bank aus. Er stellte die Flasche demonstrativ auf der Bank ab und imitierte einen Applaus. Seine kleinen rotunterlaufenen Augen sprachen dabei Bände. „Danke für die tolle Vorstellung“, las Paul in seinem vom Alkohol trüben Blick, „aber mach die Fliege, Junge. Zieh deine Zirkusnummer doch lieber anderswo ab!“ Paul wusste, dass die Kirchenfrau sich innerhalb so einer kurzen Zeit schlicht unmöglich so weit von ihm entfernt haben könnte und suchte mit den Augen nach ihr. Er fand sie weit weg, auf der anderen Seite des Parks, wo sie hingebungsvoll mit einem älteren Ehepaar sprach. So wie es aussah, tat sie das schon ziemlich lange. Total irritiert drehte er sich wieder um und verließ mit der Hand an der schmerzenden Kehle den Park. In einem schnellen Tempo lief er die Hauptstraße entlang, die sich langsam mit

Menschen füllte, und blickte alle zehn Sekunden über die Schulter, wie ein Verrückter mit Verfolgungswahn. Unterwegs zog er den Prospekt der Frau aus seinem Rucksack heraus und stopfte ihn in den Mülleimer, der sich an einer Haltestelle befand. Ein hübsches Mädchen, das gerade hinter ihm joggte, fühlte sich durch seine ständigen Blicke geschmeichelt und schmunzelte jedes Mal, wenn sich ihre Augen zufällig trafen.

Schlägerei im Treppenhaus

Paul hatte sein Zuhause schon fast erreicht, da hörte er plötzlich ein dünnes Stimmchen nach ihm rufen: „Paul, warte mal!“ Er fuhr herum und sah Ilon, die von der anderen Straßenseite auf ihn zugerannt kam. Sie trug immer noch dieselben Klamotten wie vorhin und in ihrer rechten Hand sah er die dicke Mappe mit den Schulunterlagen, die Claudio ihr vorbeigebracht hatte. Sie blieb schweratmend und mit gesenktem Blick vor ihm stehen. „Tut mir leid für meinen Ausraster von gestern“, stammelte sie mit einem erdbeerroten Gesicht und kaute verlegen an ihrem Fingernagel rum. „Manchmal, da sehe ich einfach rot. Es war richtig von dir, mich in die Schranken zu weisen, das traut sich sonst keiner. Alle denken, sie müssten mich schonen und das finde ich doof!“ Sie traute sich endlich mit ihren versöhnlichen Augen in Pauls Gesicht zu blicken. Sofort sperrte sich ihr Mund vom Staunen weit auf. „Herrje, du bist so blass wie ein Schneemann! Ist was passiert?“, fragte sie besorgt und trat einen Schritt näher. „Und was ist denn das?“ Sie deutete auf die Kratzer an seinem Hals. „Hast du dich etwa geprügelt?“ „Was willst du?“, fragte Paul sie abweisend und schaute besorgt zum Hauseingang, wo er im Schatten der Hausmauer zwei dubiose Gestalten erblickte. Sie standen unbeweglich Schulter an Schulter und schienen auf jemanden zu warten. Eine der Gestalten, die ein wenig kleiner war, kam ihm verdächtig bekannt vor. Ilon folgte seinem Blick nicht und schien über ihren eigenen Kram sehr in Sorge. „Das hier“, sie schüttelte mit ihrer Mappe vor seinem Gesicht, „habe ich in meinem Briefkasten gefunden. Warst du es vielleicht?“ Ihre Augen starrten ihn prüfend und gleichzeitig hoffnungsvoll an. Ohne seinen Blick von den beiden Gestalten abzuwenden, schüttelte er langsam den Kopf. „Nein, es war Claudio“, sagte er nachdenklich und drehte sich von ihr weg, aber sie hielt ihn am Ärmel fest. Er riss sich von ihrem Griff los. „Bist du übergeschnappt?“, fuhr er sie an. „Verschwinde nach

Hause und lass mich in Ruhe, du Klette!" Sie schluckte seine Beleidigung runter, ohne mit der Wimper zu zucken. „Paul, bitte", flehte sie ihn mit einer unterdrückten Panik in der Stimme an. „Diese schrecklichen Matheaufgaben kann ich allein nicht machen und am Montag gibt es einen Test!" Ihre Stimme klang weinerlich und Pauls Lippen verzogen sich unwillkürlich zu einem schadenfrohen Lächeln. „Vielleicht solltest du weniger schwänzen, schon mal daran gedacht?" Sie überhörte seine giftige Bemerkung. „Bitte, erkläre mir nur dieses einzige Thema. Nur ganz kurz!" Paul hatte genug von ihrem Gesülze. „Vergiss es", warf er in ihr jämmerliches Gesicht und ging entschlossen auf den Hauseingang zu. Sie ließ nicht locker und folgte ihm bis zur Haustür. Eigentlich wollte Paul nur seinen Schulrucksack nach Hause bringen, Großmutter einen Zettel schreiben und sofort wieder verschwinden, aber es kam anders. Als seine Hand schon fast auf der Türklinke lag, näherten sich ihm die beiden Wartenden und versperrten ihm den Weg. Der Erste von ihnen war der Bursche mit der Glatze und den breiten Schultern, den Paul am Vortag im Schulhof gesehen hatte. Paul sah, wie sich sein schwarzes Baumwollshirt auf seinem muskulösen Oberkörper spannte. Hinter ihm tauchte Joel auf, dessen rechter Arm, im Gips verpackt, auf einer weißen Schleife ruhte, die um seinen Hals hing. Aus der nächsten Nähe fiel Paul die Ähnlichkeit zwischen beiden Brüdern besonders stark auf. „Dieser?" Der Kerl deutete mit seinem Bügeleisenkinn Richtung Paul. Er wirkte viel sportlicher und darum gefährlicher als sein Bruder. „Wer denn sonst!", antwortete Joel mit einer freudigen Ungeduld in der Stimme. Zwei Paar tiefsitzender stahlblauer Augen musterten feindselig Pauls Gesicht. Angst, die ihn mit ihrer eiskalten Hand an seiner schmerzenden Kehle packte, ließ ihn kurz erstarren. Was sollte er tun? Er prüfte kurz seine Chancen. Joel mit seinem gebrochenen Arm stellte keine so große Bedrohung für ihn dar. Nicht so sein Bruder, der mit unter seinem Shirt spielenden Muskeln bedrohlich vor ihm stand. Er war mindestes zwei Köpfe größer als Paul und ungefähr vier Jahre älter. Er würde die Seele aus ihm rausprügeln, wenn's drauf ankam. Wäre Paul allein, hätte er versucht, von den beiden abzuhauen, aber was war mit Ilon? Er konnte sie unmöglich mit diesen Spinnern allein lassen. Der Bursche machte einen Schritt nach vorne und streckte seine Hand nach Pauls Kragen aus, um ihn festzunageln. Paul wich zurück und hob drohend die Fäuste. Das verursachte bei Joel einen kurzen Lachanfall. Paul sah sich kurz um, in der Hoffnung auf Verstärkung, aber die nähere Umgebung war absolut menschenleer.

In diesem Moment, wie schon oft zuvor, beeindruckte ihn Ilon mit ihrer Unberechenbarkeit. Sie schritt nach vorne und stellte sich furchtlos vor Paul. „Was wollt ihr, Ganoven?“, schrie sie die beiden laut an. „Verschwindet von hier!“ Sie prügelte mit ihrer Mappe auf Joels Bruder ein und versuchte ihn dabei an seiner Glatze zu treffen. Vor lauter Überraschung ging er einen Schritt zurück. Dann fing er sich schnell und hielt zum Spaß seine Hände hoch, als Zeichen der Kapitulation. „Oh, tu mir bitte nicht weh!“, spottete er mit einem breiten Grinsen im flachen Gesicht. „Lass mich am Leben!“ Neben ihm hielt sich Joel mit der gesunden Hand am Bauchnabel und machte sich fast in die Hose vor Lachen. Dann war fertig mit Spaß. Der Bursche drehte seinen Fußballkopf Richtung Paul und sein breites Lächeln löste sich in Luft auf. „Deine Mitzi ist eine harte Nuss“, sagte er mit zusammengekniffenen Augen. Paul verstand: Die Verzögerung würde ihm teuer zu stehen kommen. Mit einem Sprung erreichte er die Haustür und riss sie auf. Gleichzeitig packte er mit der anderen Hand Ilon am Ärmel ihrer Bluse und stieß sie in das nur mit einem schwachen Lämpchen beleuchtete Treppenhaus. Dann sprang er ihr selbst hinterher, schaffte es aber nicht, die Tür vor der Nase der beiden Schurken zuzuknallen. Joels Bruder war schneller – er warf sich nach vorne, erwischte Paul an seiner Jacke und zog ihn zurück. Paul, der es schon ein paar Stufen nach oben geschafft hatte, verlor das Gleichgewicht und fiel auf ihn. Sofort sprang er wieder auf und schlug mit der Faust nach dem Gesicht des Verfolgers. Der wich seinem Schlag geschickt aus, indem er seinen Kopf zur Seite riss.

Dabei lockerte er seinen Griff und Paul nutzte diesen Moment, um die Treppe hochzulaufen. Als er oben ankam, sah er Ilon, die mit dem Rücken zur Wand stand und auf ihn wartete. Ihr selbstloser Mut hatte sie offensichtlich verlassen und sie zitterte wie Espenlaub. Paul befürchtete, sie würde gleich einen ihrer Anfälle kriegen. Pauls Verfolger, der ihm dicht auf den Fersen war, holte ihn erneut ein und packte ihn an der Schulter. Es folgte ein kurzer Kampf, während dem Joel geräuschlos ins Treppenhaus schlüpfte, die Türe hinter sich zuzog und sich mit dem Rücken dagegen lehnte, sodass niemand in ihre Auseinandersetzung reinplatzen konnte. Paul befreite seinen rechten Arm und griff nach der Kordel mit dem Hausschlüssel, die um seinen Hals hing. Er zog sie eilig über den Kopf und warf sie Ilon zu, mit den Worten: „Geh jetzt rauf und ruf die Polizei an! Schnell!" Eine Sekunde lang überlegte Paul, ob er nicht bei Charlott Sturm klingeln sollte, damit auch sie bei der Polizei anrief, wollte die gebrechliche alte Dame aber keiner Gefahr aussetzen. Ilons Denkvermögen war zur Zeit vor lauter Panik ziemlich beeinträchtigt und sie ließ den Schlüssel fallen. Zum Glück schaltete sie schnell wieder, hob ihn auf und wollte die Stufen zu Pauls Wohnung hochrennen, aber der Bursche hinderte sie daran. Als das Wort „Polizei" gefallen war, hatte er Paul losgelassen und versperrte Ilon jetzt den Weg nach oben. Er baute sich vor ihr auf und streckte seine breite Hand nach dem Schlüssel. Ilon tat wieder mal das Übliche: Sie schob sich Richtung Charlotts Tür in die Ecke, ging dort auf der Fußmatte in die Hocke und bedeckte den Kopf mit ihrer Mappe. Sie lugte mit ihren vor Angst runden Augen von unter der Mappe hervor und zu ihrem Peiniger hinauf, wie eine Ratte aus ihrem Rattenloch. Der Bursche fand diesen Anblick offenbar sehr lustig. Er schritt auf die am Boden hockende Ilon zu, beugte sich über sie und beobachtete sie ein paar Sekunden lang mit einem amüsierten Blick. Dann griff er nach ihrer Brille, zog sie der vor Schreck winselnden Ilon von der Nase, streckte seinen Arm hoch und stellte sie behutsam auf den nächsten Treppenabschnitt über seinem Kopf. „So, Mädel", sagte er zu ihr in einem belehrenden

Ton. „Jetzt gibst du Ruhe, du Blindschleiche" „Rühr sie nicht an!", warnte ihn Joels Stimme von unten. „Sie hat 'ne Behinderung!" Sein Bruder wich vor Ilon zurück. „Ist sie das Junkie-Kind?" fragte er Joel angewidert. „Lass sie in Ruhe, du Freak!", schrie ihn Paul drohend an. Der Bursche drehte seinen Kopf langsam Richtung Paul. „Ah, du bist ja auch noch da!" Er tat überrascht, als hätte er ihn total vergessen. „Wisch dir deinen Rotz ab, du Landei!", warf er ihm zu. „Deiner kleinen Freundin werde ich kein Haar krümmen, aber dir ..." Der Bursche spuckte vor die Füße, näherte sich Paul und musterte ihn einen Moment lang mit seinem vernichtenden Blick. „Lass überlegen ..." Zum Spaß kratzte er sich nachdenklich an seiner Glatze. „Wie wäre es mit ... die Scheiße rausprügeln, zum Beispiel?" Die Bedrohung in seiner Stimme wurde immer deutlicher. „Oder nein, ich schlage lieber deine Nieren zu Brei, sodass du Blut pisst." Er machte eine breite Geste Richtung Ilon. „Ein Glück, dass deine blinde Freundin es nicht mitbekommt, sonst braucht sie ihr Leben lang einen Psychoarzt." Paul wartete nicht länger und prügelte auf den Kerl ein. Er legte sich richtig ins Zeug – die Schläge prasselten auf den Kerl nur so herab, aber keiner von ihnen konnte ihn ernsthaft verletzen, geschweige denn außer Gefecht setzen. Sie prallten von seinem durchtrainierten Körper ab wie von einem Boxsack. „Verpiss dich, du Knacki!", schrie ihn Paul erneut an. Ein ungutes, bösartiges Lächeln zeichnete sich auf den Lippen des Kerls ab. Wie in Zeitlupe beobachtete Paul, wie sich sein muskulöser Arm nach hinten bewegte, um kräftig auszuholen. Sein Herz rutschte ihm in die Hose, als er die eiserne Faust auf sich zufliegen sah. Sie traf ihn im Bauchbereich, unterhalb des Brustbeins und er klappte auf der Stelle zusammen wie ein Taschenmesser.

Ilons entsetzter Schrei hallte von den kahlen Wänden, aber Paul nahm ihn nur verschwommen wahr, wie durch eine dicke Watteschicht. Die Wucht des Schlages warf ihn zurück, mit dem Rücken zur Wand. Von unten ertönte Joels anerkennender Pfiff. „Voll cool!", rief er seinem Bruder bewundernd zu. Die heftige

Explosion in Pauls Bauch strahlte den gellenden Schmerz in alle, sogar weit entfernte Winkel seines Körpers aus, nahm ihm die Sicht und den Atem weg. Er rang gierig nach Luft, während vor seinen Augen leuchtende Punkte wild durcheinander tanzten. Noch so einen Schlag würde er nicht mehr verkraften können! Mühsam hob er den Kopf und beobachtete mit seinem vor Schmerz vernebelten Blick, wie der Kerl erneut ausholte. „Bald brauchst du eine Blutspende, Arschloch!", knurrte er wie ein Tiger. „Und ein Organspender wäre auch nicht schlecht!", stimmte ihm Joel vom unteren Treppenabsatz zu. Paul, der immer noch nach Luft rang, bereitete sich auf das Schlimmste vor, aber es kam wieder mal ganz anders. Er hörte das leise Knipsen des Lichtschalters und das schwache Licht im Treppenhaus erlosch In der absoluten Dunkelheit hörte man nur den schweren Atem des Angreifers, der sich völlig überrumpelt nach allen Seiten umdrehte. „Hey, was soll das!“, rief er in die Runde. „Joel, bist du das, Mann?“ „Nee, hast du sie alle? Ich doch nicht!“, antwortete Joel mit einer zitternden Note in der Stimme.

Eine unsägliche Furcht, ähnlich einem Stromschlag, durchfuhr den Körper des Aggressors, als er völlig unerwartet etwas Kaltes und Hartes zwischen den Schulterblättern spürte. „Hände hoch, du Hosenscheißer“, hörte Paul eine tiefe männliche Stimme seelenruhig sagen. „Eine falsche Bewegung und du hast Blei im Rücken.“ Der Kerl richtete sich kerzengerade auf und erhob langsam die Hände in die Höhe. „Was soll das hier?“, stammelte er konfus. Paul wunderte sich über die Stimme des Burschen, die urplötzlich eine ganze Oktave höher klang. „Hör mir gut zu, du Schweißfleck“, fuhr der Unbekannte ungerührt fort. „Du kennst mich nicht, aber dafür kenne ICH dich nur zu gut. Dich und deine ganze verkorkste Familie! Wenn du keine Probleme haben willst, marschierst du schnurstracks hier raus und lässt dich nie wieder blicken!“ Paul, dessen Augen sich langsam an die Dunkelheit im Treppenhaus gewöhnt hatten, glaubte zu sehen, wie der Kerl eifrig mit dem Kopf nickte. Die Befehle des Unbekannten klangen monoton und kompromisslos. „Du musst eins wissen – ich hole dich sogar vom Meeresboden, wenn's nötig ist. Du und dein missratener Bruder, ihr werdet beide bitterböse büßen müssen, wenn ihr diesen beiden hier auch nur noch ein einziges Haar krümmt! Und wenn doch, dann gnade euch Gott!“ Der Sprechende machte eine kurze Pause, um den beiden Ganoven die Zeit fürs Nachdenken zu lassen. „Und jetzt – Abmarsch!“, knurrte er schließlich lauthals und alle Anwesenden fuhren vor Schreck zusammen. Joels Bruder jaulte erbärmlich auf, als er mit dem Gewehrlauf einen kräftigen Stoß zwischen seine Schulterblätter bekam. Dies kündete unmissverständlich das Ende der Diskussion an und in der nächsten Sekunde wurde Paul vom vorbeidonnernden Kerl zur Seite geworfen. Er hörte ein Elefantengetrampel auf der Treppe, die zum Ausgang führte, und einen lauten Klatsch, als der Bruder des Flüchtigen von ihm im Vorbeirennen eine saftige Kopfnuss verpasst bekam. Der Kerl war stinksauer auf Joel, der ihn in einen fiesen Hinterhalt gelockt hatte. „Aua!“, jammerte Joel mit weinerlicher Stimme. „Wieso?“ „Bist du behindert?!“, knurrte der Kerl ihn laut an. „Sein Alter hat ’ne Knarre!“ Dann öffnete sich mit einem Ruck die Eingangstür und das grelle Licht von draußen blendete Paul. „Ich sag’s den Bullen!“, schrie der Kerl zum Abschied. „Mach’s ruhig!“, antwortete der Unbekannte gelassen. „Sie warten schon längst auf dich.“ Die Tür knallte wieder zu und es herrschte wieder die Dunkelheit. Pauls große Erleichterung über so einen glimpflichen Ausgang der Auseinandersetzung mit dem gefährlichen Kerl wich der Sorge um seine und Ilons Sicherheit. Wer war der große Unbekannte? Zwar war er den beiden gegenüber zweifellos gutgesinnt, nichtdestotrotz wusste man nicht, was man von einem bewaffneten Kerl, der eindeutig kein unbeschriebenes Blatt war, erwarten könnte. Paul hörte ganz in der Nähe seinen rasselnden Atem und grübelte fieberhaft, was er wohl als Nächstes tun würde. Es ertönte wieder ein Knips und die Deckenleuchte ging an. Pauls Blick suchte sofort nach dem Gesicht des Unbekannten und sobald er ihn sah, klappte ihm von lauter Überraschung die Kinnlade runter. Vor ihm stand Charlott, die ihren Gehstock in die Höhe hielt. Zu ihren Füßen hockte Ilon, die ohne ihre Brille wie ein Maulwurf aussah, der seine neugierige Schnauze aus dem Erdloch rausstreckte. Sie kniff ihre ohnehin schon kleinen Augen zusammen, um besser sehen zu können, und blickte verdutzt von Charlott zu Paul und wieder zurück. Die ganze Szene war so komisch, dass Paul sich erneut zusammenkrümmte, diesmal vom Lachen. Es war unglaublich befreiend, so ungehemmt und lauthals lachen zu können. Wie besessen klatschte er sich auf die Oberschenkel und trampelte mit den Füßen. Er lachte, bis ihm die Tränen aus den Augen schossen. Seine durch den Schlag zusammengequetschte Lunge befreite sich wieder und die Spannung verließ seine verkrampften Muskeln. Es blieb nur der dumpfe Schmerz in seinem Bauch zurück, der sich bei jedem Lachanfall mit einem schmerzhaften Pochen meldete. Währenddessen stand Charlott mit einem ernsthaften Gesichtsausdruck und dem stolz erhobenen Haupt da und nur ihre Augen funkelten amüsiert. Sie richtete ihr improvisiertes Gewehr gegen die Eingangstür und imitierte einen Schuss inklusive Rückstoß. Dann stellte sie es neben sich mit dem „Lauf“ nach oben und blies die imaginäre Rauchwolke weg. Das alles sorgte für einen neuen Lachanfall bei Paul. „Charlott, du bist einfach ein Hammer!“, presste er zwischen zwei Lachern hervor. „Warst du bei einem Schauspielkurs oder so?“ Charlott lehnte ihren Gehstock an die Wand und beugte sich besorgt über Ilon. „Hoch mit dir, mein Kind!“, keuchte sie, als sie Ilon beim Aufstehen half. „Dein Röckchen hat den ganzen Dreck von meiner Fußmatte aufgenommen!“ Sie klopfte den Staub von Ilons Rock. Ilon reagierte auf die Geschehnisse wie schon immer unberechenbar und statt sich mit den anderen zu amüsieren, verzog sie ihre bebenden Lippen zu einer weinerlichen Miene. Dann entriss sie sich Charlotts vorsorglichen Händen und rannte hoch, in die Richtung von Pauls Wohnung. Unterwegs schnappte sie sich ihre Brille von der Treppenstufe und verschwand aus dem Blickfeld. Eine Sekunde später hörten die beiden, wie Ilon an Pauls Wohnungsschloss mit dem Schlüssel rumfummelte. Charlotts verständnisvoller Blick traf sich mit dem ernüchterten von Paul. Charlott deutete mit ihren Augenbrauen Richtung Treppe. „Sie steht noch unter Schock“, flüsterte sie mit ihrer rauen Stimme Paul zu. „Du solltest dich um sie kümmern.“ Sie verschwand wieder in ihrer Wohnung und Paul hinkte mit einem tiefen Seufzer die Treppe hoch.

Die misslungene Nachhilfestunde

Er fand Ilon mitten im Flur. Sie stand neben dem Wandregal mit dem alten Schnurtelefon und putzte ihre Brille mit ihrem Rockzipfel. Ihre Mappe lag neben ihr am Boden. „Der Blödian hat überall seine fetten Fingerabdrücke hinterlassen!“, beklagte sie sich bei Paul. Sie schmollte immer noch, aber er fand bei ihr beim besten Willen keine Anzeichen von Schock oder Panik. „Die solltest du nicht mehr tragen“, sagte Paul und betrachtete leicht angewidert Ilons dreckige Brille. „Ich weiß“, seufzte sie, „ich kann sie auch nicht ausstehen, weil sie so hässlich ist. Sobald mein Vater zurück ist, gehen wir zum Optiker.“ Sie spuckte auf das Brillenglas und rieb die hartnäckigen Flecken noch fester mit dem Stoff ihres Rocks aus. Paul versuchte nicht hinzusehen. Als sie fertig war, setzte sie die Brille auf ihre dicke Nase und glotzte Paul besorgt an. „Wie geht es deinem Bauch? Vielleicht sollte ich die Rettung rufen?“ Paul verdrehte die Augen. „Ja, natürlich, tu das! Ruf auch die Bullen und die Feuerwehr an, wenn du schon dabei bist!“ Sie überhörte seinen Sarkasmus und fuhr sich mit der Zunge über die trockenen Lippen. „Mmh, ein Glas kalte Cola wäre jetzt gar nicht so schlecht!“, sagte sie zu Paul und schaute hoffnungsvoll Richtung Küche. „Wo ist denn deine Oma?“ „Sie ist arbeiten“, antwortete Paul barsch. Er versperrte ihr die Sicht auf die Küche, bekam aber sofort die Gewissensbisse. Immerhin hatte Ilon sich mutig vor ihm gestellt und den gefährlichen Kerl sogar angegriffen! „Setz dich auf das Sofa“, sagte er schweren Herzens und schleppte sich in die Küche, um eine Flasche Apfelsaft und ein Glas zu holen. Sobald Ilon ihn nicht mehr sehen konnte, verzerrte er schmerzerfüllt das Gesicht. Der pochende Schmerz in seinem Bauch meldete sich bei jedem Schritt. Am liebsten hätte er sich jetzt mit einem Buch in eine Ecke verkrochen, aber stattdessen musste er sich mit Ilon rumplagen. Außerdem wartete bestimmt Claudio auf dem Schulhof auf ihn und Paul warf ungeduldige Blicke auf seine Armbanduhr. Als er zurückkam, saß Ilon auf Großmutters Sofa und ihre Hände lagen artig zusammengefaltet auf ihrem Schoß. „Oh, Apfelsaft!", rief sie enttäuscht, als sie Paul kommen sah. „Bei uns im Haus gibt es keine Cola", antwortete Paul unfreundlich. „Großmutter kann das Zeug nicht leiden, also trink oder lass es." Ilon nahm ein beschlagenes Glas entgegen. Paul lehnte sich an die Wand, verschränkte die Arme vor der Brust und schaute demonstrativ Richtung Wanduhr.

„Hör zu", begann er vorsichtig, „ich finde es cool, wie du auf den Kerl eingeprügelt hast. Und ich weiß, dass du Hilfe in Mathe brauchst, sonst bleibst du womöglich sitzen." Er versuchte so einfühlsam wie möglich zu reden, mied es aber, Ilon ins Gesicht zu sehen. „Aber ich weiß nicht, was du von mir erwartest! Ich bin kein Lehrer und kann das Zeug halt selbst verstehen, aber nicht erklären." Er bluffte und wusste genau, dass sie es spürte. Ilon senkte ihren Blick und betrachtete aufmerksam ihre Fingernägel. Das Schweigen in der Stube wurde für Paul immer

lästiger. Er sah, dass Ilon Redebedarf hatte und nun nach den richtigen Worten suchte, um anzufangen. Er sah seine Verabredung mit Claudio in Gefahr und öffnete schon den Mund, um Ilon höflich zu bitten, seine Wohnung zu verlassen, aber sie kam ihm zuvor. „Ich weiß, dass du mich loswerden willst", sagte sie ruhig. „Die Sache ist ...", sie hob ihren Blick und sah Paul in die Augen. „Die Sache ist, ich kann nicht nach Hause." Pauls Augenbrauen schnellten in die Höhe. Er hatte alles von ihr erwartet: Hysterie, Geschrei, Tränen, aber so was! „Wieso denn das?", fragte er ehrlich überrascht. Sie schaute wieder auf ihre Hände auf dem Schoß runter. „Weil meine Stiefmutter ein Monster ist", antwortete sie leise. Paul staunte über diese Ansage sehr, aber als er sich an das Bild der kinderfressenden Hexe erinnerte, die er heute mit Ilon zusammen im Park gesehen hatte, ließ es ihre Worte in einem neuen Licht erscheinen. „Hast du nicht gesagt, sie wäre die Beste auf der Welt?", fragte er Ilon. Sie schüttelte verbittert den Kopf. „Die Beste? Von wegen! Sie behandelt mich so, als ob ich ein kleines Kind oder schwerkrank wäre!" Ilons Stimme begann zu zittern und löste bei Paul eine düstere Vorahnung aus. „Bitte, nicht jetzt!", dachte er gekränkt. Allein der Gedanke an Ilons Ausraster versetzte ihn in Angst. Sie schien seine Gedanken richtig interpretiert zu haben und fing sich wieder. „Sie lässt mich nicht aus den Augen, egal wo ich hingehe", sprach sie ein wenig ruhiger weiter. „Nicht mal in den Laden an der Ecke darf ich allein gehen, geschweige denn ins Kino oder so. Nur in die Bibliothek, aber selbst dann nur für ein paar Stunden!" Sie erzitterte und zupfte erbost an ihrem Rock herum. Man sah ihr an, welche Überwindung es ihr kostete, sich im Zaum zu halten. „Aber jetzt bist du doch da! Und ich sehe weit und breit keine böse Stiefmutter, die dich ausspioniert", sagte Paul nüchtern, bereute seine Worte aber sofort. „Du glaubst mir also nicht?!", fuhr Ilon ihn an. „Du denkst, ich bin eine verwöhnte, dumme Göre, die aus Langeweile über ihre ach so tolle Stiefmutter herzieht! Du hast ja keine Ahnung!" Paul, dem ihre Art bestens bekannt war, wusste wie kein anderer, dass man ihre Ausraster am liebsten sofort unterbinden sollte, bevor es noch schlimmer kam. „Wenn du mir blöd kommst, dann kannst du von mir aus gleich abhauen", sagte er zu Ilon in einem kompromisslosen Ton. „Auf diesen Weiberkram habe ich keine Lust." Seine Warnung zeigte sofortige Wirkung. Ilon beruhigte sich gänzlich und sagte versöhnlich: „Ich meine doch nur, dass du nicht verstehst, wie schlimm es ist, stets wie eine Geisteskranke behandelt zu werden! Du hast meine Stiefmutter nie gesehen, ansonsten wäre es dir bestimmt aufgefallen, wie wunderlich sie aussieht. Manchmal denke ich, sie gehört einer Sekte an, so wie sie volleingepackt in ihre langen dunklen Klamotten rumläuft." „Was, sogar zu Hause?", fragte Paul erstaunt. „Was denn sonst!", bestätigte Ilon gereizt. „Nie habe ich sie mit einem ärmellosen Shirt gesehen, geschweige denn mit einer kurzen Hose!" „An der Sache mit der Sekte könnte etwas dran sein", dachte Paul bei sich und nahm Ilons Verzweiflung immer ernster. Er schaute Ilon mitfühlend an, was sie in ihrer Annahme bestätigte, ihre Stiefmutter würde sie unfair behandeln. Darum wurde ihre Stimme immer lauter, je länger sie sprach. „Und das ist noch lange nicht alles!", fuhr sie fort. „Einmal pro Woche müssen wir zu diesem blöden Park, um Blumen niederzulegen! Ist das nicht verrückt?!" Sie tippte sich mit der Fingerspitze an die Stirn. Paul spitzte die Ohren. „Was ist das für ein Park?", fragte er möglichst gelassen, damit sie ihm sein enormes Interesse nicht anmerken würde. Aber sie war zu deprimiert und zu sehr mit sich selbst beschäftigt, um auf seinen Ton zu achten. „Der kleine Park an der Hauptstraße, wo das Kinderspielzentrum war. Es ist vor Jahren abgebrannt. Erinnerst du dich etwa nicht, ich habe es dir und deiner Oma einmal erzählt? An dem Tag, als ich ..." Sie biss sich auf die Lippe. Die peinliche Erinnerung an ihren epileptischen Anfall ließ sie erröten. Paul fühlte sich plötzlich hellwach, als hätte er eine kalte Dusche verpasst bekommen. Das hieß, seine Erinnerung hatte ihn nicht getäuscht und an der Stelle des Parks stand früher wirklich ein großes graues Gebäude! Die Aufregung machte Pauls Stimme heiser und er räusperte sich. „Und wieso bringt ihr dort Blumen hin?", fragte er mit einer schlecht gespielten Sorglosigkeit. „Ist dort jemand aus deiner Familie umgekommen oder so?“ Ilon schüttelte den Kopf. „Aus meiner nicht, aber aus ihrer schon, glaube ich. Ich weiß nicht genau, wer es war – sie redet nie darüber, aber es muss irgendein naher Verwandter von ihr gewesen sein, so wie sie sich jedes Mal die Augen ausheult! Vielleicht ihr Bruder oder Neffe? Aber das ist noch nicht das Schlimmste an der Sache!“ Ilon hielt das Glas so fest in ihrer Faust, dass Paul befürchtete, es könnte jederzeit zerspringen. „Das Allerschlimmste ist, dass sie mich nie mit Max spielen lässt!“, spuckte sie heraus und stampfte verärgert mit dem Fuß. „Wer ist Max?“, fragte Paul mechanisch und ernüchtert über den Themawechsel. „Max ist mein Halbbruder, erklärte Ilon. „Er ist zweieinhalb und so süß! Aber diese dumme Kuh lässt mich nicht mit ihm spielen! Jedes Mal, wenn ich mich ihm nur ein bisschen nähere, muss er entweder essen oder schlafen oder sonst was. O Mann, wie ich diese blöde Schlampe hasse!“ Ilon schäumte vor Wut. „Und warum tut sie das? Hat sie etwa Angst, du könntest ihm schaden?“, spielte ihr Paul seine Teilnahme vor. Das Verhältnis zwischen Ilon und ihrem jüngeren Bruder kratzte ihn nicht die Bohne. „Sie hat vor allem Angst!“, tobte Ilon. „Wenn er nur etwas in die Hand nimmt, wird sie fast ohnmächtig! ‚Wirf’s weg, Maxi, du kannst dir weh tun, Maxi!‘“ Sie äffte ihre Stiefmutter nach. Dabei erhob sie ihre Hand mit dem Glas in die Höhe und der Apfelsaft schwappte über den Glasrand, direkt auf ihre Bluse. „O nein!“, wisperte sie. „Meine neue Bluse! Ich habe sie heute zum ersten Mal angezogen. Meine Stiefmutter macht mich fertig!“ Paul hatte keine Lust, wieder in die Küche zu gehen, um für sie ein Küchentuch zu holen. Er wusste, dass seine Großmutter alle ihre Tücher in der Kommode aufbewahrte, darum öffnete er den Kommodendeckel und griff rein. Alle Tücher, die er zu fassen bekam, waren ausnahmslos zu groß und er steckte seine Hand noch tiefer – bis fast zum Boden der Kommode. Er ertastete einen kleinen Baumwolllappen und holte ihn ans Licht. Verwundert sah er, dass es ein Kleidungsstück war – ein kleines rot-blau-weiß gestreiftes Kindershirt mit einem Bild von Winnie Pooh auf der Vorderseite. Paul betrachtete es nachdenklich. „Wie kommt es in die Kommode rein, mit allen den Tischtüchern und Vorhängen?“, fragte er sich. Das Kleidungsstück schien ziemlich alt und verwaschen. Um den auf der Vorderseite gestickten Winnie Pooh, der in den unzähligen Waschgängen seine leuchtend gelbe Farbe verloren hatte, sah man viele braune Flecken, die vermutlich von Apfelsaft stammten. Das Shirt musste eine besondere Bedeutung gehabt haben, weil man es nicht entsorgt, sondern unter dem Wäschestapel sorgfältig aufbewahrt hatte. Vielleicht als ein Erinnerungsstück? Plötzlich erschien das Bild seiner Großmutter vor seinem geistigen Auge, wie sie das kleine Shirt in der einen Hand hielt und mit der anderen liebevoll über das Winnie-Pooh-Bild streichelte. Er sah Tränen in ihren Augen und etwas bewegte sich in seinem Gedächtnis. Etwas, was dort während der vielen langen Jahre tiefverborgen lag. Irgendwelche Erinnerungsfragmente, die jetzt, wie Bruchteile eines versunkenen Schiffes, langsam an der Oberfläche auftauchten. Er sah sich wieder als kleiner Junge, wie er mit einem Becher voll Apfelsaft in den pummeligen Händchen auf einem Kinderstuhl saß. Er war mächtig stolz auf sich, da er gerade gelernt hatte, allein aus seinem Becher zu trinken, und wollte es der ganzen Welt beweisen. Der klebrige Apfelsaft lief ihm dabei über das Kinn und tropfte auf den armen Winnie Pooh runter. Er hörte eine weibliche Stimme fröhlich rufen: „Hey, nicht so hastig, mein Schatz! Lass uns das zusammen machen!“ Wer war diese Frau? Vielleicht seine Oma? Aber Großmutter nannte ihn nie „mein Schatz“, selbst dann nicht, als er noch ganz klein war. „Hallo, bist du eingepennt? Meine Bluse hat sich schon mit dem Saft vollgesaugt!“, rief Ilon ungeduldig und entriss ihm das Shirt. „Jetzt kriege ich den Fleck eh nicht mehr raus!“ Sie rieb wie besessen an ihrer Bluse. Paul beobachtete sie dabei und kam wieder auf ihr Problem zu sprechen. „Und was meint dein Vater zu dem Ganzen?“, fragte er sie. „Wo ist er überhaupt?“ Ilons Blick verfinsterte sich noch mehr. „Früher, als die beiden frisch zusammen waren, trug er sie auf Händen. Er glaubte, nach all den Strapazen mit meiner Mutter die richtige Frau fürs Leben gefunden zu haben. Er war so glücklich, als Max geboren wurde! Aber jetzt sprechen sie kaum noch miteinander ..." Sie hörte auf zu reiben und betrachtete frustriert den großen braunen Fleck mitten auf ihrer Brust, der den Flecken auf dem kleinen Shirt sehr ähnelte. „Mein Vater ist in der letzten Zeit nur noch auf Dienstreisen", sagte sie verbittert. „Er geht nicht nur ihr aus dem Weg, sondern auch mir! Vielleicht, weil er nicht zugeben will, dass seine zweite Ehe genauso gescheitert ist wie die erste?" Sie tupfte sich mit dem Stoff des Shirts eine Träne aus dem Augenwinkel. „Ich glaube, ich bin ihm scheißegal, genau wie meiner Mutter!" „Eh, langsam!", bremste sie Paul. „Hör auf mit diesem Blödsinn! Dein Vater hat einfach ein bisschen den Überblick über sein Leben verloren, das ist alles! Du musst mit ihm reden, sobald er wieder da ist." „Reden, reden und was dann?!", maulte Ilon. „Ich kann unmöglich mit ihm zusammenleben, er ist doch so gut wie nie da! Vielleicht ziehe ich zu meiner richtigen Mutter, sobald sie aus der Entzugsanstalt rauskommt. Ich werde die Schule wechseln müssen, aber es ist mir egal! Hier habe ich eh keine Freunde." Sie warf einen kurzen Blick Richtung Paul, um zu sehen, was ihre Äußerung über ihren möglichen Schulwechsel in ihm bewirkte. Als sie bei ihm keine Reaktion sah, seufzte sie schwer und stellte ihr halbvolles Glas auf das Salontischchen. „Willst du schon gehen?", fragte Paul schnell. Er konnte seine Erleichterung kaum verbergen. „Ja, ich verschwinde jetzt", warf sie ihm beim Aufstehen zu. „Ich habe meiner Stiefmutter gesagt, ich gehe zu einer Nachhilfestunde." Sie war schon im Flur und hob ihre Mappe vom Boden auf. Paul bekam Gewissensbisse. „Hör zu", sagte er zu ihr, als sie ihre Hand zum Türgriff streckte. „Der Test ist am Montag. Sag deiner Stiefmutter, dass du am Samstag in die Bibliothek gehst und komm hierher. Vergiss bloß dein Matheheft nicht! Du wirst sehen – das Thema ist gar nicht so schwer, wie du denkst!" Ilon nahm ihre Hand vom Türgriff und lächelte ihn mit ihrem traurigen Lächeln an. „Danke fürs Angebot", sagte sie mit munterer Stimme als zuvor. „Ich komme vielleicht vorbei, wenn ich nicht schon vorher wegziehe " „Ist es wirklich so schlimm?" Paul wurde der Ernst ihrer Lage erst jetzt klar. Sie nickte und wechselte plötzlich das Thema.

„Kommt deine Oma eigentlich aus Russland?" Paul schüttelte den Kopf. „Nein, aus der Ukraine. Aus der Stadt Sumy, im Nordosten des Landes. Dort sprechen fast alle russisch." Er sah Ilon erstaunt an. „Woher weißt du das? Weil sie einen russischen Namen trägt?" „Nicht nur", schmunzelte Ilon. „Ich kann Akzente von verschiedenen Sprachen sehr gut heraushören!" „Ah, ja", wunderte sich Paul, „und wie machst du das?" „Oh, das ist sehr einfach!", rief sie enthusiastisch. Man sah ihr sofort an, dass dies eines ihrer Lieblingsthemen war. „Die Russen sprechen manche Vokale sehr weich aus, zum Beispiel *e*. Sie sagen *je* statt *e*. Und ihr *l* ist auch sehr weich. Sie sagen *ljesjen* und nicht *lesen*. Sie lachte kurz auf. Paul fand, dass sie recht hatte, und wunderte sich, dass es ihm nicht schon viel früher aufgefallen war. „Und die Tschechen sprechen ein *l* im Gegenteil hart aus. Ich finde andere Sprachen voll cool! Wenn ich mal groß bin, dann will ich eine Übersetzerin werden oder etwas anderes, das mit Fremdsprachen zu tun hat!" Sie erinnerte sich an ihre Krankheit und Traurigkeit kehrte in ihr Gesicht zurück. Paul erinnerte sich an sein Vorhaben, ihr von der Freundin seiner Großmutter zu erzählen, wie sie trotz ihrer Krankheit ein glückliches Leben führte, entschied sich aber anders, um Zeit zu sparen. „Ich erzähle es ihr am Samstag, wenn sie vorbeikommt", beschloss er und machte hinter Ilon, die mit traurig hängenden Schultern seine Wohnung verließ, die Türe zu.

Ein Zettel für Oma

Nach dem Abschied von Ilon ging Paul kurz in die Stube, um das dreckige Babyshirt in den Wäschekorb zu werfen. Als er den kleinen Baumwolllappen vom Sofa nahm und ins Bad trug, fingen seine Finger zu kribbeln an, als wäre es mit Säure vollgetränkt worden. Paul realisierte plötzlich, dass er ganz allein in der Wohnung war und eilte in die Küche, um seiner Großmutter einen Zettel zu schreiben. Trotz der langen Wartezeit hoffte er Claudio doch noch auf dem Schulhof vorzufinden. Von Fußballspielen konnte, seines schmerzenden Bauches wegen, keine Rede mehr sein, er wollte aber seinen neuen besten Freund nicht schon am Tag ihrer ersten Verabredung versetzen. Das hieß, natürlich, zweitbesten Freund, da Sandro sein allerbester Freund war und bis auf alle Ewigkeit sein würde! Paul schnappte sich den Notizblock, den Großmutter für die Einkaufszettel benützte, vom Fensterbrett und riss ein Blatt raus. Er setzte sich an den Küchentisch und begann eine kurze Notiz an seine Großmutter zu schreiben: „Hallo, Oma ..." Aus der Richtung seines Zimmers hörte er plötzlich ein Geräusch. Ein dumpfer Knall, als ob etwas Schweres zu Boden fiel. Paul hielt vor Schreck den Atem an, seine Hand erstarrte mit dem Stift über dem Blatt. Er lauschte angestrengt den Geräuschen aus der Wohnung, in der Hoffnung sich verhört zu haben. Aber seine düstere Vorahnung bestätigte sich, als er aus seinem Zimmer die ihm inzwischen gut bekannten, schleppenden Schritte hörte, die sich langsam dem Flur näherten. Pauls Herz stand kurz still, dann raste es wie wild in seiner Brust. Das Ding befand sich schon an der Schwelle des Flurs, das hieß, Paul konnte die Wohnung unmöglich verlassen, ohne ihm zu begegnen. Sein einziger Fluchtweg war schon jetzt von der Kreatur abgeschnitten worden! Pauls Blick wanderte verzweifelt zum Fenster, auf der Suche nach einer möglichen Rettung. Ihm war klar, dass er es nicht rechtzeitig schaffen würde, innerhalb der kürzesten Zeit aus dem schmalen Fenster zu klettern. Zu seiner Freude sah er Ilon, die unschlüssig mit ihrer Mappe in der Hand neben dem Zaun stand, der den Kinderspielplatz umrandete. Man sah ihr deutlich an, wie ungern sie ihren Nachhauseweg einschlug. Paul bekam eine schwache Hoffnung: Wenn er es nur bis zum Fenster schaffen könnte, um es zu öffnen und Ilon zurückzurufen, blieb ihm womöglich die schreckliche Begegnung mit dem Geist erspart! Zu seinem Entsetzen spürte er keine Kraft in seinen Beinen – sie waren weich wie Plunder. Er unternahm einen Versuch aufzustehen, scheiterte aber und plumpste mit dem Hintern auf seinen harten Holzstuhl zurück. Seine verzweifelten Augen fixierten Ilon, die den letzten Blick zu seinem Fenster warf, und schrien stumm nach Hilfe. Er hörte, wie sich die verhassten Schritte der Küchentür näherten und versuchte mit aller seiner Geisteskraft Ilon eine Botschaft zu übermitteln, die sie dazu bewegen sollte umzukehren, aber vergeblich. Er sah, wie Ilon schwer seufzte, ihre Mappe zurechtrückte und die ersten zögernden Schritte Richtung Hauptstraße machte. Sie würde ihm nicht mehr zu Hilfe eilen können. Es war zu spät! Die angelehnte Küchentür flog mit einem Ruck auf und die Kreatur betrat die Küche. Außer ihrer Schritte hörte Paul jetzt auch ihre hohe Babystimme, die etwas Unverständliches vor sich hin plapperte. Im Gegensatz zu den Schritten, die sehr real wirkten, hörte sich die Stimme fremdartig an, als käme sie aus einer anderen Dimension. Pauls Augen schlossen sich fest, von ganz allein, als er die Präsenz des Wesens dicht bei sich spürte. Pauls Appetit, der seit dem Schulschluss stets größer geworden war, verging auf der Stelle, als er den Gestank des verkohlten Fleisches in seiner Nase spürte. In seinem Hals befand sich plötzlich ein zähflüssiger Kloß und er hatte das Bedürfnis zu spucken. Die Kreatur stand jetzt rechts von ihm und lehnte sich an den Tisch, um in Pauls Gesicht blicken zu können. Etwas gefiel ihr offensichtlich nicht, da sie begann, schrille Töne rauszulassen. Ein lauter Knall ertönte – der Stift in Pauls Hand brach entzwei, so fest hatte er ihn vor lauter Panik in seiner Faust zusammengedrückt. Der kleinere Teil des Stiftes, der mit der Spitze, flog ihm dabei aus der Hand und landete auf dem Tisch neben seiner angefangenen Notiz. Paul hörte, wie die Hand des Geisterkindes auf der Tischfläche nach dem Teil tastete und in der nächsten Sekunde bohrte sich die lange Stiftspitze in den unteren Teil von Pauls Backe, in der Nähe des Kieferknochens. Es war ein sehr schmerzhafter Stich, aber Paul war zu angespannt, um den Schmerz richtig wahrnehmen zu können. „Es wird bestimmt ein Mal zurückbleiben", stellte sein Verstand teilnahmslos fest, als ginge es nicht um seinen eigenen Körper, sondern um den eines Fremden. Pauls ausbleibende Reaktion auf den Stich machte das kleine Biest noch wütender und es begann erneut auf Pauls Gesicht einzustechen. Zum Glück waren alle nächsten Stiche viel weniger tief, dank der fehlenden Kraft in seinen schwachen Babyhänden. Paul schaffte es, seine gelähmten Halsmuskeln so weit zu bewegen, dass er wenigstens den Kopf zur Seite neigen konnte, und schützte dadurch seine geschlossenen Augen von der teuflischen Wut der wild tobenden Kreatur. Das Biest ließ von ihm ab und hielt einen Moment lang inne, sodass Paul sogar glaubte, es los geworden zu sein. Aber, bevor er aufatmen konnte, legte sich eine kleine Hand auf seinen Oberschenkel. Eine Kombination aus Panik und Ekel erfasste Paul, die ihm aber leider nicht aus seiner Starre half. Er öffnete nur einen Spalt weit sein rechtes Auge, bereute aber auf der Stelle, es getan zu haben. Das, was er in diesem kurzen Augenblick zu sehen bekam, fügte seinem noch nicht genügend stabilen Geist viel mehr Schaden hinzu als der frühe Tod seiner Eltern, der schon allein genug Verwüstung in seiner zarten Kinderseele hinterlassen hatte. Keine der entsetzlichen Einzelheiten war ihm in diesem schrecklichen Augenblick entgangen! Das, was er zu Gesicht bekam, war eine komplett schwarze Kindshand. Nicht wie die Hand eines dunkelhäutigen Kindes – vollkommen und heil, mit allen den farblichen Übergängen von zartlila bis schokoladenbraun. Diese Hand hier war schwarz wie ein Rabenflügel und schien das helle Tageslicht regelrecht zu absorbieren. Bei genauem Hinsehen erblickte Paul die zahlreichen Hautrisse und darunter ebenfalls schwarz verfärbtes rohes

Fleisch, aus dem eine zähe gelbliche Flüssigkeit sickerte. Paul kniff seine Augen erneut so fest zusammen, dass ihm die Tränen aus den Augenwinkeln sprossen. Die Hand erinnerte ihn an ein schlecht gegrilltes Steak, das außen verkohlt und innen blutig roh war und danach mindestens eine Woche lang an der prallen Sonne gelegen hatte. Bei zwei Fingern fehlten die Fingerkuppen, die Nägel der verbliebenen Finger lösten sich vom Nagelbett und hingen zum Teil an dünnen Hautfetzen. Diese Finger gruben sich jetzt in den Jeansstoff von Pauls Hose. Das Geisterkind stützte sich mit seinem ganzen Körpergewicht auf Pauls Oberschenkel und kletterte auf seinen Schoß. Während dieser Aktion saß Paul unbeweglich da, gefügig und völlig passiv. Der Spuk war für ihn mittlerweile zur Routine geworden und er wartete mit zusammengebissenen Zähnen, bis das Ganze vorüber war. Das, was ihn in diesem Augenblick am meisten beschäftigte, war der Gedanke, dass der Geist ihn außerhalb seines Zimmers angegriffen hatte. Das bedeutete, dass er in seiner eigenen Wohnung nirgendwo von der scheußlichen Kreatur sicher war! Seine eigene Passivität und seine Unfähigkeit, sich dem Spuk zu widersetzen, trieben ihn in ein noch tieferes Loch und er verspürte die ersten Anzeichen einer echten Depression. Er überließ dem Geist die Regie und ließ es über sich ergehen. Der rettende Befehl „Verschwinde!“ funktionierte diesmal nicht und er musste seinen Rücken an die Lehne des Stuhls pressen, als das Kind sich zwischen ihn und die Tischkante quetschte. Sein Hinterkopf befand sich dabei direkt vors Pauls Gesicht und er vernahm die ganze Palette der widerlichen Gerüche aus der nächsten Nähe. Paul drehte seinen Kopf ganz weg und streifte dabei den Hinterkopf der Kreatur mit den Lippen, weil das Kind sich weit nach hinten und gegen Pauls Bauch lehnte. Das, was Paul im Bereich seines Mundes zu spüren bekam, war kein flauschiger Babyflaum, sondern etwas Schuppiges und Raues, das eine pudrige Ascheschicht auf seinen Lippen hinterließ. Er würgte und eine Ladung Magensäure stieg in seinen Mund. So elend wie jetzt hatte er sich in seinem ganzen Leben noch nie gefühlt!

Aber es kam noch schlimmer! Sein Herz stand kurz vom Explodieren, als das kleine Ungeheuer, fröhlich quietschend, auf seinem Schoß hopste. Paul hörte, wie die Stiftmiene sich auf dem Papier bewegte, als das Baby etwas auf seinen Zettel kritzelte. Das Ergebnis gefiel dem Kind dem Schein nach so gut, dass es sogar in die Hände klatschte. Paul dachte schon, seine seelische Schmerzgrenze wäre erreicht, aber dann passierte etwas, das alles, was davor geschah, bei Weitem übertraf: Eine brütend heiße Flüssigkeit ergoss sich über Pauls Beine und lief ihm die Unterschenkel hinunter. Die Kreatur hat ihn angepinkelt! Paul sammelte die ganze seelische Kraft, die ihm noch blieb, und zischte hasserfühlt: „Verschwinde, Kay! Weg von mir, du Widerling!" Diesmal funktionierte sein Befehl doch noch und mit einem irritierten Schrei verschwand die scheußliche Kreatur von Pauls Schoß. Als er wieder allein war, fasste Paul zuallererst an seine Hose: Sie war zu seiner riesengroßen Erleichterung knochentrocken. Ein kurzer Blick in den Badezimmerspiegel bestätigte, dass sein Gesicht frei von jeglichen Verletzungen war. Auch die widerliche Ascheschicht auf seinen Lippen hatte anscheinend nur in seinem Kopf existiert. Die Bestätigung dafür, dass aber nicht alles von ihm Erlebte nur ein Produkt seiner Fantasie war, fand er auf dem Küchentisch. Von seiner angefangenen Notiz grinste ihn das altbekannte Strichmännchen an! Etwas war mit seinen Augen passiert: Der Geist hatte so lange in sie hineingekritzelt, dass zwei runde Löcher entstanden waren und die schöne, saubere Tischdecke darunter wies jetzt zwei scheußliche graue Schandflecken auf. Pauls größter Wunsch in diesem Moment war, das verhasste Männchen in tausend Stücke zu zerreißen, aber seine Vernunft hielt ihn davon ab. Schließlich wollte er herausfinden, was „das Ding aus dem Schrank", wie Paul die Kreatur seit seiner ersten Begegnung mit ihr nannte, von ihm wollte und der Zettel konnte ihm dabei helfen. Er zweifelte keine Sekunde daran, dass der Geist eine Mission verfolgte, zielstrebig und unnachgiebig, und solange sie nicht erfüllt war, würde er niemals von ihm ablassen. Machten es schließlich nicht alle Geister genau so, wenn sie in den Horrorfilmen die Menschen aufsuchten? Er, Paul, hatte dabei noch Glück im Unglück, da sein Peiniger ein Babygeist war und nicht der eines Serienmörders! Dieses Argument als Trost zu betrachten, fand er selbst absolut bescheuert, suchte aber im Moment verbissen nach allen auch nur so kleinen, positiven Gedanken in seinem ausgelaugten Hirn, um nicht noch tiefer in den Sumpf der Depression abzurutschen.

Paul ging in die Stube und kam mit einem Kugelschreiber zurück, denn den zerbrochenen Stift hatte er vorsorglich mit einer Serviette umwickelt und im Mülleimer entsorgt. Er begann auf dem freien Teil des Zettels, unterhalb des Strichmännchens, seine persönliche Botschaft an den Geist zu schreiben. Nach all dem Erlebten fühlten sich seine Finger immer noch taub an und er erkannte seine eigene Schrift kaum noch. „Sag mir, was du von mir willst. Gib mir ein Zeichen", schrieb er auf seinen Zettel. Als Paul seine Botschaft noch einmal durchlas, war er zu allem bereit: dass der Geist erneut in der Küche erscheinen und ihn überfallen würde, dass die unsichtbare Hand auf seinem Zettel die Antwort schrieb oder dass das Strichmännchen zum Leben erwachte und ihn ansprach. Als nichts dergleichen geschah, faltete er den Zettel zweimal und schob ihn hinter den Küchenschrank, an einen Ort, wo Großmutter ihn mit Sicherheit nicht so schnell finden würde. Paul schrieb für Großmutter kurzerhand eine neue Nachricht, schloss die Haustür ab und lief nach draußen. Wegen seiner geistigen Erschöpfung war er wie betäubt, darum spürte er seinen schmerzenden Bauch kaum noch.

Was auf dem Fußballfeld geschah

Pauls Befürchtung, Claudio am Treffpunkt verpasst zu haben, bestätigte sich, trotzdem suchte er noch eine Zeit lang überall nach seinem Kameraden. Die seelische Last, die er seit Tagen mit sich trug, wurde schlicht einfach zu groß für ihn – er musste sie dringend mit jemandem teilen. Und wer eignete sich besser dafür als sein neuer bester Freund? Claudio wirkte nach außen so ernsthaft, so korrekt und gleichzeitig kumpelhaft, dass Paul beschloss, sein bedrückendes Geheimnis mit ihm zu teilen. Er hatte nicht vor, ihm alle widerlichen Einzelheiten zu verraten, hoffte aber, ein paar wertvolle Ratschläge von ihm zu bekommen und, was noch viel wichtiger wäre, eine Bestätigung dafür, dass er, Paul, kein halluzinierender Schwachkopf war, sondern einfach nur ganz fest in der Klemme steckte. Aber das Fußballfeld stand leer und auf dem ganzen Schulareal war zurzeit niemand zu sehen. Der schwarzweiße Ball lag einsam und verlassen vor einem der beiden Tore. Genauso fühlte sich auch Paul, als er sich auf einer Bank neben dem Fußballfeld niederließ. Seine Hoffnung, ein wenig Normalität in sein verrücktes Leben zu bringen, hatte sich gerade in der heißen Luft des späten Nachmittages aufgelöst, und er hatte nicht die geringste Ahnung, was er jetzt noch tun sollte. Er vergrub sein Gesicht in den Händen und saß eine Zeit lang einfach da. Er versuchte seine Gedanken zu sortieren, aber es waren einfach zu viele und zum Teil zu widersprüchlich, um sie problemlos aneinanderzuketten. Paul erinnerte sich, dass es morgen einen Test in Naturkunde geben sollte. „Hoffentlich kommt Oma nicht zu spät nach Hause", dachte er besorgt. „Wie soll ich mich sonst auf den Test vorbereiten?" Als er wieder aufblickte, stand da plötzlich ein kleiner Junge auf dem Fußballfeld. Er stand komplett unbeweglich da und starrte nach unten, zum Ball vor seinen Füßen. Paul wusste nicht, wo er plötzlich herkam, wunderte sich aber über Verhalten des Jungen, der keine Anstalten machte, den Ball zu nehmen oder ein Tor zu schießen. Der Junge war kaum älter als zwei Jahre und in diesem Alter sind alle Kinder viel zu lebhaft, um für eine so lange Zeit ohne Bewegung ausharren zu können. Außerdem erscheinen sie immer in Begleitung von Erwachsenen. Paul drehte seinen Kopf nach allen Seiten, sah aber weit und breit keine Großmutter oder Mutter des Kindes, die mit ihren besorgten Blicken jeder Bewegung ihres Sprösslings folgten. Der Junge hatte langes blondes Haar, das sein tief zum Boden geneigtes Gesicht komplett zudeckte, und Paul zweifelte kurz, ob das Kind nicht doch ein Mädchen war, bis ihm klar wurde, dass er die Antwort auf diese Frage bereits wusste. Seine Alarmglocken läuteten wieder schrill und seine Intuition befahl ihm, den Schulhof umgehend zu verlassen, aber sein Verstand weigerte sich, die Tatsache zu akzeptieren, dass die übernatürlichen Kräfte in der Lage wären, seine Wohnung verlassen, um ihn so weit nach draußen zu begleiten, trotz der unheimlichen Begegnung mit der verrückten Frau im Park. Er ertappte sich dabei, dass er seinen Blick von dem sonderbaren Jungen kaum abwenden konnte. Etwas an ihm stach Paul besonders stark ins Auge, er verstand nur nicht, was es war. Paul erhob sich von der Bank und lief zögernd auf den Jungen zu. Als er näherkam, verstand er, was ihm an dem Jungen auffiel: Er trug ein rot-weiß-blau gestreiftes Shirt, so eines, wie Paul vor ungefähr einer Stunde in seiner Kommode gefunden hatte. „Kann dies ein Zufall sein?", überlegte Paul mit einem schwachen Hoffnungsschimmer. Er näherte sich dem Jungen von hinten, bis er direkt hinter ihm stand. „Vielleicht sehen sich die Shirts einfach nur ähnlich?", überlegte er, während er die langen blonden Locken des Kindes betrachtete. Um diese Theorie zu überprüfen, gab es nur einen einzigen Weg: Er musste den vorderen Teil des Shirts sehen. „Hey!", rief Paul dem Jungen zu, in der Hoffnung, er würde sich nach ihm umdrehen. „Ist das dein Ball?" Paul bemühte sich, seine Stimme nett klingen zu lassen, um den kleinen Jungen nicht unnötig zu erschrecken. Aber der reagierte nicht auf seinen Ruf und starrte weiterhin wie versteinert zum Ball hinunter. „Vielleicht ist er taub?", dachte Paul und wollte sich schon aus dem Staub machen, da seine Alarmglocken immer lauter wurden. Er blieb trotzdem – seine Neugierde und seine Entschlossenheit, die Wahrheit zu erfahren, waren zu groß – und er beschloss, noch einen Versuch zu unternehmen. „Hallo!“, rief er noch lauter als zuvor. „Hörst du mich?!“ Als der Junge erneut nicht auf seinen Ruf reagierte, beschloss Paul, die Regie in eigene Hand zu nehmen. Am einfachsten wäre es, den kleinen Jungen an den Schultern zu packen und zu sich zu drehen, aber Paul traute sich aus verständlichen Gründen nicht, ihn anzufassen. Darum beschloss er, selbst die Seite zu wechseln, um dem Jungen ins Gesicht blicken zu können. Das war allerdings nicht so einfach wie gedacht, da der Junge direkt vor dem Tor stand. Paul musste buchstäblich ins Tor reinkriechen, dabei bemühte er sich, den Jungen nicht mit seinem Körper zu streifen. Im Torinneren war es eng – nicht genug Platz, um aufrecht stehen zu können. Paul ging so tief wie möglich ins Tor hinein und drehte sich vorsichtig zu dem Jungen um. Das grüne, großmaschige Netz des Fußballtors legte sich auf seinen gebückten Rücken. Es war äußerst unbequem, aber dafür konnte er den Jungen jetzt von vorne sehen. Er sah das, was er zu sehen erwartete: Die ihm gut bekannten Saftflecken bedeckten die ganze Vorderseite des Shirts. Sogar die Form der Flecken stimmte mit der Fleckenform auf seinem Shirt überein. Von Winnie Poh sah er nur den gelben Unterbauch und die krummen Beine, da die langen Haare des Jungen ihn zur Hälfte bedeckten. Paul verschlug es die Sprache und er wusste einen Moment lang nicht, was er jetzt machen sollte. Unschlüssig stand er ihm Tor und überlegte sich, was er den Jungen fragen wollte. Ihm fiel nichts ein und außerdem hatte er keinen Nerv dazu. Seine innere Stimme sagte ihm, dass er nicht mehr so einfach an dem Jungen vorbei rausspazieren würde, dass er sich in seiner kopflosen Naivität selbst in eine Falle getrieben hatte. Seine Beine begannen kräftig zu zittern. Er nahm seinen ganzen Mut zusammen und fragte das Kind mit vor der Anspannung bebender Stimme: „Dieses Shirt hier ... wo hast du es her? Es ist meins, weißt du, darum will ich ...“ Er spürte, wie eine eiskalte Hand sein Herz zusammendrückte, als der Arm des Jungen plötzlich in Bewegung kam. Paul hatte schon damit gerechnet, dass das Kind irgendwann ein Lebenszeichen vor sich geben würde, trotzdem kam es für ihn so plötzlich, dass er panisch zurückschreckte, bis sich das Tornetz auf seinem Rücken straff spannte. Langsam und bedeutungsvoll streckte der Junge seinen linken Arm nach unten aus und zeigte auf den auf dem Boden liegenden Ball. „Sieß ein Tor!“, wisperte er mit seiner unwirklichen Stimme, die bei Paul einen neuen Zitteranfall auslöste. „Er will, dass ich mit ihm Fußball spiele“, registrierte Pauls Verstand, während seine Hände sich krampfhaft an das grüne Netz, seine Falle, klammerten. Plötzlich spürte er eine heiße Dampfwolke auf einer seiner Gesichtshälften. Jemand oder etwas atmete brütend heiße Luft direkt in sein linkes Ohr. Paul erstarrte, seine vor Schreck riesig gewordenen Augen fixierten den kleinen Jungen vor ihm. Jetzt befand sich der Horror nicht nur vor, sondern auch hinter seinem Rücken! Er verspürte einen unglaublich starken Drang über die Schulter zu blicken, konnte aber gleichzeitig den kleinen Jungen nicht aus den Augen lassen. Eine fremde Stimme flüsterte links von ihm laut und deutlich: „Schau, Kay! Er hat deine Augen!“ Bei jedem Wort kam eine neue Dampfwolke heraus und die Haut an Pauls Ohr fühlte sich schon ganz heiß an. „Du kannst sie haben, er braucht sie eh nicht mehr. Gib sie ihm!!“ Die Stimme klang verbittert und spöttisch zugleich, und Paul spürte in ihr unmissverständlich eine Drohung. Der kleine Junge gehorchte dem Befehl und streckte seine zusammengeballte Faust Richtung Paul, ohne seinen Blick vom Ball zu lösen. Paul verstand, dass er ihm etwas reichen wollte, und streckte ihm instinktiv seine offene rechte Hand entgegen.

Sein Herz blieb beinah stehen, als das kleine Fäustchen des Jungen seine Handfläche berührte. Es fühlte sich weich und warm an, wie eine ganz normale Kinderhand, aber das, was um Paul herum geschah, war alles andere als normal. Der Junge öffnete seine Faust und Paul bekam etwas auf seiner Handfläche zu

spüren, das sich wie zwei mittelgroße Trauben anfühlte. Sie waren kühl und elastisch, mit einer glatten, leichtfeuchten Oberfläche, die sich über dem saftigen Fruchtfleisch spannte. Ein höhnisches Lachen ertönte, das Pauls Haare zu Berge stehen ließ. „Nimm sie, nimm sie, nimm sie! Sie gehören dir!", höhnte die Stimme in Pauls Ohr. „Sieh mit ihnen!!" Das Lachen eines Wahnsinnigen betäubte Paul und er fuhr wie wild herum. Sofort bekam er das grüne Tornetz ins Gesicht geklebt und kniff schützend die Augen zusammen. Er fuchtelte mit der freien Hand herum, um sein Gesicht vom Netz zu befreien. Als Paul es endlich schaffte, drehte er sich wieder zu dem Jungen, aber er war verschwunden. Nur der Ball lag nach wie vor verlassen vor dem Fußballtor. Paul nahm seine zusammengeballte Faust mit den Trauben vors Gesicht und öffnete sie. Aber das, was er vor sich sah, hatte nicht im Geringsten etwas mit den harmlosen Früchten gemeinsam! Zwei schneeweiße Kugeln lagen mitten in Pauls Hand! Bei genauem Hinsehen konnte man auf der weißen Kugelfläche ein dichtes Netz aus winzig kleinen Äderchen erkennen. Jede Kugel hatte einen graublauen Kreis mit einem schwarzen Punkt in ihrer Mitte, der stets seine Größe änderte. „Augäpfel!“ Der entsetzliche Gedanke explodierte wie eine Bombe in Pauls Kopf. Die Kugeln drehten sich synchron auf Pauls Hand, bis sich ihr lebhafter Blick an sein Gesicht haftete. Die schwarzen Pupillen dehnten sich aus und Paul spürte, wie seine ohnehin weichen Knie ganz unter ihm nachgaben. Die Erde wippte unter seinen Füßen plötzlich hin und her und die von Sonnenstrahlen durchzogene Welt begann, sich vor seinen Augen immer schneller zu drehen. Er kippte zur Seite und sah aus dem Augenwinkel, wie sich der sattgrüne Grasboden des Fußballfeldes mit einer beachtlichen Geschwindigkeit seinem Gesicht näherte. Es folgte ein dumpfer Schlag und dann absolute Stille. Die zähe, klebrige Dunkelheit saugte Paul in ihren rettenden Strudel ein und schirmte ihn von dem ganzen Wahnsinn ab, der ihm beinah seinen heilen Verstand kostete.

Als Paul aus der allerersten Ohnmacht seines Lebens erwachte, hörte er ein tiefes Summen, das umso lauter klang, je wacher er wurde. Pauls Kopf explodierte vor Schmerz und als er sich an seine linke Kopfhälfte fasste, bekam er an seinen Fingern das bereits geronnenes Blut zu spüren. Über seine ganze linke Stirnseite zog sich ein tiefer Kratzer. Er tastete seine Stirn vorsichtig ab und seine Finger fuhren über eine Schwellung, die mit jeder Sekunde zu wachsen schien. „Na klasse!“, dachte er mit schmerzverzerrtem Gesicht. Er musste beim Umfallen seinen Kopf an einer der Torstangen gestoßen haben. Benommen stützte er sich auf seinem Ellenbogen ab und warf einen vernebelten Blick um sich. Er musste ziemlich lang im Tor gelegen haben, da die Schatten der Bäume am Rand des Fußballfeldes jetzt viel länger waren als zuvor und die Sonne spielte Verstecken in ihren dichten Kronen. Der Himmel über Paul verdunkelte sich plötzlich und er schrie leise auf, als eine große Männerhand ihn ziemlich unsanft an der Schulter packte. „Bist du taub, oder was?“, hörte er eine gereizte Stimme und erkannte

Herrn Fischer, den Schulhauswart. „Es wird zuhause geschlafen, Junge!“ Er schüttelte Paul kräftig an der Schulter. Paul erhob sein blutverschmiertes Gesicht und Herr Fischer schreckte mit einem verdutzten Pfeifen zurück. „Alter Schwede!“, rief er erschrocken. „Was ist passiert, Junge? Hast du dich geprügelt, oder so?“ Pauls Blick schweifte über das Fußballfeld und stolperte über einen großen Rasenmäher, der circa fünfzehn Meter von ihm entfernt und mit eingeschaltetem Motor auf dem weichen Grasteppich des Feldes stand. Ein wenig weiter, am Rand des Fußballfeldes, sah er die beiden zusammengeschobenen Fußballtore. Der Ball lag am anderen, schon gemähten Ende des Feldes. Jetzt wurde ihm klar, woher der Summen kam – Herr Fischer drehte auf seinem Rasenmäher die in diesem Jahr letzte Runde auf dem Fußballfeld. Er wurde auf Paul deshalb aufmerksam, weil er sich direkt auf seinem Weg befand und musste dabei gedacht haben, er würde ein Nickerchen nach einem anstrengenden Fußballspiel halten. Paul stützte sich auf seinen Armen ab, die immer noch vor Schwäche zitterten, und richtete sich langsam auf. Sofort begann der Boden wieder gefährlich zu schwanken und Paul kippte erneut fast um. Herr Fischer kam ihm zu Hilfe und hielt ihn an den Schultern fest. „Danke“, presste Paul durch seine blassen Lippen. Mit einem schwachen, verlegenen Lächeln befreite er seinen Oberarm aus Herrn Fischers Griff und versuchte selbstständig aufzustehen. „Es ist alles in bester Ordnung! Ich bin bloß auf dem feuchten Gras ausgerutscht und habe mir den Kopf angeschlagen.“ Schulhauswart blickte mit hochgezogenen Augenbrauen zum trockenen Gras unter Pauls Füßen und schüttelte zweifelnd den Kopf, stellte aber zum Glück keine weiteren Fragen. „Ich rufe die Rettung“, sagte er entschlossen und steckte die Hand in seine Hosentasche, aber Paul wehrte sich so heftig dagegen, dass Herr Fischer schließlich nachgeben musste. „Mein Vater ist bald mit seinem Wagen da!“, log Paul so glaubwürdig, wie er nur konnte. „Er ist selbst Rettungssanitäter und weiß bestimmt, was zu tun ist! Und meine Verletzung ist nicht der Rede wert, Herr Fischer, sie ist bloß ein Kratzer!“ Paul redete viel, da er auf gar keinen Fall wegen so einer Lappalie wie eine stink normale Stirnbeule ins Krankenhaus wollte. Irgendwann riss dem Hauswart der Geduldsfaden und er winkte Paul entnervt ab. „Ist gut, jetzt ist Schluss! Ganz wie du willst! Geh schnellstens auf die Schultoilette und mach dich sauber, Junge." Paul ließ sich das nicht zweimal sagen und entfernte sich mit schwankenden Schritten Richtung Schuleingang. Seine Beine fühlten sich immer noch weich an, aber er gab sich die größte Mühe, sich seine Schwäche nicht anmerken zu lassen. Hinter seinem Rücken hörte er das laute Brummen des Rasenmähers und atmete erleichtert auf. Herr Fisher schwang sich auf dessen Sitz und setzte seine unterbrochene Runde auf dem Fußballfeld fort.

Paul stand vor dem Spiegel der Schultoilette und schaute sich selbst in die Augen. Sein schmerzender Kopf war völlig leer, die wenigen Gedanken, die dort auftauchten, waren so makaber und grotesk, dass sie von seinem Verstand aus Sicherheitsgründen auf der Stelle verdrängt wurden. Pauls Schwindel war weg und seine Kräfte kamen allmählich zurück, aber etwas in seiner Seele war anders als früher. Er hatte das Gefühl, seine Lebensfreude und seinen unschlagbaren Optimismus hätten ihn für immer verlassen, und statt aufgeregt in die glückliche Zukunft zu blicken, sah er plötzlich in einen bodenlosen, schwarzen Abgrund, der jetzt vor seinen Füßen klaffte. Etwas in seiner fröhlichen Kinderseele war kaputtgegangen, und um herauszufinden, was es war, schaute er jetzt seinem Spiegelbild prüfend in die Augen, fand aber nichts weiter als endlose Müdigkeit und Verzweiflung. „Sie fressen mich auf, wie Würmer einen Apfel!", dachte er erschöpft. Diesen Vergleich fand er durchaus treffend, aber seine innere Stimme erinnerte ihn daran, dass ein Wurm den Apfel immer von innen nach außen aufrisst. „Vielleicht ist das Böse in dir drin?", fragte Paul sein Spiegelbild. „Was, wenn du selbst der Auslöser für all die schlimmen Vorkommnisse in deinem Leben bist?" Diese Frage konnte ihm, leider, nur von den Geistern persönlich beantwortet werden. Dass es sich um mehrere Geister handeln sollte, bezweifelte er inzwischen nicht mehr, und die Ereignisse des letzten Tages hatten ihm dermaßen zugesetzt, dass er sich gar nicht sicher war, ob er weitere Begegnungen mit ihnen noch verkraften würde.

Das Übernachten im Wohnzimmer

Völlig ausgelaugt lief Paul nach Hause. Als er vor den Stufen zu seinem Hauseingang stand, bemerkte er unter Charlotts Küchenfenster einen länglichen lilaroten Gegenstand auf dem Steinboden. Beim genauen Hinsehen erkannte Paul, dass es sich um das Feuerzeug handelte, das er bei Charlott in der Küche gesehen hatte. Paul sah Charlott oft an ihrem Küchenfenster rauchen – das Feuerzeug musste ihr beim Fensterschließen runtergefallen sein. Ohne groß nachzudenken, hob Paul es vom Boden auf und verstaute es in einer seiner Hosentaschen. „Das Ding gebe ich ihr später zurück", dachte er müde. Langsam schleppte er sich die Stufen hoch. Auf der Schwelle zu Charlotts Wohnung sah er sie selbst – sie wartete in ihrem Schlabberanzug und mit einer qualmenden Zigarette in der Hand auf ihn. „Wenn man vom Teufel spricht", dachte Paul entnervt und begrüßte sie mit einer schlappen Handgeste. „Hast du deine Herzensdame nach Hause gebracht?", kicherte Charlott. „So ein hübsches Mädel, nicht wahr?" Sie zwinkerte ihm schnippisch zu. „Und was für schreckliche Sorgen sie sich um dich gemacht hat! Da ist die Liebe im Spiel!" Zu Pauls Glück unterbrach ein Hustenanfall diese geschmacklose Farce. Pauls Gesicht wurde feuerrot und er funkelte Charlott bitterböse an. „Dein blödes Feuerzeug kannst du vergessen!", dachte er wutentbrannt. Trotz alledem musste er sich eingestehen, dass er die alte Dame doch noch nett fand. Wenn nur nicht die unpassenden Bemerkungen wären, die sie sich nicht verkneifen konnte! Charlotts spöttischer Blick blieb an Pauls Gesicht haften und sie bemerkte die große Beule auf seiner Stirn. Ihr überraschter Pfiff endete erneut in einem bellenden Hustenanfall. Charlott beugte sich nach vorne und legte die Handfläche an ihre bebende Brust. „Die miesen Ganoven haben dich doch erwischt!", würgte sie mühsam heraus. „Nein, das waren sie nicht!", widersprach Paul schnell. „Ich habe mich beim Fußballspielen verletzt." Charlott musterte ihn misstrauisch und ihre violetten Falten schienen dabei noch tiefer. „Na, wenn dem so ist ..." Sie verschwand wieder in ihrem stickigen Loch und Paul lief endlich nach oben zu seiner Wohnung. In diesem Moment wünschte er sich nur noch ein heißes Bad und ein üppiges Abendessen. Aber als er vor der Wohnungstür mit seinem Zeigefinger auf dem Knopf der Türglocke wartete und dem endlosen Klingeln im Wohnungsinneren lauschte, zerplatzte seine Hoffnung wie eine Seifenblase. Trotz der späten Stunde war seine Großmutter noch nicht zuhause. Das Erste, was Paul machte, als er zu Hause ankam, war in die Küche zu laufen und seine versteckte Botschaft an den Geist zu überprüfen, auf der Suche nach möglichen weiteren Botschaften. Als er das zusammengefaltete Blatt von hinter dem Küchenschrank hervornahm, musste er enttäuscht feststellen, dass alles unverändert war. Er betrachtete frustriert das augenlose, grinsende Strichmännchen und spürte eine kalte Welle der Verbitterung in sich aufsteigen. Erbost über das fiese Spiel, das der Geist mit ihm trieb, und enttäuscht über seine respektlose Ignoranz, warf er den Zettel auf den Tisch, schnappte einen Kugelschreiber aus der Tischschublade und schrieb unter seiner vorherigen Botschaft: „Wieso verfolgst du mich? Willst du mir nur Angst machen, ist das alles, was du draufhast?" Er betrachtete nachdenklich das Stück Papier in seinen Händen und bekam plötzlich eine ziemlich absurde, aber möglicherweise rettende Idee. „Der Geist, der in meiner Wohnung haust, ist ein Babygeist. Was, wenn er überhaupt nicht lesen kann? Babys können doch gar nicht lesen, nicht wahr?" Darum beschloss er die Tatsache zu nützen, dass seine Großmutter noch nicht im Haus war, und las seine Botschaft laut und deutlich vor. Er machte es sogar zweimal – für den Fall, dass der Geist des Jungen ihn beim ersten Mal nicht gehört haben sollte – danach lauschte er angestrengt den Geräuschen um sich herum zu, aber außer des Tickens der Wanduhr war nichts weiter zu hören. Als Paul auf der Suche nach etwas Essbarem unterwegs zum Kühlschrank war, bremste scharf ein Wagen unter dem Küchenfenster. Pauls Interesse wurde geweckt und er ging näher an das

Fenster ran. Er sah ein weißes Taxi gegenüber vom Hauseingang parken. „Hat Charlott etwa Besuch?“, wunderte er sich und blieb neugierig am Fenster stehen. Die Fahrertür öffnete sich, der Taxifahrer sprang heraus und eilte zur hinteren Tür des Wagens. Er öffnete sie und beugte sich in das Innere des Taxis, um seinem Passagier rauszuhelfen. Nach seinen angespannten Rückenmuskeln zu urteilen, kostete es ihm enorm viel Kraft. Zu Pauls Neugierde mischte sich eine düstere Vorahnung und er wartete mit angehaltenem Atem, die aus dem Wagen aussteigende Person zu Gesicht zu bekommen. Als sie endlich auftauchte, entfuhr ihm ein Entsetzensschrei. Er erkannte seine Großmutter, die mit großer Überwindung aus dem Wagen rauskam Jede ihrer langsamen Bewegungen und ihre steife Haltung deutete auf recht große Schmerzen hin. Sie verlagerte ihr Gewicht vorsichtig auf das rechte Bein, das sich bereits am Boden befand, und stützte sich mit ihrem ganzen Körpergewicht auf den Arm des hilfsbereiten Taxifahrers, der vor Anstrengung ächzte. Paul wartete nicht, bis die beiden den Hauseingang erreicht hatten, und stürmte aus der Wohnung nach draußen. Als er ein paar der zum Eingang des Hauses führenden Stufen hinunterstürzte, überrannte er fast den netten Taxifahrer, der mit hochrotem Gesicht und laut schnaubend die Treppenstufen hochstieg, um Hilfe für seinen Fahrgast zu holen. Paul murmelte Worte einer Entschuldigung und eilte zu seiner Großmutter, die mit einem blassen, schweißnassen Gesicht auf der Bank vor dem Hauseingang saß. „Oma, was ist los?!“, schrie Paul beinah panisch, als er bei ihr ankam. „Nichts Schlimmes, Paschenka, nur ein Hexenschuss“, beruhigte sie ihn und versuchte zu lächeln, aber der Versuch misslang und statt eines netten Ausdrucks der Freude bekam Paul eine Schmerzgrimasse zu Gesicht. Dieses qualvolle Lächeln trieb Pauls Angst in die Höhe. Er kaufte Großmutter ihre Hexenschussgeschichte nicht ab, da er sie als robuste Landfrau kannte, deren Schmerzgrenze ziemlich hoch lag. Noch nie zuvor hatte sie in seinen Augen so hilflos ausgesehen und er machte sich riesige Sorgen um sie. Immerhin war sie nach dem Tod seiner Eltern seine einzige Bezugsperson, außerdem liebte er sie aufrichtig. Er setzte sich neben ihr auf die Bank und umarmte sie fest an ihren fülligen Schultern. Der Taxifahrer schaute ungeduldig auf seine Armbanduhr. „Na, Kumpel, schaffst du es, deiner Oma nach oben zu helfen, oder rufe ich die Ambulanz?“ Wie schon kurz davor auf dem Schulhof, wehrte sich Paul gegen diesen gut gemeinten Vorschlag. „Nein, keine Ambulanz, bitte! Dir geht es doch schon viel besser? Nicht wahr, Oma?“ Großmutter bestätigte mit gesenktem Blick Pauls Aussage. „Keine Ambulanz, es ist nur mein Rücken. Ich sitze ein wenig und die Schmerzen lassen nach.“ Taxifahrer nickte erleichtert, wünschte den beiden einen schönen Abend und fuhr weg. Paul und seine Oma blieben allein auf der Bank. „Ich bin so doof“, sagte ihm Großmutter nach einer Weile. „Ich weiß doch, dass der Rücken meine Schwachstelle ist. Nein, ich musste diese blöde Kommode verschieben, nur weil Frau Leschinski ihr Zimmer umgestalten wollte! Sonst hat sie nichts zu tun, die Madame! Ich hätte ihre Probleme gern, sage ich dir!“ Sie beklagte sich übertrieben gereizt über ihre Arbeitgeberin bei Paul, schaute aber stets zu ihren großen, mit dicken blauen Adern durchzogenen Händen auf ihrem Schoß. Paul wollte ihr sagen, dass er ihr ihre Geschichte nicht glaubte, aber die Worte blieben in seinem Hals stecken. Seine Augen juckten plötzlich und er rieb sie mit dem Handrücken. Großmutter konnte seine Unsicherheit und Angst unmöglich übersehen, da ihm diese beiden Gefühle ins Gesicht geschrieben standen. „Mach dir um mich keine Sorgen, Paulchen! Deine alte Oma ist so munter wie ein Turnschuh! Jetzt kochen wir uns was Leckeres zum Abendessen!“ Sie schaute ihn liebevoll an und bemerkte die große, lila leuchtende Beule an seiner Stirn. „Und was ist dir zugestoßen?! Hattest du Zoff mit deinen Mitschülern?“ Zum etlichen Mal heute erzählte Paul seine Geschichte über die Verletzung bei einem Fußballspiel. „Das hier gehört desinfiziert und du brauchst dringend ein Pflaster!“ belehrte ihn Großmutter und begann auf der Bank hin und her zu wippen, um in Schwung zu kommen. Dann löste sie sich mit einem Ächzen von der Bank und lief mit winzigen Schrittchen Richtung Stufen. „Das schafft sie niemals!“, dachte Paul mit einer Mischung aus Verzweiflung und Panik, aber Großmutter riss sich zusammen und stieg mit einem schmerzerfüllten Zischen und Zähneknirschen die Stufen hoch. Danach gönnte sie sich eine winzig kleine Pause und lief sofort weiter Richtung ihrer Wohnung. Paul war direkt hinter ihr, jederzeit bereit seine Oma notfalls zu stützen. Als sie an Charlotts Wohnung vorbeiliefen, streckte sich ihre knochige Hand aus dem Türspalt heraus und Paul bekam eine längliche Schachtel in die Jackentasche zugesteckt. „Hier, nimm“, hauchte sie ihm eine Nikotinwolke ins Ohr. „Das ist die beste Medizin gegen jeden fiesen Hexenschuss!“ Paul bedankte sich im Vorbeigehen und Großmutter und er erreichten glücklich und heil ihre Wohnungstür. Zu Hause angekommen, lief Großmutter direkt ins Wohnzimmer und setzte sich mit einem lauten Stöhnen auf das Sofa. Ihren Rücken hielt sie dabei möglichst gerade, da jede kleinste Bewegung in ihm angeblich stechenden Schmerz auslöste. Paul machte ihr das Kissen zurecht und half ihr ihre an den Knien gebeugten Beine auf das Sofa zu legen. „Ei, ei, ei!“, jammerte Großmutter, als sie zur Seite kippte, um sich niederzulegen. Paul sah in ihr vor Schmerz graues Gesicht auf dem gelben Sofakissen und sein Herz zerging vor Mitleid. „Willst du Tee, Oma?“, fragte er sie, in der Hoffnung wenigstens etwas für seine kranke Großmutter tun zu können. „O ja, mein Lieber!“, flüsterte Großmutter mit ihren farblosen Lippen. „Und tu bitte zwei Teebeutel rein – das löst den Schmerz besser.“ „Hier!“ Paul zog die Schachtel aus seiner Jackentasche. „Das hat mir Charlott gegeben. Sie sagt, es wäre gut gegen Rückenschmerzen.“ Er reichte Großmutter die Schachtel mit der Salbe. Ihr Gesicht nahm sofort einen verschlossenen Ausdruck an. „Das brauche ich nicht“, sagte sie in einem trockenen Ton und warf die Schachtel achtlos auf den Salontisch. „Wieso?“, fragte Paul verdutzt. „Sie meint es doch gut!“ Großmutter kaute an ihren Lippen rum – ein Zeichen der Unzufriedenheit und Ärgernis. „Lass dich nicht von ihr einlullen, Paul“, sagte sie streng. „Manche Menschen, vor allem alte, sind wie Vampire. Sie klammern sich an einem fest und lassen nicht mehr los, bis sie ihn ganz ausgesaugt haben." Paul glaubte nicht, was er da hörte. Er könnte nachvollziehen, dass sie möglicherweise ein wenig eifersüchtig war auf Charlott, weil er sich so gut mit ihr verstand, aber sie gleich mit einem Vampir zu vergleichen – das fand er wirklich übertrieben und unfair. „Sie saugt niemanden aus und mich schon gar nicht!", verteidigte Paul seine neue alte Freundin. „Das Einzige, worum sie mich gebeten hat, waren ein paar Päckchen Zigaretten aus dem Kiosk, das ist alles!" Ups! Er brach seine Verteidigungsrede sofort ab, weil ihm bewusst wurde, dass er sich verplappert hatte. „Ich habe es doch gewusst!" Großmutters Augen verengten sich zu Schlitzen. „Was für ein hinterlistiges Biest! Sie schickt ein Kind Zigaretten für sie kaufen – wie abgebrüht kann man nur sein!" Paul könnte sich selbst ohrfeigen, so sauer war er auf sich! „Ich möchte nicht, dass du dieses Teufelszeug nochmal in die Hand nimmst, ist das klar?", fragte ihn Großmutter voller Sorge. „Geht in Ordnung", schnaubte Paul grimmig. „Und ich werde ein paar Wörtchen mit ihr reden, sobald ich wieder auf den Beinen bin", beendete Großmutter ihre Schimpftirade und tastete nach der Fernbedienung, die sie für gewöhnlich neben das Sofakissen legte. „Bitte, nichts sagen!", schrie Paul erschrocken auf. „Ich habe es schon kapiert, ich tue es nie wieder! Aber, bitte, sag ihr nichts!", flehte er seine Großmutter beinah verzweifelt an. Es wäre einfach eine Katastrophe, wenn sie ihn bei Charlott verpfeifen würde! „Ist schon gut, ich werde ihr nichts sagen. Aber es soll bei diesem einen Mal bleiben", gab Großmutter schweren Herzens nach. „Und jetzt ab ins Bad und hol das Jodgläschen und das Pflaster!" Paul seufzte erleichtert und machte das, was ihm gesagt wurde. Mit einem dicken Pflaster an der Stirn ging er in die Küche und setzte für Großmutter die Teekanne auf den Herd. „Wieso verabscheut sie Charlott so sehr?", fragte er sich zum tausendsten Mal, während er in den Tischschubladen nach Teebeuteln suchte. „Etwas muss zwischen den beiden vorgefallen sein. Etwas, was Großmutter dazu gebracht hatte, Charlott zu hassen. Was könnte es nur sein?" Traurig beobachtete er, wie die kleinen Luftbläschen in der Kanne an die Wasseroberfläche stiegen. Sein Traum von einem üppigen, heißen

Abendessen zerplatzte gerade wie eine dieser Dampfblasen und löste sich in der stickigen Wohnungsluft auf. Paul könnte niemals zulassen, dass sich seine Großmutter in ihrem jetzigen Zustand in die Küche begab und, um dies zu vermeiden, schmierte er vorsorglich zwei Brote mit Schmelzkäse und belegte sie mit Salamischeiben aus einer Packung, die er im Kühlschrank fand. Die beiden waren recht hungrig und aßen ihre Sandwiches auf dem niedrigen Salontisch neben Großmutters Sofa vollständig auf, Großmutter im Liegen und Paul im Schneidersitz am Boden. Irgendwann schlief Großmutter ein und Paul lauschte im Sitzen ihren tiefen Atemzügen, die sich mit dem monotonen Gequatsche aus dem Fernseher mischten. Beim Einatmen blubberte etwas in ihrer Brust – wie ein ungewöhnliches Schnarchen, das direkt aus der Lunge kam. Paul verspürte, wie sich die unzähligen Nädelchen der Angst erneut tief in sein Herz bohrten. Was, wenn Großmutters Schmerzen gar nicht von einem Hexenschuss stammen? Was, wenn es sich dabei um etwas viel Schlimmeres handelte, zum Beispiel um einen Herzinfarkt? Dann war er vielleicht selber daran schuld, weil er sie mit seiner Fragerei so sehr unter Druck gesetzt hatte? „Wieso habe ich nur den Taxifahrer daran gehindert, den Krankenwagen zu rufen?“, plagte er sich. „Sie hätten im Nu herausgefunden, was Oma fehlt, und ihr vielleicht die richtige Medizin gegeben. Wenn ihr etwas zustößt, werde ich es mir nie verzeihen!“ Diese Gedanken waren sehr belastend und so schmerzhaft, dass Paul heimlich ein paar bittere Tränchen mit dem Hemdärmel aus seinen Augenwinkeln wischte. Aber nicht weniger unerträglich war für ihn der Gedanke, auf sein Zimmer gehen zu müssen und sich ins Beet zu legen. Nie im Leben würde er selbst eine Minute lang allein in seinem Zimmer bleiben können, geschweige denn schlafen! Er traute sich nicht einmal, seinen Schulrucksack aus seinem Zimmer zu holen, um sich für den bevorstehenden Biologietest vorzubereiten.

Es wurde dunkel im Wohnzimmer, grauviolette Schatten krochen aus allen Ecken und kamen immer näher an Paul heran.

Das hell leuchtende Viereck des Fernsehers ließ sie noch bedrohlicher wirken. Es war schon spät und Paul war sehr müde, aber die kalte Hand der Angst hielt ihn fest in ihrem Griff und ließ sein wild klopfendes Herz nicht zur Ruhe kommen. Irgendwann fielen ihm doch die Augen zu. Im Halbschlaf zog er die graue Kuscheldecke vom Wohnzimmersessel zu sich und stülpte sie sich über den Kopf. Erst dann traute er sich, den Fernseher auszumachen. Paul legte die Fernbedienung auf das Salontischchen und lugte aus seinem Deckenzelt in die Dunkelheit des Zimmers hinaus. Das unaufhörliche Schnarchen der schlafenden Großmutter über seinem Kopf wiegte auch ihn in den Schlaf. Er schloss seine müden Augen und sofort beugte sich das flache Gesicht von Joels Bruder über ihn. Er hielt Paul seine geballte Faust unter die Nase und grinste ihn spöttisch und gefährlich an. Paul drehte sich weg, um nach Ilon zu sehen, und sein Blick fiel direkt auf den kleinen Jungen im verwaschenen gestreiften T-Shirt. Die schwarzen Löcher in seinem Gesicht starrten Paul unverwandt an und er wich schreiend zurück. Der riesige Kerl hinter seinem Rücken legte seinen Bizeps um Pauls Kehle und drückte fest zu. Paul vergrub die Fingernägel in seinen steinharten Muskel und zerrte mit aller Kraft daran. Der Bursche lachte ohrenbetäubend und redete mit der Stimme der Fanatikerin aus dem Park in Pauls Ohr. „Das Blut der Unschuldigen klebt an deinen Händen! Deine Seele ist verdorben und schwarz wie Kohle! Nichts kann sie reinigen außer Feuer!!“ Paul erwachte schwer atmend und schweißüberströmt und rollte mit den Augen panisch umher. Er realisierte nicht sofort, wo er im Augenblick war. Als er sich erinnern konnte, wo er sich gerade befand, atmete er erleichtert auf und schaute aus seinem improvisierten Zelt hinaus. Er wunderte sich nicht schlecht, als sein Blick statt auf die graue, undurchlässige Dunkelheit, auf das angenehme matte Licht einer Nachtlampe traf. Er suchte neugierig nach der Quelle dieses Lichtes und fand heraus, dass sie sich über der Kommode befand. Die kalte Hand schloss sich erneut um sein Herz, sobald er realisierte, dass es über der Kommode gar keine Nachtlampe gab. Er spitzte alle seine Sinne und lauschte angestrengt in die Stille im Zimmer. Als er die tiefen, langsamen Atemzüge seiner Oma hörte, beruhigte er sich ein wenig und schaute sich die Lichtquelle genauer an. Er konnte die Umrisse einer kleinen Leuchte in Form einer Lotosblume erkennen, die an der Wand über der Kommode hing. Ihr angenehmes, warmes Licht spiegelte sich in ihrer polierten Holzfläche und bildete einen gelblichen Kreis auf der Zimmerdecke. In diesem Kreis bewegte sich ein kleiner Schatten. Etwas zappelte und strampelte auf der Kommode, direkt im Lichtkegel der Lampe, was dieses seltsame Licht- und Schattenspiel auf der hellen Wohnzimmerdecke verursachte. Paul staunte immer mehr, als er die Einrichtung des Wohnzimmers betrachtete. Das Licht war zu schwach, um alle Einzelheiten preiszugeben, aber ein Teil davon war gut zu sehen und entsprach ganz und gar nicht der Einrichtung, die Paul in seiner Erinnerung hatte. Er sah einen Teil der Tapete über der Kommode, die neu und sauber aussah. Das Motiv der Tapete, kleine goldene Kleeblätter und Gänseblümchen, leuchteten zart und beruhigend im warmen Licht der Wandleuchte. Die echte Tapete trug dasselbe Muster, war aber eher bleich und gräulich, sodass die zierlichen Blümchen kaum noch zu erkennen waren. Auch ein Teil des Vorhanges war deutlich zu sehen. Sein Muster war auch anders als dasjenige, das Paul kannte Der Vorhang sah leicht und luftig aus und nicht schwer und staubig wie der echte Wohnzimmervorhang. Die Kommode selbst war dieselbe, hatte aber auf ihrem Deckel eine Art Puppenmatratze mit leicht abgerundeten Rändern. Das zappelnde Etwas befand sich auf dieser Matratze. Paul blinzelte sich den Schlafschleier aus den Augen und erkannte kleine Füßchen und Hände, die wilde und chaotische Strampelbewegungen machten. „Das ist ein Wickeltisch!", leuchtete es ihm ein. „Jemand hat die Kommode zu einem Wickeltisch umgestaltet!" Das Baby auf der Matratze gurgelte und japste. Ein rundes Köpfchen erhob sich plötzlich über den Rand und das Baby setzte sich auf. Paul verschlug es die Sprache, er glotzte ungläubig den runden Babykopf an, der im Lichtstrahl über der Kommode auftauchte. Die Wandleuchte beleuchtete es von hinten, darum sah

Paul nur sein dunkles Schattenbild. Das Kind rutschte auf seinem runden, in weißen Pampers eingepackten Hintern über den Rand und plumpste mit einem dumpfen Knall zu Boden. Paul erschauderte. Er sog vor Schreck scharf die Luft ein und verschluckte sich an seinem eigenen Speichel. Der Hustenreiz trieb ihm die Tränen in die Augen. Er starrte das Baby, das sicher auf seinen Füßen gelandet war und jetzt schwankend in seine Richtung lief, fassungslos an. Es war schon ein Wunder an sich, dass es sich beim Sturz aus einem Meter Höhe nichts gebrochen hatte, aber das war noch nicht alles: Das Baby schien auf eine unglaubliche Art und Weise megaschnell gewachsen zu sein und sah jetzt um ein ganzes Jahr älter aus als noch ein paar Sekunden zuvor. „Was zum Teufel?“ Panisch zog sich Paul die Decke noch fester über den Kopf und schloss so gut er konnte das Guckloch. Aber egal wie fest er die zwei weichen Stoffränder zusammenpresste, es blieb trotzdem ein kleiner Spalt frei und er konnte mit Entsetzen verfolgen, wie das Kind sich unaufhaltsam auf ihn zubewegte. Sein Körper erschien Paul halbdurchsichtig, er blickte durch ihn hindurch und nahm die Umrisse der Gegenstände hinter ihm wahr. Als das Baby aus der Lichtzone hinauskam, bemerkte Paul ein schwaches grünliches Leuchten, das von ihm ausging. „Wie ein echter Geist!“, flitzte es Paul durch den Kopf. Das Baby war jetzt ganz nah an ihm und streckte seine pummeligen Hände nach Pauls schützender Decke aus. Die kleine Faust klammerte sich am Deckensaum direkt vor Pauls Gesicht fest und begann mit voller Kraft daran zu zerren. Zweifellos wollte das Kind Paul aus seinem Versteck hinausbekommen. Paul biss die Zähne zusammen und hielt die Decke mit beiden Händen fest. Das Kind wurde ungeduldiger und zerrte wie ein wildes Wolfsbaby an der Decke herum. Dabei meckerte es so laut, dass jeder schlafende Mensch in seiner Nähe vor Schreck schreiend aufwachen musste, aber Großmutter atmete nach wie vor ruhig, wie in einem Tiefschlaf. Der Deckensaum riss fast ab und Paul hatte zunehmend Mühe die zwei schlüpfrige Deckenseiten zusammenzuhalten. Seine Finger wurden taub vor Anstrengung und er spürte, wie Empörung und blinde Wut in ihm hochstiegen. Zum Glück verströmte das Wesen keinen Ruß- oder Rauchgestank und die Hände, die vor Pauls Gesicht fuchtelten, sahen auch unversehrt aus. Paul wickelte die Deckenränder um seine linke Faust und steckte die rechte Hand in seine Hosentasche, wo Charlotts Feuerzeug lag. Er zog es eilig heraus, streckte die Hand mit dem Feuerzeug aus dem Guckloch, betätigte die Zündtaste und hielt die kleine bläuliche Flamme gegen Gesicht des Kindes gerichtet. Mit einem Ruck bekam er die Decke frei. Das kleine Biest wich zurück und stieß ein entsetzliches Kreischen aus. Es ähnelte dem Kreischen eines wilden Tieres, das an lebendigem Leibe gehäutet wurde. Paul lief es kalt den Rücken hinunter. Im selben Augenblick verschwand alles vor seinen Augen – das Baby und das Licht – und er befand sich in absoluter Dunkelheit. Seine Großmutter atmete nach wie vor ruhig – sie schien nichts mitbekommen zu haben. Sollte er sie aufwecken und ihr alles erzählen? Sofort verschmähte Paul diesen Gedanken. Er würde seine kranke Oma mit Sicherheit nicht aus ihrem Tiefschlaf wecken, um ihr einen Haufen Schrott zu verzapfen, der sowieso nur in seinem kranken Verstand existierte. Wenn dem nicht so wäre, wäre Großmutter längst aufgewacht, wegen all dem Krach, den das kleine Biest und auch er selbst verursacht hatten. Zitternd vor Aufregung und dem überstandenen Schock, kauerte Paul am Fuß des Sofas, fest in seine graue Wolldecke gewickelt. Seine innere Stimme sagte ihm, dass für den Moment alles vorbei wäre, dass der Geist ihn für den Rest der Nacht in Ruhe lassen würde. Aber, sogar trotz dieser Entwarnung, ging er nicht auf sein Zimmer, das er inzwischen hasste, sondern blieb auf dem Wohnzimmerboden – so nah wie nur möglich bei seiner schlafenden Großmutter.

Tag vier.
Einladung zu Dianas Party

Die ersten scheuen Lichtstrahlen des aufkommenden Morgens drangen durch die feinen Maschen des schweren Vorhangs und trieben die hartnäckigen Schatten wieder in ihre Ecken zurück. Paul hob den Kopf und verzog vor Schmerz das Gesicht. Sein Hals war versteift wie eine Granitsäule und es pochte stark in seiner linken Schläfe. Paul fasste sich an die linke Kopfseite und rieb kräftig an der rauen Pflasterfläche, die seine Beule bedeckte. Seufzend schüttete er die graue Kuscheldecke ab und lief an der schlafenden Großmutter vorbei ins Bad. Es brauchte eine Menge kaltes Wasser, um die letzten Albtraumfetzen aus seinem Hirn zu vertreiben. Es wunderte ihn, dass Großmutter so lange und so fest schlief. Paul bezog das auf die Erschöpfung, die bei ihr die starken Schmerzen des Vortages verursacht haben mussten. Leise trank er ein Glas kalter Milch in der Küche. Er verspürte den Drang, seine Botschaft an den Babygeist zu überprüfen, wollte aber keinen unnötigen Lärm verursachen. Eine Zeit lang stand Paul unschlüssig im Flur und überlegte, ob er die schlafende Großmutter doch noch aufwecken sollte, zumindest um festzustellen, ob er sie allein lassen könnte. Vom Türrahmen aus betrachtete er ihre hellgrauen Haare, die auf der Armlehne des Sofas zerstreut lagen. Dann schloss er leise die Wohnungstür hinter sich ab und ging in die Schule.

Der Morgen war anders als sonst – grau und windig. Dicke, regenschwangere Wolken hingen tief über den Hausdächern und die trübe Stimmung spiegelte sich auf den Gesichtern der Passanten auf den Straßen wider. Die Luft fühlte sich deutlich kühler als noch am Vortag an und die ersten winzigen Regentropfen benetzten den staubigen Bürgersteig. Paul erschauderte unter seiner leichten Sommerjacke und musste widerwillig an Ilons warmen Pulli denken, den er vor ein paar Tagen so achtlos in den Dreck geworfen hatte. Als er in der Schule ankam und Ilon nicht auf ihrem Platz am gemeinsamen Tisch vorfand, machte sich Paul mächtig Sorgen. Da es kurz vor Schulbeginn war, bedeute dies in seinen Augen nur eins – sie schwänzte schon wieder. Heute freute sich Paul nicht mehr über die herrliche Perspektive, den ganzen Schultisch für sich allein zu haben, da er genau wusste, welche schlimme Folgen das Schulschwänzen für Ilon hatte. Paul breitete seine Schulsachen nicht wie am Tag zuvor auf der ganzen Tischfläche aus, sondern legte sie in einer Ecke ordentlich übereinander, in der Hoffnung Ilon würde doch noch auftauchen. Aber stattdessen erschien völlig unerwartet Joel in der Klasse. Lässig wie immer, die gesunde Hand in der Hosentasche und ohne seinen Rucksack, lief er zu seinem Platz, als ob er zu einem Picknick im Park eingeladen wurde. Er ließ sich auf seinen Stuhl fallen und bekam sofort die grenzenlose Freude seines Kumpels Simon zu spüren, der wegen dieses besonderen Anlasses seinen alten Platz an der rechten Tischreihe eilig verließ und sich mit einem breiten Grinsen auf dem fetten Gesicht neben seinen Kumpanen setzte. Leicht angewidert beobachtete Paul, wie die beiden sich mit einem Händeschlag begrüßten und wie Simon seinen dicken Arm um die Stuhllehne seines Kumpels legte. Er wusste genau, dass hinter all dem keine waschechte Freundschaft steckte, sondern bloß die ewige Unterwürfigkeit des Schwachen gegenüber dem Stärkeren. Die beiden „Freunde“ tuschelten kurz miteinander, dann drehte sich Joel in Pauls Richtung. Ein bösartiges Funkeln erschien in seinen tiefsitzenden Augen, während er Pauls mit Pflaster tapezierte Stirn musterte. „Na, wie gefällt dir das kleine Andenken an meinen Bruder?“, ließ er schadenfroh seine giftige Bemerkung fallen. „Ein cooles Souvenir, was?“ Simon grunzte niederträchtig, um seinem Kumpel zu imponieren. „Träum weiter!“, zischte Paul zurück. Seine Hände ballten sich reflexartig zu Fäusten und er begann unter seinem neuen blauen Hemd stark zu schwitzen. „Ah ja?!“, höhnte Joel. „Wer soll's sonst gewesen sein – deine Freundin, die Brillenschlange?“ Er deutete mit einer Kopfbewegung auf Ilons leeren Platz und er und Simon begannen dämlich zu grinsen. „Was hast du denn mit ihr gemacht – sie etwa zu Hause eingesperrt?", wisperte Joel affig und fasste sich in einer schlecht gespielten Empörung am Kopf. „Hey!", bekam er plötzlich eine neue, nicht weniger bescheuerte Idee. „Oder hast du sie vielleicht umgebracht und die Leiche im Keller versteckt?!" Simon rutschte vor Lachen von seinem Platz runter und machte sich am Fuße des Stuhls fast in die Hose. „Warte nur, Fettsack!", dachte Paul zähneknirschend. „Mit dir rechne ich später ab!" Es war ihm in diesem Moment völlig egal, dass Simon ein paar Jahre älter (er musste die Klasse schon des Öfteren wiederholen) und bestimmt eine Tonne schwerer als er selbst war. Er musste sich zurückhalten, um nicht gleich auf die beiden loszugehen. Die an ihm nah sitzenden Kinder feuerten ihn mit ihren solidarischen Blicken an, aber der unpassende Zeitpunkt kurz vor Schulbeginn und Joels schlapp in der Schlinge hängender Arm hielten ihn von einem Wutausbruch ab. „Richte deinem Scheißbruder aus, er ist ein jämmerlicher Loser!", spuckte Paul in Joels scheußlich grinsendes Gesicht. Joels Miene verfinsterte sich auf der Stelle. Simon raffte nicht sofort, dass das Spielchen vorbei war, und gluckste fröhlich weiter. Er hörte nur dann damit auf, als er von Joel einen warnenden Tritt ins Schienbein verpasst bekam. „Pass auf, was du da quasselst!", warnte Joel. Sein massiver Kiefer ragte hervor wie ein Bügeleisen. „Sonst was?!", provozierte ihn Paul. „Pass lieber selber auf, Arschloch!" Im Gegensatz zu Joel, der seine Drohungen immer sehr leise aussprach, wurde Paul immer lauter. Vor Wut zitternd erhob er sich von seinem Stuhl. Die Strapazen des Vortages, die schlaflose Nacht und all die zermürbenden Dinge, die in der letzten Zeit um ihn herum passierten, brachten ihn total aus der Fassung und er hatte sich kaum noch unter Kontrolle. Jetzt drehte sich auch der Rest der Klasse zu ihnen um und verfolgte mit Spannung die eskalierende Auseinandersetzung. Ein Rückzieher unter solchen Umständen bedeutete für Joel den Verlust seiner Autorität und das wollte er unter keinen Umständen riskieren. Er erhob sich ebenfalls von seinem Platz und schritt zu Pauls Tisch. Schon wieder standen die beiden Streitparteien einander gegenüber – Angesicht zu

Angesicht. Keiner traute sich, zuerst anzugreifen, aber gleichzeitig gab keiner von beiden nach. Alle Augen waren auf sie gerichtet – manche besorgt, manche belustigt – und man hörte ungeduldige Rufe, die die beiden aufforderten, mit der Prügelei endlich anzufangen. „Wie hast du mich genannt?“, blies Joel seinen Stinkatem mitten in Pauls Gesicht. „Genau so, wie du es verdienst!“, erwiderte Paul, vor Wut schäumend. „Ist dir klar, was das heißt?“, fragte Joel ihn mit einem drohenden Unterton. Er warf seinen Kopf weit zurück, um auf Paul verächtlich herabschauen zu können, und musterte ihn aus schmalen Augen. Die höhnische Miene kehrte in sein Gesicht zurück. „Klar!“, provozierte Paul. „Du rennst wieder zu deinem lausigen Knacki, damit er für dich die Drecksarbeit erledigt!“ Mit großer Freude beobachtete er, wie Joel ebenfalls langsam, aber sicher seine Fassung verlor. „Lass meinen Bruder aus dem Spiel!“, bellte er Paul an. Wütend schnappte er nach Luft und versuchte mit seiner gesunden Hand auf Pauls Brust zu schlagen. Sein Schlag wurde erfolgreich abgewehrt, Paul bekam sogar den Arm seines Feindes zu fassen und drehte ihn so weit nach hinten, dass Joel vor Schmerz mit den Zähnen knirschte. „Mein Alter hat auch eine Knarre!“, spuckte er mit schmerzverzerrtem Gesicht seine Drohungen aus. Vor Erniedrigung wurde er hochrot, als er sich aus Pauls Griff zu wenden versuchte. „Er hat’s mir beigebracht mit ihr umzugehen, also mach dich auf alles gefasst! Du und dein Alter – ihr tut mir leid! Ihr könnt euch schon zwei Gräber reservieren, ihr Opfer!“ „Was soll der Scheiß!“, mischte sich Claudio in ihre Auseinandersetzung ein. „Hört sofort auf damit, alle beide!“ Als Vorsitzender des Klassenrates fühlte er sich in der Pflicht einzuschreiten, um die Ordnung in der Klasse zu bewahren, und versuchte jetzt die beiden Streithähne auseinanderzubringen. Joel, der hiermit einen fetten Eintrag in sein ohnehin miserables Zeugnis riskierte, gab zuerst nach. Schwer schnaubend entriss er Paul seinen Arm und hielt ihm eine dicke Faust unter die Nase, die Paul auf der Stelle wegschlug. Immer noch hochrot im Gesicht murmelte er leise weitere Drohungen vor sich hin, warf Paul einen letzten vernichtenden Blick zu und ging zu seinem Platz zurück, von wo aus sein Kumpel Simon die ganze Szene mit einem leeren Blick und halboffenem Mund verfolgt hatte. „Wie ein Hirnamputierter!“, kochte Paul innerlich weiter. Seine aufgestaute Wut ließ ihn nur sehr schwer runterkommen. Mit schweißnassem Gesicht und gesträubtem Haar fiel er auf seinen Stuhl zurück. Er brauchte dringend eine Ablenkung, aber die Biologielehrerin verspätete sich und er musste mit seinem Ärgernis selbst klarkommen.

Paul schlug das Biologiebuch auf, aber die Zeilen tanzten vor seinen Augen wie die Seilläufer im Zirkus. Er las einen Satz schon zum dritten Mal, als er plötzlich aus dem Augenwinkel eine leichte Bewegung wahrnahm. Ein himmlisches Wesen bewegte sich durch den schmalen Gang zwischen den Schultischen direkt auf den schwer atmenden Paul zu. Grimmig blickte er hoch und erkannte Diana, die von ihrem Platz in der ersten Tischreihe aus auf ihn zusteuerte. Sie bewegte sich so elegant wie ein Model auf dem Podium, und ihre blonde Mähne wippte mit jedem ihrer Schritte von einer Seite zu der anderen. Paul klappte die Kinnlade runter. Er glaubte, einen goldenen Nimbus über ihrem Kopf zu sehen – wie bei einer Heiligen. Ein Engelschor sang in seinen Ohren und der Klang ihrer hohen Absätze auf dem Fliesenboden verlieh dieser Himmelsmusik einen pikanten Rhythmus. Mit einem starren Blick beobachtete er, wie sie vor seinem Tisch stehenblieb und sich leicht über ihn beugte. Ein Schwall des herben Parfümduftes ergoss sich über Paul und er verspürte ein leichtes Pochen in seinem Bauch – nicht schmerzhaft, wie nach Prügelei von gestern, sondern angenehm süß. Mit einer graziösen Armbewegung warf Diana ihr goldenes Haar nach hinten und ein flüchtiges Lächeln berührte ihre vollen Lippen. Sie sprach zu Paul, der wie betäubt vor ihr saß und sie aus großen Augen anstarrte. Er nahm den Klang ihrer Stimme wahr, hatte aber Mühe, die einzelnen Worte zu verstehen, da sein Kopf sich plötzlich leer wie ein Luftballon anfühlte. Diana war sich ihrer Schönheit bewusst und wusste genau, wie die meisten Jungs auf ihr Erscheinungsbild reagierten. Selbstsicher und mit einem schelmischen Funkeln in den blauen Augen schaute sie auf ihn herab. Paul wurde endlich klar, wie blöd er gerade aussah. Sein Gesicht fühlte sich ganz heiß an, als sie ihre bereits fertiggesprochene, aber von ihm nicht wahrgenommenen Worte wiederholen musste. Er brauchte seine ganze Willenskraft, um sich zu sammeln und ihr folgen zu können. „Ich feiere morgen Abend eine Hundeparty, im kleinen Kreis", hauchte sie mit ihrem zarten Stimmchen und verdrehte die Augen, als sie auf Pauls verständnislosen Blick traf. „Eine klitzekleine Party bei mir im Garten", wiederholte sie mit einem leichten Seufzer. „Nur die Familie und ein paar Freunde. Meine Eltern schenken mir einen Labradorwelpen", fügte sie stolz hinzu und wartete auf Pauls Reaktion, um festzustellen, dass er alles mitbekommen hatte. Ihre Worte trafen Pauls Seele an ihrer empfindlichsten Stelle. „Ein Labradorhund!", dachte er halb fasziniert, halb neidisch. Die Vorstellung, dass jemand anderes seinen langjährigen, unerfüllten Traum ab sofort ausleben durfte, verursachte bei ihm Herzstechen. „Und sie bekommt ihn geschenkt, einfach so!", zerging er vor Neid. „Die Party startet um halb sechs. Ich dachte ja, weil's Freitagabend ist und du vielleicht keine anderen Pläne hast ...?" Sie brach ab und wartete halblächelnd und mit leicht zur Seite geneigtem Kopf auf seine Antwort. Ihre langen, gebogenen Wimpern flatterten kokett, wie die Flügel eines exotischen Schmetterlings. Tausende Gedanken jagten Paul durch den Kopf, als er sich eine Antwort überlegte. Er sah sich in Dianas Garten auf einer smaragdgrünen Wiese unter einem großen, schattigen Baum sitzen. Diana, in einer hellen Bluse und Shorts, saß ihm im Schneidersitz gegenüber. Ihre Augen, nur auf ihn gerichtet, lächelten ihn warm an, ihr goldenes Haar bedeckte ihre nackten Schultern. Der kleine schwarze Welpe rannte auf seinen wackeligen Babybeinchen zwischen ihnen hin und her. Er schüttelte seinen dicken, runden Kopf, sodass die schlabberigen Ohren um ihn herumflogen und das Quietschespielzeug in seinem Maul dabei lustige Geräusche machte ... Pauls Blick schweifte durch die Klasse und stolperte über Claudios Gesicht, als er kurz zu ihm rüber blickte und sich sofort wieder umdrehte.

War da Eifersucht in den Augen seines Freundes? Unmöglich! Dianas ungeduldiges Räuspern machte ihm klar, dass sie immer noch auf seine Antwort wartete. Paul zuckte unschlüssig mit den Schultern. „Was nun?“, fragte sie leicht gereizt. „Bist du dabei oder nicht?“ Ob er dabei wäre? Nichts lieber als das! Aber sie sollte lieber nicht mitbekommen, welche irrsinnige Freude ihr Vorschlag in ihm auslöste. Paul hob seinen Kopf und blickte ihr direkt in ihre erwartungsvollen Augen. Als er seinen Mund aufmachte, erkannte er seine eigene Stimme nicht – sie war bestimmt eine Oktave tiefer als sonst und klang total unnatürlich. „Danke für die Einladung! Ich komme gerne vorbei.“ Diana begrüßte seine Zusage mit einem leichten Kopfnicken, wobei ihr eine lange blonde Strähne über das Gesicht fiel, die sie mit einer eleganten Handbewegung wieder nach hinten beförderte. „Da ist meine Adresse.“ Sie reichte Paul einen kleinen glitzernden Umschlag mit einer Einladungskarte drin, den er mit seinen zitternden Fingern entgegennahm. Das verführerische Lächeln verschwand plötzlich aus Dianas Gesicht. Sie schaute sich kurz um, um festzustellen, dass die Person, über die sie gerade reden wollte, von alledem nichts mitbekam. „Es gibt da eine kleine Bedingung“, sagte sie mit einer Härte in der Stimme, die Paul bei ihr gar nicht vermutet hatte. „Du erscheinst ALLEIN auf meiner Party, verstanden? Ich meine, ohne deine Freundin.“ Sie deutete mit den Augen auf Ilons leeren Platz und ihr hübsches Gesicht nahm einen angewiderten Ausdruck an. Paul staunte über diese plötzliche Wende. Trotz der Schmetterlinge im Bauch klang seine Antwort ziemlich barsch. „Ich finde, jeder entscheidet für sich, mit wem er sich abgibt. Man sucht sich seine Freunde selber aus, findest du nicht auch?“ Mit dieser frechen Antwort riskierte er natürlich ihre Empathie ein für alle Male zu verlieren, doch er nahm es bewusst in Kauf. Aber genau das Gegenteil war der Fall. Sie riss ihre großen Augen vor Überraschung weit auf. Man sah ihr an, dass sie mit so einem Widerstand seinerseits niemals gerechnet hätte. Seine provokative Antwort verlieh ihm in ihren Augen mehr Respekt und sie mäßigte ihren hochnäsigen Ton. „Ich habe es doch gar nicht so gemeint!“, stammelte sie verlegen. Ihre Bäckchen wurden rot wie zwei Erdbeeren. „Du kannst dich rumtreiben mit wem immer du auch willst, aber die da …“, ihr gereizter Blick schoss Richtung Ilons Stuhl, „die will ich bei meiner Party NICHT dabeihaben! Ich wünsche mir eine schöne Zeit und KEINE Zwischenfälle, wenn du verstehst, was ich meine …“ Paul hielt ihrem strengen Blick nicht länger stand. „Ist schon okay!“, brummte er. „Ich würde sowieso allein kommen.“ Schwungvoll drehte sich Diana auf dem Absatz um, wobei Paul von einer neuen Parfümwelle getroffen wurde, und stolzierte mit hoch erhobenem Haupt zu ihrem Platz zurück, wo ihre hübsche Tischnachbarin auf sie wartete. Ihre dunklen Augen warfen Paul während der ganzen Szene einen eifersüchtigen Blick nach dem anderen zu. Paul bemerkte sie nicht. Sein Blick haftete nach wie vor auf Dianas schlanker Statur, wie sie den schmalen Gang entlanglief, als hätte er Angst die geringste Einzelheit zu verpassen. Pauls Gedächtnis saugte diesen wunderbaren Anblick auf, der sein Herz davonschmelzen ließ, um ihn ihm während der langen Wartestunden, die noch bis zu der Party blieben, jederzeit präsentieren zu können. Aber sein Genuss wurde auf eine unangenehme Art und Weise unterbrochen, als Diana, schon fast an ihrem Platz angekommen, mit Ilon zusammenstieß, die, klatschnass vom Regen, in die Klasse reinstürmte. Von ihrem dunkelgrauen dünnen Zopf tropfte Wasser zu Boden wie vom Schwanz einer Kanalratte. Neben Diana sah sie wie ein gerupftes Huhn aus.

Ilon warf einen kurzen unfreundlichen Blick Richtung Diana, die ihr im Weg stand, und wollte zwischen ihr und dem Nachbarstisch durchschlüpfen, als Diana ihr mit voller Absicht den Weg versperrte. Sie war wesentlich größer als Ilon und ihre Absätze machten diesen Unterschied noch deutlicher. Diana schaute abschätzig auf ihre Rivalin herab und wisperte ihr mit zuckersüßer Stimme eine kleine Bemerkung zu, wobei die Worte nur so vom Gift trifteten. „Ah, hallo, Mily! Wieso trägst du deine neue Perücke nicht, die ich dir geschenkt habe? Sie steht dir ausgezeichnet!“ Dianas dunkelhaarige Freundin fing zu

kichern an und das brachte Ilon endgültig auf die Palme. „Lass mich durch!“, muffte sie und klemmte sich zwischen Diana und den Tisch. Von der Berührung ihres nassen Körpers angewidert, machte Diana einen Schritt zur Seite, wobei Ilon förmlich in den Tischgang platzte und dabei fast das Gleichgewicht verlor. Die Kinder um sie herum prusteten amüsiert und auch Paul erwischte sich beim Grinsen, wischte es aber vorsorglich sofort aus seinem Gesicht. Laut meckernd und mit der leuchtendweißen Kartoffelnase in ihrer tiefroten Visage, setzte sich Ilon neben ihn. „Diese verdammte Tussi!“, hörte Paul sie murmeln. Ilon nahm ihre beschlagene Brille ab und begann, die nassen Gläser mit ihrem Rockzipfel zu reiben. „Sie riecht auch ein bisschen wie ein nasses Huhn“, dachte Paul und rümpfte die Nase. „Was für eine eingebildete Sau!“, motzte Ilon weiter, während sie ihre Brille zurück auf die Nase setzte und ihr Biologiebuch aus der Schultasche rauszog. „Wieso lässt mich diese blöde Vogelscheuche nicht einfach in Ruhe?“ „Wer ist hier die Vogelscheuche?“, dachte Paul schmunzelnd. Er wollte sie gerade fragen, weshalb sie sich verspätet hatte, als Frau Lutz, die Biologielehrerin, den Klassenraum betrat. Sie war in Eile und wickelte im Laufen ihren superlangen weinroten Schal aus, der mehrmals um ihren dürren Hals gebunden war. Als sie den Hals endlich frei bekam, schüttelte sie ihren Schal so kräftig, dass ein Schauer aus winzigen, kalten Wassertröpfchen durch die Klasse flog. Paul hörte Diana an ihrem Platz in der ersten Reihe leise schimpfen, da sie eine ganze Ladung ins Gesicht bekommen hatte und tupfte jetzt ihre verlaufene Wimperntusche mit einem Taschentuch ab. Die Lehrerin machte wie immer einen gestressten Eindruck. Sie zog diverse Sachen aus ihrer Tasche, warf sie auf das Pult und fuhr sich, mit beiden Händen in schwarzen Handschuhen, über das kurze feuchte Haar, um den Wasserrest auch aus ihm rauszubekommen. Dabei murmelte sie so etwas wie: „Oh, dieser furchtbare Stau! Einfach unmöglich!“ Erst dann zog sie ihre Handschuhe aus, drehte sich zu der Klasse um und begrüßte die Kinder, die sie aus geduldigen Augen beobachteten. „So, und jetzt beginnen wir mit der Lernkontrolle!“, sagte Frau Lutz streng und winkte

Claudio zu sich. „Verteile die Blätter, bitte!" Ein langer Seufzer zog sich durch die Klasse. Pauls Herz rutschte in die Hose. Der Test! Wie sollte er ihn nur schreiben! „Alle Bücher weg vom Tisch! Und Ruhe! Ihr habt zwanzig Minuten für sechs Fragen, alles klar?", gab Frau Lutz ihre Anweisungen. Sie setzte sich auf ihren Stuhl und überflog die Klasse mit ihrem prüfenden Blick. Die Kinder zogen lustlos die Stifte aus ihren Schultaschen und im Nu herrschte absolute Stille im Raum. Paul starrte auf sein Testblatt und kaute nachdenklich auf seinem Kugelschreiber. Er hörte unzählige Stifte an rauen Papierblättern kritzeln und wusste nicht, wie er sich aus dieser miesen Lage raushelfen sollte. Zu seinen mangelhaften Kenntnissen kamen die neuen, bisher noch nie empfundenen Gefühle, die seiner Konzentration völlig im Weg standen. Dianas Einladungskarte, die er in der linken Brusttasche seines Hemdes verstaut hatte, verströmte eine angenehme Wärme, die sich wellenartig in seinem gesamten Körper ausbreitete. Sein Herz, erfüllt mit freudiger Aufregung, schlug viel schneller als sonst und heißes Blut pochte in seinen Schläfen. Noch nie zuvor hatte er so etwas für ein Mädchen empfunden! Ein kleiner Rest seines Verstandes, der von der Verblendung noch nicht betroffen war, versuchte ihn zu warnen. Tief in seiner Seele wusste er, dass die menschlichen Qualitäten seiner Herzensdame nicht unbedingt die besten waren. Auch ihre beiden Lebensweisen unterschieden sich von Grund auf. Trotzdem konnte er sich gegen seine weiter wachsende Zuneigung zu Diana nicht wehren und versank immer mehr in dem unsinnigen Sumpf der Gefühle. Paul ärgerte sich über diesen Kontrollverlust, aber gleichzeitig war er happy. Ilon, die über ihre Arbeit gebeugt saß, spürte insgeheim, dass in ihrem Tischnachbar etwas vor sich ging, und schaute immer wieder prüfend von ihrem Blatt zu ihm hoch. Am Ende der Biologiestunde gab Paul sein fast leeres Testblatt ab. Das war der erste Test in seinem ganzen Leben, den er so richtig vermasselt hatte. „Nicht schlimm", beruhigte er sich selbst, „ich werde es schon nachholen." Es kam ihm gelegen, dass Ilon heute gar nicht so gesprächig wie sonst war und sich schweigend zurückzog. Vielleicht spürte sie die Veränderungen, die gerade in Pauls Seele stattfanden, und darum distanzierte sich von ihm? Wer weiß. Jedenfalls blieb sie während der großen Pause von ihm fern. Joel, in Begleitung von seinem treuen Begleiter Simon, der ihm überall wie ein Schatten folgte, lief Paul absichtlich mehrmals über den Weg. Manchmal quatschte er ihn dumm von der Seite an, worauf Paul jedes Mal mit Gereiztheit reagierte. „Na, wie fühlt es sich als Weiberheld an?“, zwinkerte er Paul provozierend zu, als sie in der engen Garderobe der Turnhalle zusammenstießen. „Hab Geduld, Casanova, wir sehen uns bald! Das hier“, Joel schüttelte demonstrativ mit seinem Gips Arm vor Pauls Nase, „wird irgendwann weg sein.“ „Verpiss dich, du Spinner!“, wimmelte Paul ihn beiläufig ab. Eigentlich war seine unbändige Wut auf Joel mehrheitlich verflogen und er ärgerte sich nicht mehr so stark wie am Morgen über seine Anmache.

„Tut mir leid, Mann, dass ich dich gestern versetzt habe!“, entschuldigte sich Paul bei Claudio auf dem Nachhauseweg. „Meiner Oma ging es nicht gut und ich konnte sie nicht allein lassen.“ Er bluffte ein wenig, da ihm gerade keine bessere Ausrede einfiel. Sie liefen wie immer den gemeinsamen Teil der Strecke zusammen, der Richtung Haltestelle führte. Bei Pauls Worten drehte Claudio seinen Kopf weg und blickte zur Straße, wo die nassen Autos, in einer endlosen Schlange aneinandergekettet, vorbeifuhren. Das verriet Paul, dass sein Freund von der geplatzten Verabredung doch ziemlich betroffen war. „Du hättest wenigstens anrufen können“, murmelte Claudio entrüstet und Paul bemerkte die Enttäuschung in seiner Stimme. „Wie denn, ich hab doch deine Nummer nicht!“, wehrte sich Paul, ebenfalls betroffen von der Missgunst seines Kumpels. „Und was ist mit Telefonalarmliste?“, fragte Claudio gereizt. Er verbarg seine Enttäuschung über Pauls rücksichtsloses Benehmen ihm gegenüber nicht länger und schaute ihn vorwurfsvoll an. Die beiden standen einander gegenüber und die Regentropfen prasselten auf ihre nassen Köpfe. Paul schlug sich verdrossen mit der flachen Hand auf die Stirn. „Die Alarmliste, verdammt! Es tut mir leid,

Mann, ich habe sie total vergessen! Auf meiner alten Schule gab es so was gar nicht, weißt du?" Claudios breites Grinsen verriet Paul, dass er aus der Liste seiner Freunde doch noch nicht gestrichen wurde, und er grinste erleichtert zurück. „Vergessen", beendete Claudio kurzerhand das Thema. „Wie geht es deiner Oma jetzt?" Diese Frage löste in Paul Unbehagen aus. Ihm fiel plötzlich auf, dass er seit Schulbeginn keinen einzigen Gedanken über den Zustand seiner Großmutter verschwendet hatte. Er verabschiedete sich eilig von seinem Freund und rannte nach Hause. Die verschiedensten Gedanken schwirrten ihm durch den Kopf und er konnte sich an keinen einzigen festklammern. Die meisten von ihnen drehten sich um Diana und die bevorstehende Party. Er freute sich dermaßen darauf, seine Zeit mit ihr verbringen zu dürfen, dass er die Tatsache total ausblendete, dass zur Party außer ihm bestimmt auch andere Gäste eingeladen worden waren. An seinen misslungenen Biologietest dachte er dagegen gar nicht mehr. Er malte sich ihr Treffen am Freitagabend in rosaroten Farben aus. Und gleich ein nächstes – am daraufkommenden Wochenende – wo sie beide ins Café, in den Tierpark oder einfach ins Kino gehen würden. Er stellte sich den dunklen Kinosaal vor, wo sie, nebeneinandersitzend, aus der gleichen Tüte das Popcorn aßen, wobei sich ihre Finger in der Dunkelheit immer wieder trafen, während vor ihnen auf der großen Leinwand ein Film lief. Ganz egal welcher, da ihre Aufmerksamkeit sowieso nicht dem Film galt. Paul hatte noch nie eine Freundin und besaß null Erfahrung im Umgang mit Mädchen. Seine Unsicherheit in Bezug auf seine bevorstehende Beziehung mit Diana war groß, aber er schob die unangenehmen Gedanken beiseite. Zur Übung flüsterte er ihren Namen, der auf seiner Zunge wie Schokoladeneis schmolz. Beflügelt stieg er die Treppe zu seiner Wohnung hoch.

Charlotts Offenbarung

Paul bekam es mit der Angst zu tun, als er seine Großmutter im Wohnzimmer auf allen Vieren vorfand. Sie war neben dem Salontischchen, mit dem Gesicht fast am Boden, und scheuerte mit dem ausgestreckten Arm unter dem Sofa, während im Fernseher eine ihrer langweiligen Serien lief. Sein erster Gedanke war, sie hätte die Fernbedienung unter das Sofa fallen lassen. „Oma, was machst du da?!", rief Paul erschrocken und rannte zu ihr. Großmutter hob ihren Kopf und presste ein mühseliges Lächeln hervor. Ächzend stützte sie sich auf Pauls Arm und riss ihn dabei fast mit hinunter. Keuchend und klagend richtete sie sich halbwegs auf. Jetzt bemerkte Paul den Besenstiel, der von unter dem Sofa rausragte. „Hast du etwa geputzt?!", fragte er sie fassungslos. Paul zog den Besen von unter dem Sofa hervor – seine Borsten waren voller Staubklumpen. „Siehst du, wie dreckig?", ergriff Großmutter die Gelegenheit, um ihr Handeln zu rechtfertigen. „Ich muss mich auch mal bewegen, Paschenka. Vor lauter Liegen rosten mir die Gelenke ein." Großmutters Gesichtsausdruck war unüberschaubar, sie schien gleichzeitig zu weinen und zu lachen. „Und du hast ausgerechnet mit dem Putzen angefangen", schüttelte Paul vorwurfsvoll den Kopf. „Stell dir vor, ich wäre erst in einer Stunde gekommen! Was würdest du dann tun, hm?" Er half Großmutter zu einem Sessel, da sie das Sofaliegen offenbar satthatte. Von dort aus beobachtete sie seufzend ihre zu früh unterbrochene Arbeit. Während Paul die grauen Staubknäuel aus den Zimmerecken fegte, überlegte er fieberhaft, wie er Großmutter dazu bewegen konnte, ihr Versprechen ihm gegenüber zu halten und alles über seine Mutter und seine jüngste Kindheit zu erzählen. Aber so wie die Dinge im Moment liefen, war er nicht in der Lage, sie einem Verhör zu unterziehen, vor allem weil er nicht wusste, ob ihr heutiger Zustand etwas mit ihren Herzproblemen zu tun hatte. Entrüstet brachte er den Besen in den Flur und ging in die Küche, um zu sehen, was es heute zum Abendessen gab. „Das ist ja toll, Paulchen!“, rief Großmutter ihm hinterher. „Richtig schön sauber! Genauso kannst du auch dein Zimmer putzen. Der Teppich sollte längst gesaugt werden!“ Paul murmelte so etwas wie: „Mache ich mal.“ Er konnte seiner Großmutter schlecht erzählen, dass er viel lieber Charlotts mit Zigarettenasche übersäten Boden putzen würde als sein verfluchtes Zimmer. Paul öffnete den Kühlschrank und sah nur ein paar gekochte Eier an der Kühlschranktür und den Kochtopf mit den Resten der Pilzsuppe. Nicht mal Milch war da, geschweige denn Schinken oder irgendwelche andere Leckereien. „Fast wie bei Charlott“, rümpfte Paul die Nase. Ihm gefiel die Perspektive, abgestandene Pilzsuppe zu schlürfen, ganz und gar nicht. „Oma, ich gehe einkaufen!“, rief er Großmutter laut zu, die in ihre Fernsehserie vertieft war. Paul sah aus dem Küchenfenster und stellte mit Bedauern fest, dass sich der Regen, der vor Kurzem noch ein leises Tröpfeln war, zu einer richtigen Flut entwickelt hatte. Der Wind hatte aufgefrischt und schleuderte die Wassermassen gegen das Fensterglas. „Ich muss trotzdem raus, damit wir hier nicht verhungern. Eine Bauernbratwurst zum Abendbrot wäre klasse!“, munterte er sich auf, während er aus Großmutters Jackentasche den Geldbeutel zog. „Und bei Gelegenheit kann ich Charlott fragen, ob sie was braucht.“ Er hatte nicht vor, sein Versprechen Großmutter gegenüber zu halten, und war weiterhin bereit, Charlott bei ihren Einkäufen zu helfen, selbst wenn es sich dabei um Zigaretten handelte. „Oma wird sowieso nichts herausfinden können“, dachte er insgeheim, „zumindest nicht, solange sie nicht laufen kann.“ Mit einer Einkaufstasche in der Hand schlüpfte er aus der warmen Wohnung ins kühle Treppenhaus.

„Oh, hallo, mein Lieber!“, rief Charlott voller Freude, als sie ihn an ihrer Schwelle stehen sah. „Du kommst mir gerade richtig!“ Vor Begeisterung glätteten sich die tiefen Furchen auf ihrer Stirn. Sie packte Paul an seinem Jackenknopf und zog ihn in die verrauchte Dunkelheit ihrer Wohnung. Ihre magere Gestalt, von einem großen Poncho umhüllt, bewegte sich flink zwischen den massiven Schränken und verschwand aus seiner Sicht in eines der zwei Zimmer. Paul eilte ihr nach und betrat das große Zimmer, das in seiner eigenen Wohnung dem Wohnzimmer entsprach und genauso seltsam möbliert war wie die Küche. Paul blickte sich um und sah ein schlichtes Metallgestell aus dem Baumarkt, das eher in einen Keller als in eine Wohnung gehörte, neben dem pompösen, mit königsblauem Samt bezogenen Sofa stehen. Auf den zahlreichen Regalen des Gestells lagen durcheinander allerlei Sachen: von Bettwäsche bis zu leeren Zigarettenpackungen und Katzenspielzeug. Ein dickes, altes Buch mit vergilbten, zum Teil zerrissenen Seiten lag auf der Sofalehne, neben dem vollen Aschenbecher aus dickem Glas. Aber am meisten beeindruckte Paul der große Gegenstand, der an das Sofa angelehnt stand und in gar kein Wohnzimmer passte, nicht mal in das von Charlott: ein ziemlich neu aussehendes Fahrrad mit einem coolen, kirschroten Ledersattel. Paul dachte an sein altes Fahrrad, das für ihn längst zu klein war, und betrachtete dieses Prachtstück aus neidischen Augen. Gleichzeitig hielt er Ausschau nach Vulkan, jederzeit bereit, die nächste Attacke der angriffslustigen Katze abzuwehren. Charlott entging sein suchender Blick nicht. „Da." Sie zog den Vorhang zur Seite und deutete auf den karottenfarbenen Knäuel auf dem Fensterbrett. Außer ihm war da eine völlig verstaubte Zimmerpflanze, die dem Schein nach jämmerlich verdurstete. Der Kater drehte kurz seinen wolligen Hals zu den beiden und musterte Paul missgünstig. Dann ging er wieder seiner Lieblingsbeschäftigung nach: faul am Fenster liegen und die Geschehnisse im Hinterhof des Hauses befolgen. „Wie du siehst, hast du nichts zu befürchten", krähte Charlott. „Der ist sicher depressiv", dachte Paul erleichtert. „Kein Wunder – die ganze Bude stinkt wie ein Tabakwarenladen." Ein lauter Klingelton riss ihn aus seinen Gedanken. Er fuhr herum und sah, wie Charlott immer wieder auf den silbrigen Hebel der Fahrradglocke drückte. Ein triumphierendes Lächeln umspielte ihre rissigen, farblosen Lippen. „Guck dir das nur an!", rief sie fröhlich und klatschte auf den glänzenden Sattel des Rads. „Ist dieses Pferdchen nicht fantastisch?"

„Jaaa, sieht supi aus …“, gab Paul anerkennend zu. „… und es ist deins!“, vervollständigte Charlott seinen Satz. Paul starrte sprachlos in ihr strahlendes Gesicht. Er wollte protestieren, aber sie stoppte ihn auf ihre resolute Art. „Kein Blabla, nimm's einfach! Betrachte es als ein Umzugsgeschenk von mir.“ „Danke, Charlott“, stammelte er schüchtern und war von ihrer Großzügigkeit restlos überwältigt. Er trat näher an das Rad und legte die Hände probeweise auf seine breite Lenkstange. „Wo hast du es her?“, fragte Paul neugierig, während er das gute Stück begutachtete. „Einer meiner Großneffen wollte es verkaufen, da habe ich an dich gedacht und zugegriffen.“ Charlott setzte ihr breites Grinsen wieder auf und zwinkerte ihm kumpelhaft zu. „So ein strammer Bursche wie du braucht unbedingt ein Rad! Um seine kleine Freundin mit der Brille nach Hause zu fahren, zum Beispiel.“ Paul ignorierte ihre Anspielungen und brachte das stärkste Argument ans Licht, warum er ihr Geschenk doch nicht annehmen konnte. „Es ist zu teuer, Charlott. Ich kann's nicht nehmen. Das wird Oma nie erlauben!“ „Willst du mich beleidigen?“ Charlotts Lippen pressten sich zu einem schmalen Schlitz zusammen. „Nimm es und basta!“, gackerte sie ihn so laut an, dass Vulkan vor Schreck vom Fensterbrett runterrollte, fauchend einen Buckel machte und sich in eine dunkle Ecke verzog. Verzweifelt biss sich Paul auf die Lippe. Wie sollte er Charlott klar machen, dass Großmutter seine Empathie ihr gegenüber nicht teilte, ohne Risiko, ihre kostbare Freundschaft zu verlieren? Aber Charlott schien das alles bereits zu wissen und zeigte doch Verständnis für seine Situation. „Ich weiß, dass Olga nicht gut auf mich zu sprechen ist“, seufzte sie. „Es ist eine lange Geschichte und, möglicherweise, bin ich selbst ein wenig daran schuld. Aber wenn du willst, rede ich mit ihr über das Rad.“ „Ist schon gut“, lehnte Paul ihr Angebot ab, da er nicht wirklich an den Erfolg ihrer Bemühungen glaubte. „Ich nehme dein Geschenk gerne an, Charlott! Vielen Dank!“ Charlotts starre Gesichtszüge lockerten sich wieder und das zufriedene Grinsen kehrte zurück. „Na, geht doch!“, rief sie befriedigt. „Du wirst es sowieso abarbeiten müssen, wenn du mir ab und zu ein Päckchen von meinen Lebensrettern bringst, nicht wahr?", fügte sie hinzu und schaute Paul mit einem großen Fragezeichen in den Augen an. „Deswegen bin ich hier", erinnerte sich Paul an den Grund seines Besuches. „Ich gehe jetzt fürs Abendessen einkaufen und wollte dich gerade fragen, ob du was brauchst?" Charlotts Hände wurden plötzlich unruhig und wanderten unter ihren langen Poncho zu einer ihrer Hosentaschen. Paul erwartete, einen Geldbeutel zu sehen, aber sie brachte nur ein großes Taschentuch ans Licht und tupfte damit die winzigen Tränchen ab, die urplötzlich in ihren Augenwinkeln erschienen. Paul wurde klar, dass seine simple Frage sie zu Tränen gerührt hatte. Er verstand aber nicht, weshalb es so war, und machte ein erstauntes Gesicht. Verärgert darüber, dass er ihre momentane Schwäche mitbekommen hatte, drehte sich Charlott von ihm weg und kramte auf einem der Regale nach dem Geldbeutel. „Hier sind zwei Zehner", murmelte sie und drückte die Geldnoten in seine ausgestreckte Hand, ohne ihn dabei anzusehen. „Kann das Rad noch ein Weilchen bei dir bleiben? Ich werde es am Samstag sicher abholen kommen", fragte Paul, während er durch den dunklen Flur zum Ausgang lief. Bis dann würde er bestimmt eine Lösung finden, wie er Großmutter umstimmen könnte. „Keine Frage", antwortete Charlott ungewöhnlich leise und öffnete die Eingangstüre für ihn. „Wann auch immer du willst." Noch bevor Paul die Schwelle überschritt, erlitt sie einen Hustenanfall, wie er ihn noch nie erlebt hatte. Sie beugte sich weit nach vorne, während ihre dürren Schultern unter dem dicken Wollponcho erbebten, und klammerte sich an einen der Flurschränke so fest, dass die Knöchel ihrer Finger weiß wurden. Sie presste das Taschentuch gegen ihren Mund und als sie es wieder abnahm, bemerkte Paul zu seinem Entsetzen die knallroten Flecken auf dem hellen Stoff. Eilig verstaute Charlott das Taschentuch in einer der unzähligen Falten ihres Ponchos und schloss die Tür hinter ihm. Paul blieb wie betäubt vor der geschlossenen Tür stehen, während sein Hirn das Gesehene langsam verarbeitete. Es stand also viel schlechter um Charlotts Gesundheit, als er gedacht hatte! Womöglich war sie sogar todkrank!

Diese Erkenntnis veränderte auf einmal alles – Charlotts Gesamtbild erschien ihm plötzlich in einem anderen Licht. Als Paul aus dem Treppenhaus und in den strömenden Regen lief, wusste er schon genau, was er zu tun hatte. Es goss wie aus Eimern und Paul wurde im Handumdrehen platschnass. Er rannte durch den Regenvorhang zum Lebensmittelladen an der Hauptstraße und beobachtete dabei, wie die Passanten auf dem Bürgersteig ihre Regenschirme gegen den starken Wind richteten, damit sie nicht umgestülpt oder ihnen gar entrissen wurden. Tropfnass betrat er den Laden und eilte zu den Regalen. Er warf die Packungen mit den Würsten, Käse und Brot in seinen Einkaufswagen und stellte noch ein paar Milchpackungen und Joghurts dazu. Neben der Süßigkeitenabteilung blieb er unschlüssig stehen und schaute sich die vielen, im hellen Lampenlicht verführerisch glänzenden Pralinenschachteln an, die im Regal aneinandergereiht standen. Er legte eine ebenfalls in seinen Einkaufswagen – schließlich konnte er nicht mit leeren Händen bei Dianas Party erscheinen. In der Kinderabteilung suchte er ein kleines knallgelbes Quietschespielzeug aus, das dem aus seinem Traum am ähnlichsten war, und ging zu den Kassen. Das Geld aus Großmutters Geldbeutel und Charlotts zwei Zehner reichten nicht für alles aus und er bezahlte den fehlenden Betrag mit seinem Taschengeld.

Auf dem Rückweg machte er absichtlich einen weiten Bogen um den Kiosk, in dem Charlott ihre Lieblingszigaretten kaufte. „Wenn sie unbedingt sterben will, bitte, aber ohne mich“, dachte er dabei entschlossen. Der Wind warf ihn fast von den Füßen, als er durch den Regen zu seinem Haus eilte. Er erschien vor Charlotts Haustür, nass wie ein frischgeschlüpftes Vogelküken, und ging zielstrebig an ihr vorbei in die Küche. Dort angekommen streckte Charlott wie gewöhnlich und voller Erwartung ihre Krallen nach Zigaretten aus, aber Paul ignorierte ihre Geste und stellte unter ihrem erstaunten Blick die Milchpackungen und die Joghurtbecher auf den Tisch. Anschließend legte er ein frisches, wohlduftendes Bauernbrot und etliche

Käsepäckchen auf die Tischfläche und drehte sich schweigend zu Charlott um. Er war zu allem bereit, aber ihre Reaktion übertraf alle seine Vorstellungen. Es dauerte einen Moment, bis sie begriff, was das Ganze sollte, und ihr ahnungsloser Blick wanderte von Pauls Gesicht zu Lebensmitteln auf dem Tisch und wieder zurück. Paul kam es wie eine Ewigkeit vor und er wartete geduldig, bis das Fragezeichen in ihren Augen verschwand. Als es endlich so weit war, schimpfte sie, trotz Pauls Erwartung, nicht mit ihm, sondern eilte mit schnellen Schritten auf ihn zu und nahm sein Gesicht in ihre knochigen, kalten Hände. Ihre Gesichtszüge wurden weicher, während sie ihm tief in die Augen sah. „Du bist ein feiner Kerl“, sagte sie heiser zu ihm und schluckte schwer. Sie stellte sich auf die Zehenspitzen und küsste Paul auf den Kopf – mitten auf seinen Haarwirbel. Dann ließ sie sofort von ihm ab und drehte sich zum Tisch um, damit er ihre weiteren paar Tränchen nicht mitkriegte. „Ich werde dir die Sachen immer bringen“, sagte Paul leise, tief gerührt von ihrer Warmherzigkeit, und deutete auf die Lebensmittel auf dem Küchentisch. „Diese oder andere, ganz egal! Du musst nur sagen, welche. Nur, bitte, keine ...“ „Habe schon kapiert“, schnitt Charlott ihm das Wort ab. Sie holte ihr berühmtes Taschentuch raus und schnäuzte ohrenbetäubend die Nase aus. Paul fiel ein Stein vom Herzen. Ab heute musste er nie wieder etwas tun, wovon er schlimme Gewissensbisse hätte! „Ich muss los“, sagte er fröhlich und nahm seine Einkaufstasche vom Küchenstuhl. Charlott bemerkte eine Ecke der Pralinenschachtel, die verräterisch aus der Tasche ragte. Die feinen Regentröpfchen glänzten auf ihrer plastifizierten Oberfläche wie kleine Perlen. „Ist die für deine kleine Freundin?“, stachelte sie ihn an. „Könnte es sein, dass du heute ein Rendezvous hast?“ Sie war wieder ganz die Alte. Paul wollte auf ihre Provokation nicht eingehen, aber sie ließ nicht locker. „Oder sind die Pralinen auch für mich?“, bohrte sie weiter. „Sie sind für die Mutter meines Freundes“, log Paul erzwungen und spürte dabei, wie seine Wangen zu glühen begannen. „Sie feiert morgen Abend ihren Geburtstag und ich wurde von meinem Freund zur Feier eingeladen.“ Charlotts Gesicht nahm einen nachdenklichen Ausdruck an. „Die Mutter, sagst du?“ Sie drehte ihren Kopf Richtung Küchenfenster und kaute unschlüssig auf ihren dünnen Lippen herum. Anfangs freute sich Paul darüber, dass sie ihn nicht als einen miserablen Lügner entlarvt hatte. Dann aber überbekam ihn das Gefühl, dass sie ihm etwas Wichtiges sagen wollte, aber leider nicht konnte, da sie durch das Versprechen zu schweigen, das sie seiner Großmutter gegeben hatte, mundtot gemacht wurde. Sein Blick haftete an ihren Lippen und er betete insgeheim, dass sie ihm doch ein Detail aus seiner Kindheit verriet, ganz egal wie klein und unbedeutend diese Information für sie zu sein schien. „Ah, zum Teufel mit diesem Anstandsblödsinn!“, beendete Charlott den Kampf mit ihrem Gewissen. Sie drehte sich wieder zu Paul und stieß auf seinen erwartungsvollen Blick. „Deine Mutter ist nicht tot, mein Junge“, sagte sie ernsthaft. „Mehr noch, sie lebt sogar fast in deiner Nähe!“ Diese Worte trafen Paul wie ein Vorschlaghammer. Ihm war, als hätte jemand einen Eimer eiskalten Wassers über seinen Kopf ausgeleert. Charlott entging sein Schockzustand selbstverständlich nicht und sie legte ihm beruhigend ihre langen Klauen auf die Schulter. „Such sie, mein Junge!“, sagte sie mit einem solchen Enthusiasmus, dass er direkt zu seinem Herzen drang. „Und glaub nicht alles, was man dir über deine Mutter erzählt! Sie ist kein so schlechter Mensch, wie manche behaupten und sie liebt dich nach wie vor sehr! Mehr kann ich dir leider nicht sagen. Nicht, weil ich es nicht will, sondern weil ich selbst nichts mehr weiß.“ Pauls Herz schlug ihm bis zum Hals. Sein Körper war steif wie der einer Statue, und Charlotts verrauchte Küche drehte sich wie eine Schallplatte vor seinen Augen. „Kopf hoch, mein Lieber“, munterte Charlott ihn auf. „Alles wendet sich zum Besten, glaub mir!“ Sie rüttelte leicht an seiner Schulter, um ihn aus seiner Trance wach zu bekommen. „Hoffentlich verzeiht mir Olga, dass ich meine alte Klappe nicht halten konnte. Aber sie muss unser kleines Geheimnis ja nicht wissen, oder?“ Sie blickte Paul, der nach wie vor ziemlich mitgenommen aussah, fragend an. Er nickte eilig. „Logo, das bleibt unter uns. Danke tausendmal für deine Offenheit, Charlott. Du glaubst nicht, was es für mich bedeutet ..." „O doch!", unterbrach sie ihn erneut. „Ich hätte es dir niemals verraten, wenn ich nicht genau gewusst hätte, wie verdammt wichtig es für dich ist!" Sie begleitete ihn zur Tür und Paul lief langsam und mit gesenktem Kopf die Treppe hoch. „Danke fürs Futter!", trompetete ihm Charlott hinterher, aber er drehte sich nicht mehr nach ihr um. Ihre Offenbarung hatte seine Welt auf den Kopf gestellt und das blinde Vertrauen, das er seiner Großmutter sein Leben lang entgegenbrachte, war bis auf die Grundmauern erschüttert. Zum ersten Mal in seinem Leben stellte er ihre bedingungslose Liebe zu ihm in Frage. Wie konnte sie nur all die Jahre von ihm verheimlichen, dass seine Mutter noch am Leben war und möglicherweise immer noch nach ihm suchte?! Oder wusste sie das selbst nicht? Und wenn doch, dann war sie ihm eine verdammt gute Erklärung schuldig!

Die entscheidende Erkenntnis

Zuhause knallte Paul seine Einkaufstasche verärgert auf den Boden. Dabei fiel die Pralinenschachtel heraus, die Paul sofort sorgsam aufhob und unbemerkt auf sein Zimmer trug. Dort versteckte er sie tief unter seinem Bett – dort, wo Großmutter sie in ihrem jetzigen Zustand unmöglich finden würde. Warum sollte er ihr über seine aufflammenden Gefühle zu einem Mädchen erzählen, wenn sie selbst ihn die ganze Zeit belogen hatte? „Bist du es, Paschenka?", hörte er Großmutters schläfrige Stimme aus dem Wohnzimmer rufen. Beim Klang ihrer Stimme bohrten sich die winzigen Nädelchen der Verbitterung über ihren Verrat tief in sein Herz. Er wollte es einfach nicht wahrhaben, dass seine liebe Oma zu so was fähig war! „Ja, ich bin's!", rief er ihr laut und möglichst entspannt zu. „Ich habe das Essen mitgebracht!" Es fiel ihm nicht leicht, sie an seiner Stimme nicht erkennen zu lassen, wie frustriert er war. „Das ist ja super! Und was ist es?", wollte Großmutter wissen. „Eine Packung Bauernbratwurst", antwortete er knapp und kam mit der Einkaufstasche ins Wohnzimmer. „Was bist du nass!", schrie Großmutter empört auf. „Hast du schon mal von so einer Erfindung wie einem Regenschirm gehört? Oder willst du dein erstes Wochenende mit Fieber im Bett verbringen?", fragte sie gereizt. „Zieh dich schnellstens um, bevor sich alle Holzböden aufblähen!" „Charlott hat es nichts ausgemacht, dass ich bei ihr mit nassen Klamotten aufgekreuzt bin", dachte Paul grimmig und ging auf sein Zimmer, um sich trockene Sachen anzuziehen. „Die Würste sind klasse, hast du ganz toll gemacht!", lobte ihn Großmutter, als er wieder bei ihr war. „Ich stehe gleich auf und koche uns ein paar Kartoffeln zum Abendessen." Sie bewegte sich in ihrem Sessel nach vorne, stützte sich auf den Armlehnen ab und verzog das Gesicht zu einer schmerzvollen Grimasse. „Bleib sitzen, Oma!", befahl ihr Paul kurzerhand. „Ich kümmere mich allein ums Abendessen." Der qualvolle Ausdruck verfloss auf ihrem runden, slawischen Gesicht zu einem breiten Lächeln. „Mein kleiner Enkel wird erwachsen!“, sagte sie liebevoll und überaus stolz, während er mit seiner Einkaufstasche in die Küche lief. „Sei vorsichtig mit dem neuen Messer – es ist höllisch scharf!“, schrie sie ihm warnend hinterher.

Paul stand mit dem Messer und einer großen, warzigen Kartoffel in der Hand und ließ die dicken Schalen in die Spüle plumpsen. „Wie soll ich nur aus Oma die Wahrheit rauskitzeln?“, überlegte er geknickt. Seine Ungeschicklichkeit im Umgang mit Messer wurde ihm zum Verhängnis und bald zog sich schon wieder ein langer Schnitt, dünn wie ein Haar, durch seinen rechten Daumen. Die nackige, schlüpfrige Kartoffel entglitt seiner Hand und fiel mit einem lauten Knall in die Spüle. „Ah, verdammter Mist!“, fluchte Paul und steckte sich den blutenden Daumen tief in den Mund. „Warum konnte ich die verfluchten Dinger nicht einfach mit der Schale kochen?“ Gesagt – getan. Er warf die gewaschenen Kartoffeln ungeschält in den Topf, füllte ihn bis zur Hälfte mit Wasser, gab noch Salz dazu und stellte den Topf schließlich auf den Herd. Jetzt brauchte er nur noch den Herd anzumachen und zu warten, bis die Kartoffeln weich wurden. Die Würste brutzelten schon längst im elektrischen Backofen neben der Arbeitsfläche und verströmten einen unbeschreiblich verführerischen Duft. Paul schaute sich nach Streichhölzern um und fand die Streichholzschachtel auf der Fensterbank. Er zog ein langes Streichholz heraus, dessen heller Stiel sich sofort mit dem Blut aus seiner Schnittwunde färbte. Paul zündete es an und drehte den Gashahn auf, aber noch bevor er es an den Brenner des Herdes halten konnte, verwandelte sich die Küche plötzlich in ein tödliches Inferno. Ein Feuermeer, soweit das Auge reichte! Es knisterte ohrenbetäubend um Paul herum und glühende Funken flogen hoch über seinem Kopf. Von der mörderischen Hitze und dem blendenden Licht umgeben, schreckte er panisch zurück und drehte sich verzweifelt nach alle Seiten, aber es gab kein Entrinnen – die Feuerwand umschloss ihn und schnitt ihm den Fluchtweg ab. Der giftige, bittere Rauch kroch in seine Lungen und trieb ihm reichlich Tränen in die Augen. Paul sah nichts mehr außer den zerstörerischen Lichtkreis, in dessen Zentrum er stand. Seine Augen schmerzten von der unerträglich hoher Temperatur und der blendenden Helligkeit der Flammen, die seine arme Netzhaut zu zerstören drohten. Seine Lungen schienen sich förmlich aufzublähen, wie zwei mit Rauch gefüllte Luftballons. Irgendwo, in der Tiefe des Flammenmeeres, hörte er die tierischen Laute von brennenden Menschen, ihre entsetzlichen Todesschreie gingen ihm durch Mark und Bein. Aus dem Augenwinkel vernahm er eine Bewegung zu seiner linken Seite, die ihm zeigte, dass er nicht allein vom Todeskreis des Feuers umschlossen war. Eine junge Frau stürzte sich plötzlich neben ihm ins Flammenmeer. Sie musste schon die ganze Zeit dagestanden haben und, trotz seiner hoffnungslosen Lage, wunderte sich Paul nicht schlecht, dass er sie nicht schon viel früher bemerkt hatte. Sie fiel langsam, wie in Zeitlupe, sodass Paul genügend Zeit hatte, ihre wie bei einer Schwimmerin nach vorne gestreckten Arme und ihre hinter ihr her flatternden Haare auf dem leuchtendorangen Hintergrund der Feuerwand zu erkennen. Schon während ihres Freifalls fingen ihre Haare und ihre hellen Kleider Feuer, dann tauchte sie im tosenden Flammenmeer unter und verschwand aus Pauls Sicht. Paul verspürte den unerklärlichen Drang, ihr zu folgen und machte einen großen Schritt nach vorne, aber die ungeheure Hitze, die seine Haare und Wimpern auf der Stelle versengte, trieb ihn vom Rand des Feuerkreises wieder zurück in seine Mitte. Es entstand plötzlich ein starker Luftsog, der Paul fast von den Füßen warf, dann ertönte eine laute Explosion und das Feuer flammte mit einer neuen, noch stärkeren Wucht auf. Betäubt vom lauten Knall, hörte er nichts mehr außer einen hohen Pfeifton in seinen Ohren. Die Feuerwand kam wie ein Geschoss auf den halbohnmächtigen Paul zu, aber im selben Augenblick wurde er von einem Paar starker Hände hochgehoben. Jemand, der viel größer und mächtiger als er selbst war, bestimmt ein echter Riese, trug ihn vom tobenden Feuer weg und ins rettende Freie, wo alles normal und sicher war. Dort, wo das Licht nur von der Sonne stammte und das Kreischen der sterbenden Menschen nicht mehr zu hören war! Die angenehm warme Herbstluft kam dem halberstickten Paul eiskalt vor und brannte in seinen armen, stark vom Feuer angegriffenen Lungen. Er krümmte sich und versuchte seinen Schmerz auszuhusten, reizte dabei seine verbrannten Atemwege nur noch mehr. Er litt unter starkem Schock, aber er war gerettet, im Gegensatz zu den anderen, die immer noch im erbarmungslosen Feuermeer um ihr Leben kämpften. Sobald Paul wieder frei atmen konnte, rannte er aus letzter Kraft zu dieser Hölle zurück, wo das Feuer alles auf seinem Weg auffraß und Menschen entsetzliche Todesqualen litten. Er tauchte in eine schwarze Rauchwolke ein, die seine Lungen sofort wieder mit Gift füllte, aber er bewegte sich trotzdem unaufhaltsam auf die Feuerfalle zu. Ein riesiges Alien in einem Astronautenanzug und mit einem Elefantenrüssel im überproportional großen Gesicht tauchte plötzlich vor Pauls Augen auf und schnitt ihm den Weg ab. Der Feuerwehrmann hob ihn hoch und trug ihn zurück ins Leben. Paul versuchte zu schreien, aber aus seinem Mund kam nur ein schwaches Zischen raus. „Mama! Mama!“, hörte er seinen eigenen verzweifelten Ruf. Der Schmerz des Verlustes füllte sein Herz, so vollständig und mächtig, dass er sich wünschte, lieber im Feuer umgekommen zu sein! Anschließend wurde er bewusstlos und alles Leid dieser Welt ließ von seiner vom Schmerz verwüsteten Seele endlich ab. Diese Erlösung fühlte sich unglaublich gut an – nichts fühlen, nicht leiden, nicht denken, sich an nichts mehr erinnern …

Eine saftige Ohrfeige holte ihn aus seinem Wachtraum in die Realität zurück. Nicht schmerzhaft, aber spürbar genug, um ihn von den schrecklichen Visionen zu erlösen, in denen er gefangen war. Paul fuhr hoch und drehte sich nach allen Seiten um, musste aber feststellen, dass außer ihm niemand in der Küche war. Er sog tief die Luft ein und vernahm einen penetranten Gasgeruch, der sich in der Küche während seiner geistigen Abwesenheit ausgebreitet hatte. Eilig drehte Paul den offenen Gashahn zu und öffnete das Küchenfenster so weit wie nur möglich. Der frische Herbstwind warf ihm kalte Regentropfen ins Gesicht, die seine glühenden Wangen kühlten. Er hatte nicht die geringste Ahnung, wer sein Retter war, der ihn und seine Großmutter von einer Gasvergiftung bewahrt hatte, war ihm aber trotzdem unendlich dankbar. Er drehte sich mit dem Gesicht zum Küchentisch und sprach ein deutliches „Dankeschön" aus. Paul wartete, bis der üble Geruch vollständig verflogen war, erst dann traute er sich, das Feuer anzuzünden. Während das Wasser im Topf sich geräuschvoll erhitzte (der Topf musste wieder mal entkalkt werden), saß Paul nachdenklich am Küchentisch und ging alle furchteinflößenden Momente seiner Vision noch mal durch. Er spürte immer noch den unerträglichen Schmerz des Verlustes, der tief in seinem Herzen saß wie eine abgebrochene Nadelspitze. War die junge Frau, die sich vor seinen Augen in den Tod stürzte, wirklich seine Mutter? Wenn dem so wäre, konnte Charlotts Behauptung, seine Mutter wäre noch am Leben, unmöglich stimmen. Kein Mensch würde aus dieser alles auf ihrem Weg auffressenden Feuerfalle lebendig rauskommen! Paul spürte, wie aus dem tiefsten Abgrund seines Unterbewusstseins etwas Riesiges immer höher aufstieg. Bald würde es die Oberfläche erreichen und dann würde er alles wissen, was damals passiert war, ob mit oder ohne Großmutters Hilfe! Paul war durstig nach Wahrheit, aber gleichzeitig fürchtete er sich von ihr, da sie seine bisher heile Welt in große Gefahr brachte. Trotz all dem war ihm bewusst, dass sein Geist nicht ruhen würde, solange er nicht die ganze Geschichte kannte. Mit einem lauten Seufzer stand er vom Stuhl auf und ging zum Küchenschrank, um seinen Zettel noch mal zu überprüfen. Paul holte ihn aus seinem Versteck und sah sofort, dass der Geist seine Botschaft diesmal verstanden hatte. Es war also richtig von ihm, sie laut vorzulesen! Zu seinem Erstaunen stellte Paul fest, dass ein ganz bestimmtes Wort auf seinem Zettel von der Geisterhand durchgestrichen worden war und das nicht nur einmal! Mit ihm war genau dasselbe passiert, was davor schon mit den Augen des Strichmännchens passiert war: Der Stift war mindestens fünfzehnmal darübergefahren, sodass vom Papier nur dünne Fetzen übrigblieben. „Willst du mir nur ... machen, ist das alles, was du draufhast?“, lautete der Satz in seinem jetzigen Zustand. Das vom Geist vernichtete Wort war „Angst“! Genau das Wort musste den Jungengeist zur Weißglut gebracht haben. Aber wieso? Paul war fasziniert von der Intelligenz des kleinen Wesens, das sich trotz seines Analphabetismus' merken konnte, wo dieses Wort sich im Satz befand. Er grübelte nach und glaubte zu verstehen, warum das Wort „Angst“ den Geist dermaßen wütend machte: Die ganze Zeit über hatte er vergeblich versucht ihm, Paul, eine Botschaft zu überbringen und das Einzige, was ihm dabei in die Quere kam, war die Angst! Aber nicht seine eigene, die er beim Anblick des Feuers aufwies, sondern die von Paul! Jedes Mal, wenn der Geist vor ihm auftauchte, zog er sich zurück und schloss seine Augen, und das hinderte den Geist daran, ihm die Sachen zu zeigen, die für das Klären der Tatsachen so enorm wichtig waren! Wäre er die letzten Male mutig genug gewesen, hätte er vielleicht alles längst erfahren! Froh über diese Erkenntnis, rieb sich Paul die Hände. Endlich nahm die Sache eine Wende! Alles, was er tun musste, war nur die Augen offen zu halten, wenn der Geist mit seiner Botschaft wieder bei ihm auftauchte! Paul war schon immer der festen Überzeugung gewesen, dass sein kühler Kopf und die Fähigkeit zu logischem Denken die Lösung aller seiner Probleme waren, und freute sich riesig, dass diese These sich gerade bestätigt hatte. Aber seine Angst im Zaum zu halten und beim Geistesbesuch die Augen nicht zu schließen, war leichter gesagt als getan! Was, wenn ihn der schreckliche Anblick seinen Verstand kosten würde? Paul stützte den Kopf auf seine Hände und grübelte nach.

Die Nacht vor Tag fünf.

Du bist, was du träumst

Das blubbernde Wasser im Kochtopf schwappte über den Rand und das blaue Feuer unter dem Topf erlosch. Paul schloss den zischenden Gashahn und steckte die Messerspitze in die Kartoffelseite, um zu überprüfen, ob sie durch war. Er fand sie weich genug und ging mit dem Topf zur Spüle, um das Kochwasser auszugießen. Die Dampfwolken, die aus dem Topf stiegen, verbrühten ihm den Unterarm. „Ah, verflucht nochmal!", schimpfte Paul erneut. Das Kochen war nun wirklich nicht seine Sache! Mit den Würsten und dem Kartoffeltopf in den Händen ging er ins Wohnzimmer, wo seine Großmutter auf ihn wartete. Trotz all den Küchenstrapazen war er guter Dinge und freute sich auf sein Abendessen.

Als Paul im Wohnzimmer ankam, stellte er mit Bedauern fest, dass seine Großmutter inzwischen in ihrem Sessel eingenickt war. Da er sie nicht aufwecken wollte, stellte er ihren Teller auf dem Salontisch ab. Dabei musste er ein paar Medikamentenpackungen auf die Seite schieben, darunter eine große Pillenpackung, die gar nicht nach den gewöhnlichen Schmerztabletten aussah, die Großmutter bei ihren Kopf- und Rückenschmerzen einnahm. Diese Tatsache beunruhigte ihn ein wenig, aber er war zu hungrig, um nachzuforschen. Gierig stürzte er sich auf sein Essen. Das Brot und die Wurst waren köstlich, die Kartoffeln dagegen waren doch noch zu hart, aber Pauls Hunger ließ ihn seinen Teller leer essen. Während er seine Mahlzeit verschlang, dachte er unaufhörlich darüber nach, was er gegen seine Heidenangst unternehmen könnte. Er erinnerte sich an eine misslungene Mutprobe aus seiner Primarschulzeit, als seine Freunde ihn dazu überredeten, allein in einem Zelt mitten im Wald zu übernachten. Die Sache war, er hatte damals einen sehr üblen Spitznamen, den er abgrundtief hasste. Seine Kumpels hatten ihm versprochen, ihn nie wieder so zu nennen, wenn er die

Mutprobe bestand. Er willigte ein und fuhr bei der Abenddämmerung mit seinem Fahrrad zum alten, verlassenen Campingplatz, wo es eine gute Feuerstelle gab. Seiner Großmutter hatte er die Lüge aufgetischt, er würde bei einem Freund übernachten. Glücklicherweise hatte sie bei dessen Eltern nicht nachgefragt und Paul konnte sein Ding in aller Ruhe durchziehen. Als Angstvertreiber hatte er damals eine Flasche Schnaps mitgenommen, die er von einer Feier heimlich mitgehen ließ. Er saß mutterseelenallein am Lagerfeuer und lauschte den um seinen Kopf surrenden Mücken zu. Beim Einbruch der Dunkelheit trank er ein Becher voll und war bereit, allen Waldgeistern zu begegnen, die in der Nacht aus ihren Höhlen rausgekrochen kamen. Die erste Zeit schien es gut zu funktionieren und seine Angst war komplett verschwunden. Paul fand plötzlich alles um sich herum lustig: die knorrigen dicken Bäume, die am Rand der Lichtung standen, die langen Schatten, die wild um sein Feuer tanzten, und sogar sein eigenes Zelt, das ihn mit seiner dunklen Öffnung, die an einen aufgerissenen Mund erinnerte, stumm anstarrte. Es klappte sogar so gut, dass er mit seiner Trinkerei weiterfahren wollte, aber dann begann sich der Wald vor seinen Augen wie verrückt zu drehen und Paul fiel betrunken ins Gras. Dort fanden ihn seine Freunde am nächsten Tag in einem jämmerlichen Zustand und zu seinem alten Spitznamen kam noch einer dazu, der nicht weniger peinlich war. Seitdem schwor sich Paul, nie wieder seine Probleme mit Hilfe von Alkohol zu lösen! Darum kam für ihn Schnaps als Mittel gegen Angst nicht mehr in Frage.

Nachdenklich starrte er auf das Medikamentenarsenal auf Großmutters Salontisch. Dabei fiel sein Blick auf die Baldriantinktur, die seine Großmutter gelegentlich gegen ihren Bluthochdruck annahm. Paul wusste, dass sie eine beruhigende Wirkung hatte und dass Großmutter eine Menge solcher Fläschchen im Badezimmerschrank aufbewahrte. Das sah für ihn nach einer Lösung aus und er beschloss, vor dem Schlafengehen eine raue Menge Tropfen in sein Glas Cola zu kippen, um den widerlichen

Baldriangeruch mit dem Colaaroma zu überdecken. Die Cola hatte er heute zusammen mit den anderen Esswaren heimlich gekauft. Aber der Gedanke, er könnte sich zu sehr entspannen und deswegen seine Schule verschlafen, hielt ihn davon ab, diese Sache gleich heute Abend durchzuziehen und er entschied sich, dieses Experiment auf Freitagabend zu verschieben – direkt nach Dianas Party. Die Erinnerung an sie ließ Pauls Sorgen für einen Moment in den Hintergrund rücken. Er versank wieder in seiner Träumerei und stellte sich lebhaft alle Ausflüge vor, die sie zusammen unternehmen könnten. Um besser träumen zu können, lehnte er sich auf Großmutters Sofa zurück und schloss für einen kurzen Augenblick die Augen. Sein Magen war voll, eine wohltuende Wärme floss durch seinen Körper. Nach der beinah schlaflosen Nacht fühlte er sich plötzlich todmüde und merkte selbst nicht einmal, wie er einschlief. Genauer gesagt war dies hier kein richtiger Schlaf, eher wieder einer seiner Wachträume. Während er glaubte, alle seine Sinne wären wach, sandte sein Unterbewusstsein die Bilder an seinen Verstand, die ihm als Warnung dienen und ihn aufhorchen lassen sollten. Er sah Diana vor sich, die ihn wütend anfauchte. Sie war plötzlich um einige Köpfe gewachsen und sah sogar noch größer als Joels krimineller Bruder aus. Paul sah zu ihr auf und fürchtete sich vor einer riesigen, pulsierenden Geschwulst an ihrem Hals, die seine zukünftige Freundin wie eine scheußliche Kröte aussehen ließ. Dianas sonst so zarte Porzellanhaut schimmerte giftgrün, darunter blähten sich dicke, dunkle Venen auf, in denen schwarzes, zähes Hexenblut floss. Sie glotzte Paul mit ihren kalten Reptilaugen unverwandt an und ihr verächtlicher Blick brannte auf seinem Gesicht wie Säure. Das abstoßende Wesen, das vor ihm stand, konnte unmöglich seine bildhübsche Klassenkameradin sein, doch Paul war sich absolut sicher, dass es sich bei diesem Monster genau um dieselbe handelte. „Wie konntest du mich versetzen!“, winselte sie voller Wut und spuckte beim Reden dicke Speichelfäden aus, die schwer zu Boden fielen. An der Stelle, wo ihre Spucke auf das grüne Gras traf, krümmten sich die Grashalme und verfärbten sich schwarz, als wären sie verbrannt. „Du denkst, ich gehe mit dir aus?“, krähte die Kreatur wütend weiter. „Mit einem Dorfjungen, dessen Hände nach Kuhmist stinken?! Da hast du dich aber schwer getäuscht! Du bist für mich nur ein Sklave, genau wie alle anderen!“ Pauls Gefühle wurden aufs Schwerste verletzt und ließen ihn seine Angst komplett vergessen. Furchtlos sah er in ihr warziges Gesicht und als er zu ihr sprach, bebte seine Stimme vor Beleidigung und Schmerz. „Wieso bist du nur so eingebildet, he? Wer hat dir das Recht gegeben, mit Menschen so umzugehen?! Schau dich selbst im Spiegel an – du bist nicht die Queen!“ Bei diesen Worten begann sich das hässliche Monster vor Wut aufzublähen, bis es beinah platzte. Es stieß ein schrilles Kreischen aus, schnappte nach etwas hinter seinem Rücken und hielt es Paul vors Gesicht. Beim genauen Hinsehen erkannte er, dass es ein kleiner Labradorwelpe war, der hilflos in ihren Klauen zappelte. „Guck mal, was ich mit dir gleich mach!“, schrie die Kreatur blutrünstig und voller Hass und riss ihr breites Krötenmaul ganz weit auf. Ehe Paul sich versah, steckte sie sich den Kopf des Welpen in den Mund und biss ihn ab. Sie schmatze laut, die Schädelknochen des Welpen knisterten auf ihren gelben, mit stinkendem Schleim bedeckten Zähnen, dann schluckte sie und leckte sich mit einer langen, gespaltenen Zunge die mit Blut und Gehirnmasse verschmierten Lippen ab. Heißes Blut schoss aus der klaffenden Halswunde des Welpen direkt in Pauls Gesicht. Er schirmte es mit den Händen ab, rieb sich das klebrige Blut aus den Augen und fragte sich, ob er irgendwann in der Lage wäre, das gerade Gesehene zu verarbeiten. Die Kreatur warf den leblosen Körper auf Paul, er prallte gegen seine Brust und fiel zu seinen Füßen. Angewidert und geschockt wich Paul zurück und betrachtete aus großen Augen, wie der arme kopflose Körper auf seinen neuen Turnschuhen zuckte. Das Blut färbte seinen schwarzen Pelz rotbraun und ließ ihn glänzen wie geschmolzene Schokolade. Die weißen Lederteile von Pauls Schuhen wurden im Handumdrehen vom hellen Blut des Hundes durchtränkt. Paul spürte, wie ihm ein dicker Rülpser, voll ranzigem Bratwurstgeschmack, direkt aus seinem

Magen die Kehle hochstieg. Er ließ ihn raus und zog seine Füße von unter dem Kadaver weg, als ein kleines Mädchen mit brennenden Zöpfen plötzlich neben ihm auftauchte. Es streckte seinen Zeigefinger aus und bohrte ihn in den aufgeblähten Krötenbauch. Der Bauch platzte mit einem lauten Knall und runde Pralinen flogen wie kleine Bomben aus ihm heraus. Diese Geschosse trafen Pauls Gesicht, das er mit hocherhobenen Armen zu schützen versuchte. Beim Aufprall verwandelten sie sich in glühende Kohlen, die Löcher in seine Haut brannten und seine Kleider in Brand steckten. Während er sich in eine Fackel verwandelte und sich die Lunge aus dem Leib schrie, beobachtete das kleine Mädchen ihn mit einem ernsthaften Blick. „Denkst du, das hier ist die Hölle?“, fragte sie den heulenden Paul mit einer klaren, hohen Stimme. „Da liegst du aber falsch. Das hier ist die Hölle!“ Sie packte ihn an der Hand und die beiden fielen in ein Loch zwischen den Steinen, das sich plötzlich im Boden unter ihren Füßen öffnete. Als seine Schuhe wieder festen Boden berührten, sah sich Paul rasch um. Seine Kleider loderten nicht mehr und der unerträgliche Schmerz auf seiner Haut war auch weg. Er war allein und befand sich in einem riesigen Gebäude mit unendlich langen Korridoren. An beiden Seiten befanden sich unzählige Türen, die alle gleich aussahen. Er versuchte sie zu öffnen und stellte erstaunt fest, dass sie gar nicht echt, sondern nur naturgetreu auf die beige gefärbten Wände gemalt worden waren. Er fand es heraus, als er an einem der Türgriffe fassen wollte und nichts als raue Wandfläche unter den Fingern spürte. Überrascht und bestürzt zugleich lief er immer schneller auf der Suche nach einer echten Tür und schon bald rannte er mit voller Geschwindigkeit an all den falschen Türen vorbei und der Wind pfiff laut in seinen Ohren. Sobald er den Ausgang in der weiten Ferne vermutete, entstanden am Horizont, wie von Zauberhand gemalt, immer neue Türen auf beiden Seiten des Korridors und der Korridor selbst nahm kein Ende.

Seine Lungen begannen zu brennen und er bekam unerträgliches Seitenstechen, aber die Entschlossenheit, dem Albtraum

zu entkommen, ließ ihn nicht innehalten. „Renne ich etwa im Kreis?", fragte er die unsichtbaren Kräfte um sich herum, die ihm diesen üblen Streich spielten, obwohl er genau wusste, dass ihm diese Frage niemand beantworten würde. Völlig erschöpft stützte er sich schließlich auf eine der Türen und stellte dabei fest, dass sich ihre Konturen und ihr Griff echt anfühlten. Unendlich erleichtert über seine Entdeckung öffnete Paul sie und trat in einen großen, luftigen und von der Sonne erleuchteten Raum. Er bemerkte die Volleyballkörbe an der Wand, sah die Trampolins an den Ecken und die dicken Seile von der hohen Decke hängen. „Eine Turnhalle!", verstand er und lief zur gegenüberliegenden Wand mit vielen Fenstern, die sich leider direkt unter der Decke in einer unerreichbaren Höhe befanden. Unterwegs stolperte er über etwas Weiches und blieb stehen. Paul sah nach unten und stellte fest, dass er in eine Art Spielkasten gelaufen war, wo viele bunte Schwammwürfel durcheinander lagen. Beim Anblick dieser Würfel bewegte sich etwas in der Tiefe seines Gedächtnisses. Eine längst verdrängte Erinnerung, die sich wie ein dünner Faden aus der dunklen Tiefe nach oben zog und jedes Mal seinem Griff entglitt, wenn er sie rauszuziehen versuchte. Paul bückte sich zu Boden, nahm einen Würfel in die Hand und hielt ihn sich vors Gesicht. Der poröse dunkelviolette Würfel begann in seinen Fingern ganz plötzlich rot zu glühen, und Paul warf ihn weit von sich, in die Mitte des Würfelhaufens. Dort leuchtete er immer stärker, sein Glühen übertrug sich auf die anderen Würfel und bald wurde der ganze Raum von blendendem Licht erfüllt, sodass Pauls Augen nichts anderes als Licht wahrnehmen konnten. Das Licht verschlang alle Umrisse der Gegenstände um Paul herum und er tastete sich blind durch die Würfelgrube, auf der Suche nach festem Boden unter seinen Füßen. Unerklärlicherweise begann die Luft um ihn herum zu vibrieren, es entstand eine Art Vakuum, das seine Atmung enorm erschwerte. Er rief verzweifelt in den Raum hinein, aber seine Stimme wurde vom leuchtenden Nichts verschluckt. Mit dem Licht trat eine ungeheure Hitze auf und es ertönte ein lautes Knistern. Eine schreckliche Vorahnung machte sich in ihm breit – er war wieder von einem Flammenmeer umgeben! Paul drehte sich um und sah deutlich die Türe vor sich, durch die er vor wenigen Augenblicken den Raum betreten hatte – ein dunkles Viereck mit klaren Umrissen auf einem leuchtendorangen Hintergrund. Paul rannte auf sie zu, aber sie entfernte sich mit derselben Geschwindigkeit von ihm, sodass er keinen Zentimeter näher ans rettende Ziel kommen konnte. Das Feuer leckte an seinen Kleidern und seine Haare begannen zu rauchen. Die geschmolzenen Würfel unter seinen Füßen verwandelten sich in kochenden Teer und bald befand er sich in einem Lavasee. Paul bekam seine Füße nicht mehr raus und blieb mitten in diesem blubbernden Sumpf stecken. Er spürte, wie sich in ihm Gleichgültigkeit seinem Schicksal gegenüber breit machte und er schloss resigniert seine vor Hitze ausgetrockneten Augen. Er würde der tödlichen Flammenfalle niemals entkommen können, diesmal nicht!

Und schon wieder war es eine Berührung, die ihm aus der Feuerfalle zurück ins Leben half! Zwei weiche und warme Hände zogen ihm sorgenvoll eine Decke über den Rücken und die Schultern. Paul öffnete einen Spalt weit sein linkes Auge und erkannte in der Dunkelheit des Wohnzimmers die Silhouette seiner Großmutter, die über ihn gebeugt stand. Er selbst lag auf Großmutters Sofa und sie deckte ihn liebevoll mit ihrer grauen Wolldecke zu. Die vertraute Dunkelheit und die angenehm kühle Luft des Wohnzimmers fühlten sich unbeschreiblich schön an, im Vergleich zu der Flammenhölle, der Paul gerade entkommen war. Er schloss dankbar wieder sein Auge und fiel in einen tiefen, traumlosen und durchaus erholsamen Schlaf.

Tag fünf.
Der mysteriöse Anruf

Der nächste Schultag wurde für Paul zu einem richtigen Glückstag. Er eilte zur Schule, als wären ihm Flügel gewachsen. Das fiese Unwetter, das draußen immer noch tobte, konnte seiner strahlend guten Laune gar nichts anhaben. Der Grund für diese Freude war natürlich die bevorstehende Gartenparty bei Diana. Die Tatsache, dass unter solchen Wetterbedingungen keine Gartenparty in Frage kam, beunruhigte Paul keineswegs. Im Gegenteil, er freute sich sogar darüber, dass Dianas Eltern die Party bestimmt in die Innenräume verlagern würden, was ihm erlauben würde, Dianas Wohnung von innen zu sehen, vielleicht sogar ihr Zimmer! Bei diesem Gedanken wurde ihm ganz heiß und er rieb sich verlegen die glühenden Wangen, die nicht mal der kalte Regenschauer abkühlen konnte.

Während der ersten Schulstunde stellte er fest, dass Ilon heute tatsächlich fehlte. Diese Beobachtung löste bei ihm diesmal kein Bedauern aus, da seine Freude an heutigem Abend viel zu groß war und es für schlechte Gedanken in seinem Kopf schlichtweg keinen Platz mehr gab. All seine Visionen und die nächtlichen Ängste rückten angesichts seiner freudigen Erwartungen weit in den Hintergrund und kamen ihm albern und kindisch vor. In der Tiefe seines Herzens tobte ein echter Gefühlssturm und das beeinträchtigte seine Konzentration enorm. Paul nahm seine Umgebung kaum noch wahr und sein Blick war stets an Dianas blonde Mähne gefesselt, die auf ihrer Stuhllehne im hellen Lampenlicht glänzte. Wenn er nur einen Bruchteil des Feuers, das in seiner Seele tobte, mit Hilfe seiner Augen zum Ausdruck bringen könnte, hätte er ihre Haare längst in Brand gesteckt! Diana spürte natürlich, wie jedes andere Mädchen auch, seine erhöhte Aufmerksamkeit und erwiderte seine flammenden Blicke mit einem vielversprechenden Lächeln und Augenzwinkern. Dieser intensive Blickaustausch zwischen ihnen sprach

Bände und entging selbstverständlich auch Joel nicht, der Paul von seinem Platz aus heimlich beobachtete. Er imitierte Liebeskummer, indem er sich an die Herzgegend fasste und seine tiefsitzenden Wolfsaugen verdrehte. Dann prustete er in die Armbeuge seines Gipsarmes, während sein Kumpel sich neben ihm in einem stummen Lachanfall krümmte. Einmal flog ein zusammengeknülltes Stück Papier von Joels Tisch zu Paul rüber und traf ihn mitten an der Stirn, worüber sich die beiden Kumpanen scheinbar sehr freuten. Genervt über diese Schikane, faltete Paul ihn auseinander und las: „Wann ist die Loserhochzeit?" Mit einem erzürnten Blick zeigte Paul den beiden Witzbolden seine geballte Faust und flüsterte dabei zu Joels größtem Vergnügen ein ziemlich schmutziges Fluchwort.

„Wie sieht es bei dir am Wochenende aus?", fragte ihn Claudio in der großen Pause mit wenig Hoffnung in der Stimme, als sie nebeneinander den Klassenraum verließen. Die geistige Abwesenheit seines Kumpels machte ihm zu schaffen und er fragte sich insgeheim, ob seine Bemühungen, sich mit Paul für eine außerschulische Aktivität zu verabreden, überhaupt noch einen Sinn hatten. „Fußballspielen können wir vergessen – das Wetter ist kacke. Wie wäre es mit dem Schwimmbad?" „Warum nicht?", kehrte Paul von den rosaroten Wolken zur Realität zurück. „Eine prima Idee! Ich bin dabei." „Aha, wie letztes Mal?", erinnerte Claudio ihn skeptisch. „Nö, diesmal sicher! Ich rufe dich an. Du weißt schon – die Klassenalarmliste." Paul setzte ein breites Grinsen auf und klatschte seinem Freund, der ihn grimmig anstarrte, versöhnlich auf die Schulter. Er konnte Claudios Misstrauen voll und ganz nachvollziehen. Er hasste es nämlich selbst, wenn Leute ihre Versprechen nicht hielten. Er würde seinen Freund nie wieder versetzen, schwor er in seinem Inneren, außerdem liebte er Wasser und war schon längst neugierig, wie es sich wohl anfühlte, unter einem Dach zu schwimmen, statt unter dem freien Himmel.

Paul schwebte nach wie vor auf Wolke Sieben, als er die Stufen zu seiner Wohnung hochstieg. Mit Schwung öffnete er seine

Wohnungstür und hörte zu seiner großen Freude den vielversprechenden Klang von Pfannen in der Küche und das Plätschern von Wasser in der Spüle. Seine Großmutter war endlich aufgestanden und kochte etwas Leckeres zum Abendessen! Pauls Nase nahm die himmlischsten Düfte wahr: Es roch nach geschmortem Hühnchen in einem Gemüseeintopf! Paul verschluckte sich an seinem eigenen Speichel und eilte hustend in die Küche. Er realisierte zu spät, dass ihm das Regenwasser von der Jacke auf die Holzböden tropfte, was Großmutter nicht unbedingt gutheißen würde. Aber sie machte ihm heute keinen Vorwurf deswegen, ganz im Gegenteil – sie umarmte ihren durchnässten Enkel ganz fest und nahm seinen dicken Kuss schüchtern entgegen, den er ihr aus seiner großen Begeisterung heraus auf die weiche Backe gab. „Hi, Oma! Geht's dir wieder gut?", grüßte er sie fröhlich und hob den Pfannendeckel hoch. „Wow, Hühnchen!", rief er begeistert, ließ den schweren Deckel zurück auf den Gusseisentopf fallen und pustete auf seine verbannten Finger. Großmutter lachte und trocknete seinen klatschnassen Kopf mit ihrer Schürze. „Ich kann doch mein Paulchen nicht schon wieder das Abendessen allein kochen lassen! Heute feiern wir deine erste gelungene Schulwoche mit einem richtigen Festmahl!", sagte sie feierlich und zog die dicken Küchenhandschuhe an, um den fertiggebackenen Apfelkuchen aus dem Ofen zu holen. Paul dachte an seinen vermasselten Biologietest und kratzte sich verlegen am Kopf. „Eh, Oma", begann er vorsichtig, „da ist so eine Sache ..." Er spürte die Hitze auf seinem Gesicht und senkte beschämt die Augen. „Ich bin heute zu einer Geburtstagsparty eingeladen, bei einem Freund." Er hasste es, seine Großmutter belügen zu müssen, er hatte dabei immer das Gefühl, sie würde jede seiner Lügen durchschauen. Paul drehte den Kopf weg, damit sie seine knallroten Wangen nicht bemerkte – gerade rechtzeitig, da sie das Blech mit dem Kuchen auf der Tischplatte stehen ließ und ihn überrascht anstarrte. „Gerade heute?", fragte sie mit einer leichten Enttäuschung in der Stimme, die sie nicht unterdrücken konnte. „Ja, in einer Stunde", bestätigte er. „Aber ich bin nicht lange weg! Ich esse dort auch nicht viel, also können wir heute Abend doch noch zusammen feiern!", fügte er schnell hinzu und schaute seiner Großmutter mit einem flehenden Hundeblick in die Augen, sodass ihr nichts anderes übrigblieb, als zuzusagen. Natürlich hoffte er, dass die Party möglichst lang dauern würde, aber dann, falls er sich doch verspäten sollte, würde es sowieso schuld von jemand anderem sein. „Ist gut", sagte Großmutter mit einem Seufzer und drehte sich mit einer dicken, geschälten Zwiebel in der Hand zum Schneidbrett um. „Ich weiß es noch von mir selbst, wenn man von einer Feier wieder nach Hause kommt, hat man immer einen Wahnsinnshunger!" Sie wischte sich mit dem Zipfel ihrer Schürze die trennenden Augen und warf die zerhackte Zwiebel in den Topf. Beim Aroma knurrte Pauls Magen laut. „Und ist es völlig Wurst, wie viel man dort gegessen hat?", fragte er sie grinsend zum Scherz. „Du hast es durchschaut!", lobte sie und grinste zurück. Die beiden schauten sich kurz an und lachten wie auf Kommando ausgelassen. „Nimmst du wenigstens ein Glas Milch?", fragte Großmutter, als sie fertig waren. „Dein Magenknurren verscheucht noch alle Gäste!" „Nee, danke", schüttelte Paul den Kopf, „will mir den Appetit nicht verderben." Sein Blick fiel auf die Küchenuhr. „O Mann, es ist schon fast Viertel vor fünf!", rief er besorgt. „Ich muss um halb sechs dort sein!" Er hatte wirklich jeden Grund zur Sorge, da er nicht die geringste Ahnung hatte, wie weit entfernt Dianas Haus von seinem lag. Womöglich musste er Bus fahren! „Zieh deine Winterjacke an. Es kommt nämlich ein richtiger Sturm! In der Wetterprognose wurde heute darüber berichtet", warnte ihn Großmutter. „Deine Wintersachen liegen immer noch im Bündel hinter meinem Sessel. Es tut mir leid, ich bin noch nicht dazu gekommen, sie auszupacken", entschuldigte sie sich. „Soll ich vielleicht die Winterjacke für dich suchen?", fragte sie hilfsbereit. „Keine Sorge, ich finde sie schon", winkte Paul gestresst ab. Er eilte ins Bad, um sich noch schnell frisch zu machen. Dort kühlte er sein pochendes Gesicht und seine von Zwiebeldämpfen gereizten Augen mit kaltem Wasser ab. Als er in den Spiegel blickte, sah er als Zeichen der höchsten Aufregung rote Flecken über seinen

Wangenknochen und als Krönung einen verräterischen Glanz in seinen Augen. „Hör sofort damit auf, du Esel!“, schimpfte er mit seinem Spiegelbild und glättete mit den Händen seine vom Regenwasser noch feuchten Haare, die ihm nach Großmutters Behandlung in alle Richtungen standen.

Paul rannte aus dem Bad und platzte in sein Zimmer, um sich frische Klamotten anzuziehen. Aber sobald er die Schwelle zu seinem Zimmer überschritten und die zwei ersten Schritte geschafft hatte, blieb er abrupt stehen und torkelte rückwärts, als hätte ihm jemand von hinten auf die Kniekehlen gehauen. So dunkel und bedrohlich hatte er sein Zimmer noch nie erlebt! In letzter Zeit hielt sich Paul fast nie in seinem Zimmer auf, abgesehen von den kurzen Augenblicken, wenn er sich umzog oder irgendwelche Bücher vom Wandregal holte. Aber so eine befremdliche und feindselige Stimmung hatte er in seinem Zimmer noch nie zuvor gespürt! Mit allen Fasern seines Körpers vernahm er eine gewaltige Spannung, die in der abgestandenen Luft des Zimmers lag, eine Art starkes Magnetfeld. Die Luft um ihn vibrierte förmlich und schien sich so verdichtet zu haben, dass ihm das Atmen schwerfiel. Sein Trommelfell wurde nach innen gedrückt, es sauste und summte in seinen Ohren und seine Schädeldecke schien zu platzen. Sein Bauch zog sich tief ein und die Haut spannte sich über seine Rippen, als litt er an Hungersnot. Genauso musste sich ein Astronaut fühlen, der ohne Skaphander einen fremden Planeten mit einer höheren Masse als die der Erde betrat. Auch die Zeit schien hier anders zu laufen, da ihm seine eigenen Bewegungen viel zu langsam vor kamen, als bewege er sich in Zeitlupe. Paul fühlte sich hier schrecklich unwohl, seine vom Luftdruck zusammengequetschte Lunge bekam kaum noch Luft und das Unheil, das sich überall in seinem Zimmer breit gemacht hatte, machte ihm richtig Angst. Die Schranktür war wie angeleimt und wollte sich erst gar nicht öffnen lassen. Paul musste mit beiden Händen an dem Griff ziehen, dann ging sie doch ruckartig auf wie ein Katapult, und warf ihn auf sein Bett zurück, in dem er wie in einem Sumpf versank. Die dicke Matratze saugte ihn ein und die Decke wickelte sich um seine bleischweren Beine. Paul kämpfte sich aus dem geleeartigen Bettüberzug raus, der an seinen Kleidern zog, und ging in die Knie, um die Pralinenschachtel von unter dem Bett zu holen. Seine ausgestreckte Hand schaffte es durch die verdichteten Luftmassen bis zur Schachtel hindurch und er spürte schon die glatte Folie unter seinen Fingern, als hinter seiner angelehnten Zimmertür das Telefon zu läuten anfing. Das alte Telefon im Flur, bei dem der Hörer auf altmodische Art noch an einer Schnur hing und das die ganze Zeit über still gewesen war, läutete jetzt so schrill, dass Paul sich, trotz fast geschlossener Tür, die Ohren zuhielt. „Paul, wo bist du?", hörte er Großmutter aus der Küche rufen. Die dicke Zimmerluft übertrug ihre Stimme verändert, als käme sie aus einem Stimmenverzehrer. „Nimm ab, mein Junge, ich schaffe es nicht rechtzeitig!" Paul ließ die Pralinenschachtel dort, wo sie war, und versuchte aufzustehen, aber die enorme Schwerkraft ließ es einfach nicht zu, weshalb er auf allen Vieren aus dem Zimmer herauskroch. Als er im Nebenzimmer angelangt wart, stockte ihm erst mal der Atem, da die Luft wie aus einer Luftpumpe in seine komprimierten Lungen zurück strömte. Er atmete ein paar Mal tief durch und versuchte danach seinen Atem anzuhalten, um sein vom Sauerstoffmangel wild rasendes Herz ein wenig zu beruhigen, und ging dann zu dem kleinen Wandregal im Flur, auf dem das Telefon wütete. Paul nahm den vibrierenden Hörer ab und hielt ihn vorsichtig ans Ohr. „Hallo?", rief er zögernd in den Hörer rein und zuckte erschrocken zusammen, als er vom lauten Rauschen und Knistern beinah betäubt wurde.

Er entfernte vorsichtshalber den Hörer ein Stück weit vom Ohr und rief erneut: „Hallo! Ist da jemand?" „Paul, bist du es?", hörte er eine bekannte Stimme aus der weiten Ferne rufen. Die Verbindung war so schlecht, dass Paul bezweifelte, überhaupt irgendetwas gehört zu haben. Aber dann sprach die Stimme an anderem Ende der Leitung deutlicher. „Paul, du musst mir helfen! Mir geht's so wahnsinnig schlecht!" Trotz der Störungen in

der Leitung konnte er die Verzweiflung der zu ihm sprechenden Person deutlich spüren. Die Stimme gehörte eindeutig Ilon und sie befand sich, so wie sie sich gerade anhörte, in großer Not. „Was ist los?“, wisperte Paul in den Hörer, den er mit seiner stark schwitzenden Hand fest hielt. Angst und eine schlimme Vorahnung schnürten ihm buchstäblich die Kehle zu. „Ich habe einen sehr schlimmen Anfall gehabt“, sprach Ilon benommen ins Telefon. „Ich glaube, ich sterbe, Paul ...“ „So ein Blödsinn!“, rief er laut und versuchte seine Stimme verärgert klingen zu lassen, obwohl ihm ein kalter Schauder den Rücken hinunter lief. „Hör lieber mit dem Mist auf und denk an den Mathetest!“, schimpfte er ins Telefon, aber sie schien ihn gar nicht gehört zu haben und fuhr einfach fort, wie auf einem Audioband. „Es ist meine Stiefmutter, Paul! Sie war es von Anfang an. Sie will einfach, dass ich sterbe ... Du musst mir helfen, komm schnell! Wenn du nicht sofort kommst, bin ich für immer weg!“ Paul war wie vor den Kopf gestoßen. Sie schien es mit ihrer Drohung todernst zu meinen. War ihre verrückte Stiefmutter tatsächlich so weit gegangen, dass sie Ilon umbringen wollte? Dann dämmerte ihm, dass er ihre Adresse gar nicht kannte. „Wo wohnst du?“, schrie er in den Hörer, ohne die kleinste Hoffnung, von ihr überhaupt gehört zu werden. „Falkenstraße 2“, hauchte sie kaum hörbar, dann erstarb ihre Stimme und die Verbindung brach endgültig ab. Paul stand eine Zeit lang mit dem Telefonhörer am Ohr und versuchte seine wild herumwirbelnden Gedanken zu sortieren. Vor seinem geistigen Auge erschien Ilons Stiefmutter, die in ihren langen, schwarzen Klosterkleidern und mit einem Messer in der Hand in einer dunklen Ecke von Ilons Zimmer auf sie lauerte. Ein blutrünstiges Lächeln umspielte ihre feuchten, bläulichen Lippen und entblößte ihre spitzen Vampirzähne. Er schüttelte den Kopf, um diese absurden Gedanken loszuwerden. „Höchstwahrscheinlich sind es nur Ilons übliche Spinnereien“, beruhigte er sich selbst, aber die Angst um sie hatte sich bereits tief in sein Hirn gebohrt, wie der Giftzahn einer Schlange. Ratlosigkeit machte sich in ihm breit. „Was soll ich nur tun?“, überlegte er verzweifelt und schaute bestürzt auf die Wanduhr, die nun siebzehn Uhr fünf zeigte. Wenn er noch rechtzeitig auf Dianas Party erscheinen wollte, sollte er sich beeilen. „Ich gehe morgen bei Ilon vorbei“, dachte er und seufzte erleichtert, froh darüber, die richtige Entscheidung getroffen zu haben. Paul nahm den Hörer vom Ohr und wollte ihn zurück auf den Telefonkorpus legen, als der sich plötzlich ganz weich anfühlte, als wäre er aus einem schmelzenden Stück Marzipan. Paul knallte den armen Hörer auf seinen Platz zurück, noch bevor er die Hitze spüren konnte, die von ihm ausging. Er konnte sich das Ganze nur mit einem Kurzschluss erklären, obwohl er wusste, dass das genauso absurd war wie alles andere auch, was sich in der letzten Zeit um ihn herum abspielte. Seine Großmutter streckte ihren Kopf aus der Küche. „Wer war das?“, wollte sie wissen. „Das war Claudio, mein Freund“, log Paul wie gedruckt. „Er wollte mir noch mal seine Adresse geben, damit ich mich nicht verlaufe.“ Diese Aussage befriedigte ihre Neugierde, sie verschwand wieder aus dem Türrahmen und eine Sekunde später hörte Paul erneut das Geklimper der Pfannen und Löffel. Er machte einen Schritt Richtung seines Zimmers, als er plötzlich Ilons verzweifeltes Koalagesicht vor seinem inneren Auge sah. „Lass mich nicht im Stich!“, flehten ihn ihre dunklen, nah beeinandersitzenden Augen hinter den dicken Brillengläsern an. Er stellte sich vor, wie sie sich voller Panik in ihrem Zimmer verkroch, dort in einer Ecke in die Hocke ging und ihren Kopf mit beiden Händen zudeckte, ohne zu wissen, dass ihre Stiefmutter mit dem Messer in hocherhobener Hand bereits hinter ihr stand. Dieses lebhafte Bild veränderte alles: Jetzt wusste Paul genau, was zu tun war. Er würde schnell zu Ilons Haus gehen, um sich zu vergewissern, dass mit ihr alles in Ordnung war, und erst dann zu Dianas Party starten. Und falls er sich dabei um einige Minuten verspäten sollte, hatte er eine Ausrede parat: Er sei neu in der Stadt und darum brauchte länger, um die richtige Adresse zu finden. Die Party ganz zu verpassen, bedeutete für ihn natürlich eine absolute Katastrophe, die er sich selbst und an erster Stelle Ilon nie verzeihen würde. Widerwillig und mit einem extrem mulmigen Gefühl im Bauch öffnete er die Tür zu seinem

Zimmer und bereitete sich innerlich darauf vor, sich erneut einem mühsamen Kampf gegen übernatürliche Mächte zu stellen. Kein Wunder, dass er unvorstellbar überrascht und genauso erleichtert war, als er völlig unerwartet einen hellen und fröhlichen Raum betrat. Alles um ihn herum war wie von heiterem Sonnenschein durchzogen, obwohl von draußen Graupeln gegen die Fensterscheiben hämmerten. Die ganze negative Energie, die in der Luft knisterte, und das schreckliche Unheil, das sich in den finsteren Winkeln des Zimmers zusammenbraute, waren spurlos verschwunden. Alle Gegenstände, die vor Kurzem noch wie tödliche Waffen aussahen, waren ihm jetzt gut gesinnt und schienen ihn anzulächeln, zum Beispiel seine Bettdecke, die sich noch fünf Minuten zuvor wie ein Oktopus an seinen Beinen festklammerte und sich jetzt völlig unschuldig wie eine schnurrende Katze auf dem Fußende des Bettes zusammenrollte. Paul hatte weder Zeit noch Nerven, sich mit dieser plötzlichen Änderung auseinanderzusetzen. Sein Verstand registrierte sie beiläufig, während er auf die offene Kleiderschranktür zusteuerte. Er schnappte sich das brandneue Jeanshemd, das das Blau seiner Augen so gut zum Vorschein brachte, betrachtete es kritisch und zog es schließlich an. Erst jetzt bekam er hautnah zu spüren, wie angenehm und einladend die Atmosphäre in seinem Zimmer geworden war. Endlich war er das Gefühl los, in den eigenen vier Wänden auf Schritt und Tritt verfolgt und kontrolliert zu werden, und genoss es mit jeder Faser seines Körpers, obwohl ihm eigentlich klar war, dass diese Idylle höchstwahrscheinlich nicht lange anhalten würde. Er atmete tief ein und seine Lungen dehnten sich weit aus. „Wie schön!", dachte er, wobei sich zu seiner Erleichterung eine Prise Bedauern mischte, und schloss die schwere Schranktür. „Warum kann es nicht immer so bleiben?" Seine Finger ruhten für ein paar Sekunden auf der glatten, kalten Holzfläche und er glaubte von hinter der Tür einen tiefen Seufzer vernommen zu haben. War das ebenfalls ein Seufzer der Erleichterung oder eher der tiefen Traurigkeit? Wer weiß ... Paul zumindest wusste es nicht.

Die misslungene Rettungsaktion

Die Zeit drängte, Paul verließ nicht ohne Bedauern sein plötzlich so gemütlich gewordenes Zimmer und lief in den Flur. Er konnte seine Wintersachen nicht mehr suchen, dafür war es viel zu spät, weshalb er widerwillig in seine eklige, mit Regenwasser vollgesogene Jacke schlüpfte. Als sie sich fest an seinen Körper schmiegte und sein schönes neues Hemd durchnässte, verzog er angewidert das Gesicht. Zum Schluss schnappte er sich Großmutters alten schwarzen Regenschirm, rief Richtung Küche ein lautes „Tschüss!" und rannte nach draußen. Erst im Treppenhaus erinnerte er sich an die Pralinenschachtel, die vergessen unter seinem Bett lag. „Kein Wunder, mit all dem Mist!", rechtfertigte er seine Vergesslichkeit und meinte damit natürlich Ilons Aufdringlichkeit, die ihn dazu zwang, ihre Probleme zu seinen eigenen zu machen. Er hielt kurz inne und überlegte, ob er umkehren sollte, um die Schachtel zu holen, dann lief er weiter. „Nicht schlimm!", klopfte er sich gedanklich selbst auf die Schulter. „Die schenkst du ihr ein anderes Mal." In diesem Moment bezweifelte er keine Sekunde, dass es ein anderes Mal geben würde. Zum Glück hatte er sein Quietschespielzeug dabei, das er seit dem Kauf in seiner Jackentasche aufbewahrte. Er stürzte Hals über Kopf in das tosende Unwetter und bekam sofort seine ganze Ungunst zu spüren. Der wütende Wind riss an seinem alten, billigen Regenschirm, stülpte ihn im Handumdrehen von innen nach außen und machte ihn dadurch komplett unbrauchbar. Paul betrachtete verbittert die langen Spieße, die aus dem kaputten Schirm gefährlich in sein Gesicht ragten, und stopfte das unnütze Ding unter die Bank, mit der Absicht, es später zu entsorgen. Er lehnte sich gegen den eiskalten Wind, der ihn die Augen zu ihrem Schutz zusammenkneifen ließ, und bewegte sich Richtung Hauptstraße. Seine ohnehin feuchten Klamotten wurden durch den Schneeregen erneut durchnässt und fühlten sich eiskalt an. Schon nach ein paar Minuten zitterte er unter seiner leichten Herbstjacke wie ein Alkoholkranker auf Entzug und seine Zähne klapperten vor Kälte. Er versuchte vergeblich, das Zittern zu unterdrücken und hatte ernsthaft Sorgen, er würde nach dem heutigen Abend krank werden und den Rest des Wochenendes im Bett verbringen müssen. Am allermeisten beschäftigte ihn sein Versprechen, sich mit Claudio im Schwimmbad zu treffen, das er durch seine eventuelle Erkrankung wieder nicht anhalten könnte. Das wäre dann endgültig das Ende ihrer Freundschaft und das könnte Paul unmöglich einfach so hinnehmen. Er müsste, egal wie es ihm in den nächsten zwei Tagen erging, sein Versprechen halten, selbst mit vierzig Grad Fieber.

Paul lief die Hauptstraße entlang, links und rechts von ihm eilten zahlreiche Passanten nach Hause, die sich fluchend, genau wie er auch, durch den stürmischen Wind kämpften. „Wo soll diese verdammte Falkenstraße liegen?“, überlegte er krampfhaft und erinnerte sich an Ilons Bemerkung an seinem ersten Schultag, als sie zusammen mit Großmutter zu ihm nach Hause unterwegs waren. Damals, als alle drei den kleinen Kleiderladen an der Hauptstraße besuchten, deutete Ilon unmittelbar Richtung Seitenstraße hinter dem Laden und behauptete fröhlich, ihr Haus wäre ganz in der Nähe. Darum bog er, sobald er an der Ecke des Ladens, in dem sich bei dem Wetter fast keine Besucher aufhielten, ankam, in die besagte Seitenstraße ab und atmete erleichtert auf, als er das Wort „Falkenstraße“ an dem blauen Straßenschild las, das an der Seitenmauer des Kleiderladens angebracht war. Die Straße war sehr kurz und bestand nur aus acht Häusern – vier auf der einen Seite und vier auf der gegenüberliegenden Seite. Paul erreichte die Nummer 2 in wenigen Sekunden, suchte bei den Briefkästen nach dem richtigen Nachnamen und flog die Treppe hoch in den vierten Stock. Noch unterwegs hörte er die lauten Stimmen aus Ilons Wohnung ins Treppenhaus dringen. Es hörte sich eindeutig nach Streit an, wobei der Einzige, der wirklich laut war, Ilon selbst war. Ihre Gegenpartei klang eher versöhnlich und beruhigend, und vor allem viel leiser. Für Paul, der vor der verschlossenen Eingangstür stand und angestrengt dem Gespräch in der Wohnung lauschte, klang sie wie ein monotones Brummen, aus dem man unmöglich einzelne Worte heraushören konnte. „Verpiss dich!“, winselte Ilon hysterisch. „Lass mich endlich mal in Ruhe!“ Und wieder das Summen einer höheren weiblichen Stimme, die sehr geduldig und sanft auf die rumkreischende Ilon einredete. Paul wurde stutzig. Das hier hörte sich ganz und gar nicht nach einer mörderischen Auseinandersetzung an, eher nach einem der üblichen hysterischen Anfälle, für die Ilon berühmt war. Aber dann donnerten schnelle Schritte – jemand rannte schnell durch die Wohnung – und als Krönung des Ganzen ertönte ein so lauter Knall, dass Paul vor Schreck erstarrte. Die Wohnungstür vor ihm erbebte stark und der Türkranz, ein Geflecht aus Tannenästen mit einem bunten Glasvogel in der Mitte, schaukelte nach diesem Beben wie wild hin und her. Irgendwo in der Tiefe des Hauses klopfte jemand genervt an die Wand und eine männliche Stimme rief: „Ruh-e!“ Bestimmt ein Nachbar, der sich von Ilons letztem Ausraster gestört fühlte. Hinter Pauls Rücken öffnete sich mit einem lautem „Klack!“ eine Haustür und ein runder Kopf, voller blauer Haarwickler und mit einem muffigen Gesichtsausdruck, streckte sich aus der Nachbarswohnung ins Treppenhaus. Der empörte Blick der Frau streifte Paul und wanderte weiter zu Ilons Tür. „Schon wieder Krach bei diesen Wahnsinnigen!“, meckerte sie mit einer äußerst unangenehmen, schrillen Stimme. „Wann hört's endlich auf? Die ganze Familie gehört in der Klapse eingesperrt!“ Nach dieser Schimpftirade zog sich der Kopf in die Wohnung zurück und die Tür fiel ins Schloss. Paul blieb eine Zeit lang vor Ilons verschlossener Tür stehen und lauschte weiterhin aufmerksam den Geräuschen aus der Wohnung, aber nach dem Knall blieb dort alles wie ausgestorben. Das Regenwasser, das von seinen Kleidern runtertropfte, bildete nasse, dunkle Flecken auf den hellen Stellen des Granitbodens. Er war völlig verunsichert und trat unschlüssig von einem Bein auf das andere. Was sollte er nur tun? Anklopfen und sich wie ein Idiot rechtfertigen müssen, wieso er überhaupt aufgetaucht war, oder einfach leise verschwinden und seelenruhig zu Dianas Party fahren? Wenn er sich sofort auf den Weg machte, hätte er noch eine gute Chance dort ohne Verspätung aufzutauchen. Er war verdammt nahe dran, einen Rückzieher zu machen, dennoch plagten ihn die Zweifel. Was, wenn der Knall von Ilons leblosem Körper stammte, der gegen ein Möbelstück geprallt war? Während seine innere Stimme ihn dazu überredete, umgehend zu verschwinden, streckte sich sein Arm unfreiwillig in die Höhe und seine Fingerknöchel schlugen vorsichtig gegen die hellfarbene Türfläche. Genau dreimal klopfte er an, so zögerlich, dass er es selbst kaum hörte, aber prompt ertönten schnelle, leichte Schritte aus der Wohnung und die Tür ging schwungvoll und weit auf. „Richard?", rief die Frau voller Hoffnung und erstarrte stumm, als sie den nassen Paul an ihrer Schwelle sah. Zu erstem Mal stand Paul Ilons Stiefmutter gegenüber und blickte direkt in ihr überraschtes Gesicht. Ihm war klar, dass sie jemand anderes erwartete, vermutlich ihren Ehemann, Ilons Vater, und er reimte in seinem Kopf eilig die Worte einer Begrüßung und eines Vorwandes zusammen. Das Gesicht der Frau nahm einen freundlich-fragenden Ausdruck an, sie neigte ihren hübschen Kopf zur Seite und wartete mit einem höflichen Lächeln auf seine Ankündigung. Paul war bereit sie zu liefern und öffnete bereits den Mund, aber dazu kam es nicht, da die Nettigkeit in ihrem Gesicht urplötzlich verschwand und einem unsäglichen Schrecken aus wich. Ihre hellblauen Augen mit riesig gewordenen schwarzen Pupillen weiteten sich bis zum Anschlag und die blass gewordenen Lippen öffneten sich für einen stummen Schrei. Ihre an der Türklinke ruhende Hand verkrampfte völlig, sodass die Fingerknöchel weiß wurden. Ihr Gesicht und ihre Pose waren die Verkörperung des Entsetzens, als blickte sie in einen Höllenabgrund, und Paul spürte, wie sich seine Nackenhaare vor Schreck aufstellten. Er verstand nicht, warum sein Anblick bei der Frau so eine bizarre und völlig unerklärliche Reaktion auslöste, und drehte sich sogar um, um nachzusehen, ob sich etwas Schreckliches hinter seinem Rücken befand. Unter diesem angstvollen Blick, der auf seinem Gesicht haftete, fühlte er sich sofort kränklich und schlapp. Paul kam sich wie ein Alien oder Luzifer höchstpersönlich vor und kalter, klebriger Schweiß lief ihm aus seinen Achselhöhlen auf sein neues blaues Jeanshemd runter. Es war höchste Zeit, das unerträgliche Schweigen zu brechen, und er startete den ersten Versuch. „Hallo, ich bin Paul", brachte er heraus. Seine trockene und wie Schmirgelpapier raue Zunge raspelte an seinem Gaumen und selbst seine eigene Stimme kam ihm befremdlich vor. Er schluckte geräuschvoll und verzog das Gesicht, weil seine Kehle sich wund und angeschwollen anfühlte. Die Frau im Türrahmen reagierte nicht auf seine Begrüßung und stand nach wie vor wie versteinert da. „Ich gehe mit Ilon auf dieselbe Klasse", fuhr Paul fort, „und weil sie heute gefehlt hat, habe ich ihr die Hausaufgaben vorbeigebracht." Sobald diese Worte aus seinem Mund kamen, bereute er sofort, sie ausgesprochen zu haben. Einen noch dümmeren Vorwand konnte man kaum ausdenken – selbst ein Idiot würde sofort merken, dass er weder eine Schultasche noch irgendwelche Unterlagen bei sich trug. Zum Glück hörte ihm die Frau gar nicht zu – ihr erschreckend leerer Blick war an Pauls Gesicht gefesselt. Paul überwand seine Angst und streckte ihr die Hand entgegen, um seine guten Absichten zu verdeutlichen. „Ich heiße Paul, ich bin Ilons Schulkollege", stellte er sich erneut vor, „dürfte ich bitte Ilon sprechen?" Pauls Armbewegung löste bei der Frau eine makabre Reaktion aus: Sie wich von seiner nach ihr ausgestreckten Hand zurück, als wäre es ein Skorpionstachel, der auf sie gerichtet war. Aus ihrem halboffenen Mund kam ein Gurgeln heraus, das Paul als: „Bleib weg von mir!" interpretierte. Das ganze Blut wich aus ihrem Gesicht, sie wurde blass wie eine völlig ausgeblutete Leiche. Sie lief mit einem starren Blick rückwärts, weg von Paul, und stolperte über ihren Sohn, der gähnend aus einem Nebenzimmer rauskam. Die Frau fiel zu Boden und riss dabei den Jungen mit sich. Ihr langes Kleid wurde beim Fall hochgeschoben und ihre schlanken, mit unzähligen hellen Narben bedeckten Beine kamen zum Vorschein. Diese Narben schlängelten sich über ihre Oberschenkel wie Blindschleichen, die unter ihrer zarten Haut hausten. Sie drehte sich zum vor Schreck schluchzenden Kind um und breitete ihre Arme über ihm aus, wie eine verwundete Vogelmutter, die aus letzter Kraft ihr Junges schützte. Das Kind begann lauthals zu heulen und schaute dabei Paul, der ratlos im Türrahmen stand, aus seinen pechschwarzen Augen vorwurfsvoll an. Das verstörende Benehmen der Frau machte Paul sprachlos und er ließ seine letzten Zweifel über ihre geistige Gesundheit endgültig fallen. Ilon hatte Recht – ihre Stiefmutter war mit Sicherheit schwer gestört und unberechenbar, aber in Pauls Augen sah sie trotzdem nicht wie eine Mörderin aus. Zumindest sah es nicht danach aus, als würde sie jemandem ernsthaften Schaden zufügen wollen, außer vielleicht sich selbst. Und schon gar nicht Ilon, die mindestens so stark wie ihre Stiefmutter war und mit Sicherheit wusste, wie man sich gegen jegliche Art von Gewalt wehrt. Er beobachtete, wie die Frau versuchte, sich mit ihrem Sohn ins Nebenzimmer zu verkriechen, als Ilons Stimme aus der Tiefe der Wohnung ertönte. „Wer ist da?“, rief sie durch die Tür ihres abgeschlossenen Zimmers. „Vati, bist du es?!“ Beim Klang ihrer Stimme sprang die Frau plötzlich vom Boden hoch und rannte zur Wohnungstür. Paul bekam den Schrecken seines Lebens, als er diese Wahnsinnige auf sich zugerannt kommen sah. Vorsichtshalber wich er ins Treppenhaus zurück. Lag er falsch bei seinen Vermutungen? War Ilons verrückte Stiefmutter tatsächlich in der Lage, ihn umzubringen? Er starrte völlig verstört in ihr verzerrtes Gesicht, das direkt vor ihm im Türrahmen auftauchte, und sah entsetzt zu, wie das blonde Haar der Frau plötzlich zur Seite rutschte und lautlos zu Boden fiel.

So etwas Makabres hatte er in seinem ganzen Leben noch nie gesehen! Mit einem verzweifelten Jammern beugte sich die Frau hinunter, um ihre Haare aufzuheben, und Paul sah zu seinem Entsetzen, dass ihre runde, glattpolierte Glatze ebenfalls voller Narben war. Ihr goldener Haarschopf war in Wirklichkeit nichts anderes als eine Perücke! Noch bevor Paul diese Information verdauen konnte, knallte sie mit voller Wucht die Wohnungstür vor seiner Nase zu, sodass die Schlagwelle das Treppenhaus erneut erzitterte. Durch die Wucht des Aufpralls verabschiedete sich der

Türkranz endgültig von seinem Haken und krachte zu Boden. Der kleine Glasvogel zerschellte auf den Granitplatten in tausend kleine Splitter, sein runder Kopf rollte über die Fliesen und blieb direkt vor Pauls Füßen liegen. Er glotzte Paul mit seinem schwarzen Auge sarkastisch an, als fragte er: „Und was machst du jetzt?“ Paul starrte ihn eine Zeit lang gedankenlos an und holte in seiner Erinnerung all die verstörenden Bilder ab, deren Zeuge er gerade geworden war. Als er allmählich zu sich kam, spürte er nichts anderes als Ärger und verpasste dem Vogelkopf einen so herzhaften Tritt, dass er wie ein Geschoss an der Wand aufprallte und in zwei ungleichgroße Teile zersprang. „Gibt es denn keine Ruhe in diesem verfluchten Haus?!“, heulte der Mann in der Nachbarswohnung auf und schlug mehrmals an die Wand zwischen seiner und Ilons Wohnung. Paul löste den Blick vom Vogelkopf und lief die Stufen hinunter. Seine Gelenke schmerzten bei jeder Bewegung und vor seinen Augen zuckten helle Blitze – die ersten Anzeichen von Fieber. Er fühlte sich dermaßen schlapp und angeschlagen, dass das Feiern bei egal welcher Party für ihn gar nicht mehr in Frage kam. Die starken Kopfschmerzen nahmen seine Stirn und seine Schläfen in die Zange und sein angestauter Ärger suchte vergeblich nach einem Ventil. An allem, was schiefgelaufen war, gab er nur Ilon Schuld – die ganze Sache war einzig und allein auf ihrem Mist gewachsen! Wegen ihr wurde er krank, würde seine morgige Verabredung mit Claudio und heute sein erstes Privattreffen mit Diana fallen lassen müssen! Beim Gedanken an sie bekam er so starken Liebeskummer, dass ihm die Luft wegblieb und sein armes Herz wie von einem Messerstich schmerzte. Er sah Diana lebhaft vor seinem geistigen Auge, wie sie immer wieder ungeduldig auf ihre Armbanduhr starrte, frustriert ihren hübschen Kopf schüttelte und schließlich ein fröhliches Lächeln aufsetzte und sich ihren Partygästen widmete. Womöglich flirtet sie sogar mit einem von ihnen! Bei diesem Gedanken griff er an seine zugeschnürte Kehle und zerrte erbost an seinem Kragen herum. In diesem Moment bereute er es, Ilon in ihrer Wohnung nicht getroffen zu haben, um ihr die Meinung zu geigen.

Abschied von Ilon

Paul verließ das Haus, das ihm so einen schlechten Empfang bereitet hatte, und lief eilig in den Regen hinein. Die starken Schauer hatten gerade nachgelassen, dafür nieselte es eiskalt. Am Anfang war Paul froh über diese winterlichen Wetterverhältnisse, weil sie die Hitze vertrieben, die ihn von innen auffraß, aber dann bekam er Schüttelfrost. Sein ganzer Körper bebte unaufhaltsam, seine Zähne klapperten gegeneinander und dieses scheußliche Geräusch erinnerte ihn an das Warnsignal einer Klapperschlange aus einer der Fernsehsendungen über die Wildnis, die er ab und zu gerne schaute. Sein einziger Wunsch war, so schnell wie möglich nach Hause zu kommen, ein heißes Bad zu nehmen und sich mit seinem Indianerbuch im Bett zu verkriechen. Er näherte sich gerade dem Zebrastreifen, als sich plötzlich jemand links bei ihm einhackte. Es kam so unerwartet, dass er, wie von einem Stromstoß erfasst, heftig zusammenzuckte. Paul drehte den Kopf zur Seite und sah Ilon neben sich laufen, die sich richtig bemühte, mit ihm Schritt zu halten. Ihr offenes Haar war tropfnass, der Regen hinterließ dunkle Flecken auf ihrer hellen Jacke und floss ihr die Brillengläser hinunter. Paul wunderte sich, wie sie überhaupt noch etwas sehen konnte. Schweigend überquerten sie die Straße und liefen in die Richtung von Pauls Haus. Paul verlangsamte seine Schritte, da er davon ausging, dass sie mit ihm reden wollte, wollte aber selbst um jeden Preis verhindern, dass die Aussprache bei ihm zu Hause stattfand. Es fiel ihm schwer, sich zurückzuhalten und sie nicht sofort mit seinen Vorwürfen zu überhäufen, da er sie zuerst reden lassen wollte. Darum schwieg er grimmig und wartete gespannt auf die Erklärung, die sie ihm seiner Meinung nach dringend schuldete. Aber er wartete vergeblich, da Ilon anscheinend überhaupt nicht vorhatte, sich mit ihm auszusprechen. Sie lief still neben ihm, wirkte in sich gekehrt und ihre kleinen,dunklen Augen hinter den dicken

Brillengläsern starrten nachdenklich auf den nassen Gehweg vor ihren Füßen. Langsam wurde Paul ungeduldig und kam zum Schluss, dass er ihr genügend Zeit zum Nachdenken gegeben hatte. Er befreite ruckartig seinen Arm aus ihrem Griff, drehte sich zu ihr um und blieb mitten auf dem Bürgersteig stehen. Die wenigen Passanten, die sich bei dem Unwetter noch draussen aufhielten, machten schimpfend einen weiten Bogen um sie. Unter Pauls forderndem Blick brach Ilon ihr Schweigen. „Danke, dass du vorbeigekommen bist", sagte sie leise und lächelte ihn schüchtern an. „Es war nett von dir, nach mir zu sehen." Paul glaubte seinen Ohren nicht. War das wirklich alles? Nach allem, was er durchgemacht hatte, war sie ihm eine verdammt gute Erklärung schuldig! „Es war nett von dir, bla bla, bla bla bla!", äffte er Ilon nach. „Was laberst du da für einen Müll?" Empört über seinen schroffen Ton, machte sie einen Schritt zurück und schaute ihn aus beleidigten Augen an. „Was ist los?", wisperte sie. „Warum bist du so gemein?" „Was los ist, fragst du?", fuhr Paul sie an. „Ich lasse alles stehen und liegen und renne wie ein Idiot zu dir nach Hause, um dich vor dem sicheren Tod zu bewahren, und was finde ich vor? Du kreischst wie von Hunden gebissen, dann verpisst du dich auf dein Zimmer und eine bekloppte Tante knallt mir die Tür vor der Fresse zu – das ist los!" Während er redete, schaukelten sich seine Emotionen immer höher. Er verspürte kein Unwohlsein und keine Kopfschmerzen mehr, nichts außer blanker Wut. Ilon, die sich zu Unrecht von ihm angegriffen fühlte, drehte ihren Kopf weg und zog ihre Brille aus – eine Übersprungshandlung. Ihr nasses Haar, das an ihrem Rücken festklebte, bat Paul einen Anblick auf ihre kleine, zartrosa Ohrmuschel. Ein Regentropfen hing an der Spitze ihres Ohrläppchens wie ein Diamantenohrring. Sie putzte ihre Brille mit einem Taschentuch und machte keine Anstalten sich verbal gegen ihn zu wehren. Paul betrachtete ihr Profil und wunderte sich darüber, dass ihm erst jetzt auffiel, wie lang und dicht ihre Wimpern waren. „Die sieht gar nicht so übel aus, wenn sie sich wie ein normaler Mensch verhält", dachte er und kühlte sich langsam ab. Ilon setzte ihre Brille auf ihren Platz zurück und schaute Paul aus tieftraurigen Augen an. „Ich habe nicht die geringste Ahnung, wovon du sprichst“, sagte sie überraschend ruhig. „Was du nicht sagst!“, schnauzte Paul sie an. „Du willst mir im Ernst sagen, ich habe mich selber angerufen und mir Märchen über deinen nahen Tod erzählt?“ Bei dieser Aussage weiteten sich ihre Pupillen und sie öffnete den Mund, um jede Schuld vor sich zu weisen, aber dann gab sie auf und begann leise zu schluchzen. Paul war zu sauer, um sich von ihren Tränen erweichen zu lassen. „Ist das bei euch glatzköpfigen Sektenmitgliedern so üblich, eh? Dass ihr den Leuten einen Haufen Müll auftischt und, sobald sie ihn geschluckt haben, sitzen sie schon in der Tinte fest? Ist das eure Lieblingsmethode – unschuldigen Menschen eine Gehirnwäsche zu verpassen?“ Ilon begann Regung zu zeigen. Ihre ohnehin breiten Nasenflügel weiteten sich noch mehr, wie bei einem Kleinkind, das zum Losheulen bereit war. Paul sah in ihre mit Tränen gefüllten Augen, die ihn gekränkt und hilflos anschauten, und spürte, wie die Reste seiner Wut sich in kalter Luft auflösten. Ilon entfuhr ein lauter Schluchzer und dicke Tränen, reichlich verdünnt mit Regenwasser, kullerten ihr die Wangen herunter. „Das hat mir gerade noch gefehlt!“, seufzte Paul und berührte versöhnlich mit den Fingern seiner rechten Hand ihren zitternden Arm, um sie zu beruhigen. „Eh, lass das lieber!“, bat er sie. Sie hob die Schulter und zog ihren Arm weg. „Mann, bist du heiß! Wie ein Pizzaofen! Wie schaffst du das nur, bei der Kälte?“, fragte sie ihn verwundert zwischen zwei Schluchzern. Er sah ihren ehrlich überraschten Blick und konnte ein schwaches Lächeln nicht verkneifen. Er stellte sich Ilon ebenfalls mit einer Glatze vor und sein Lächeln wurde zu einem breiten Grinsen. Ilon lächelte trotz Tränen vorsichtig zurück, froh darüber, dass seine miese Laune vorüber war. Paul wischte sein Grinsen weg und zog die Augenbrauen zusammen, um seinen Ärger besser zum Ausdruck zu bringen. Sie sollte bloss nicht denken, seine Missgunst wäre nur vorgespielt! „Was grinst du, he?“, fragte er Ilon streng. „Ist dir eigentlich klar, dass ich wegen deiner Spinnerei eine wichtige Verabredung verpasst habe?“ Ilon senkte ihren Blick und presste die Lippen ihres kleinen Mundes fest zusammen. Dann legte sie den Kopf schief und betrachtete Paul mit einem nachdenklichen Blick, als überlegte sie, ob es sich lohnen würde, ihm ein wichtiges Geheimnis zu verraten. „Du denkst also, sie wartet wirklich auf dich?", fragte sie ihn provokativ. Bei diesen Worten horchte Paul auf. „Was meinst du genau?", fragte er sie mit einer plötzlich brüchigen Stimme. „Du weißt genau, was ich meine", fuhr sie fort. „Diana, natürlich! Sie hat dich belogen – es gibt nämlich keine Party bei ihr zu Hause!" Paul verschlug es die Sprache. Woher wusste sie von der Party? Sie war doch nicht mal da, als Diana ihn eingeladen hatte! „Sie hat sich die ganze Geschichte mit der Party nur ausgedacht, um an dich ranzukommen!" „Du redest Bockmist!", nahm Paul seine Angebetete in Schutz. „Woher willst du das wissen?" „Ich habe ihr Gespräch mit Karin belauscht, auf Mädchentoilette", erklärte sie. Paul schluckte schwer und senkte beschämt seinen Blick zum Boden, wo kleine Rinnsale um seine Schuhe herum den Bürgersteig hinunterflossen. Ilon redete erbarmungslos weiter, wobei jedes Wort Paul mitten ins Herz traf wie eine Pistolenkugel. „Sie haben eine Wette abgeschlossen, dass sie dich bis Anfang nächster Woche geangelt hat. ‚Der Fisch zappelt bereits am Haken!', hat sie gesagt. Und dann haben die beiden gelacht!" Paul war es heiß und kalt zugleich. Am liebsten wollte er Ilon auf den Mond schießen, aber etwas in seinem Inneren verriet ihm, dass das, was sie sagte, möglicherweise der Wahrheit entsprach. Es gab also gar keinen Welpen und keine Feier! Diana hatte ihn reingelegt! Wahrscheinlich hatte sie sein Gespräch mit Claudio belauscht, als er ihm von seinem Wunsch erzählte, einen Welpen zu haben, und hatte diese Information schamlos ausgenützt. Sein Kopfweh kam mit zehnfacher Kraft zurück und er fasste sich an die pochende Stirn. Sein Leiden stand ihm ins Gesicht geschrieben und Ilon, die Zeugin seines seelischen Desasters war, machte einen Schritt auf ihn zu und fasste ihn bemitleidend an seinem Oberarm. „Sei nicht traurig", munterte sie ihn auf, „sie ist nicht mal den Dreck unter deinen Fingernägeln wert. Du kennst sie nicht, sie ist unverfroren und eingebildet! Weißt du noch, wie sie mich Mily genannt hat? Gestern, als sie mich nicht durchlassen wollte?“ Paul, der am Boden zerstört dastand, hatte große Mühe ihr zu folgen. Seine Augenlider waren schwer und fühlten sich angeschwollen an. „Heule noch, du Schwachkopf!“, schimpfte er mit sich selbst. Er rieb sich mit dem Jackenärmel die brennenden Augen und hob sein schmerzverzerrtes Gesicht zu Ilon. Sie hielt es fälschlicherweise für ein Zeichen von Interesse seinerseits und fuhr mit ihrer Geschichte fort. „‚Mily‘ steht für Milhouse“, erklärte sie. „Kennst du die Simpsons?“ Pauls Augen öffneten sich weit und hellten sich ein wenig auf, der verbitterte Ausdruck verschwand aus seinem Gesicht. Trotz seiner Betrübtheit konnte er ein schwaches Lächeln nicht verkneifen. „Du meinst ‚Die Simpsons‘, die Trickserie?“, fragte er Ilon. Sie bestätigte es mit einem Kopfnicken. Pauls schwaches Lächeln ging in ein schiefes Grinsen über. Und ob er die Simsons kannte! Vor seinem Umzug schaute er mehrere Staffeln am Tag! Sie gehörten quasi zu seiner Familie. Er liebte sie alle ausnahmslos und genoss ihren manchmal schrägen, aber immer brillanten Humor. „Und was hat es mit den Simpsons auf sich?“, fragte er sie neugierig. „Diana hat mir letztes Jahr zu Halloween eine blaue Perücke geschenkt und verlangt seitdem die ganze Zeit von mir, dass ich sie trage. Bei jeder kleinsten Gelegenheit erinnert sie mich daran! Dieses dumme Flittchen denkt nicht dran locker zu lassen! Sie meint, ich sehe wie dieser Milhouse von den Simpsons aus.“ Ilon schnaubte verärgert, als Paul zu kichern anfing. „Wieso hast du ein Problem damit?“, wunderte er sich. Er verstand wirklich nicht, wieso sie sich davon gestört fühlte. „Milhouse ist cool“, überzeugte er sie. „Er ist intelligent und gescheit und ein echt guter Freund.“ „Bart ist cool und Milhouse ist eine Lusche!“, klärte Ilon ihn beleidigt auf. „Und, außerdem, ist er ein Kerl!“ Paul sah in ihr lustiges Gesicht mit der dicken Knollennase und den runden Brillengläsern, stellte sich noch eine blaue Perücke obendrauf vor und konnte sein Lachen nicht mehr zurückhalten. Er gluckste ein paar Mal, dann prustete er los. Er beugte sich weit nach vorne und klatschte sich mit den Handflächen auf die Oberschenkel. Ilon, die ihn zuerst mürrisch beobachtete, wurde von seinem Lachanfall angesteckt und kicherte ebenfalls. Sie standen zu zweit auf der leeren Straße unter dem Nieselregen und krümmten sich vor Lachen. Paul spürte, wie all die negativen Gefühle wegfielen und seine Seele fühlte sich wieder leicht und locker an, frei von Kummer und Schmerz. Natürlich blutete seine frische Herzwunde immer noch stark und er wusste genau, dass es in dieser und in vielen darauffolgenden Nächten noch ziemlich wehtun würde, wenn all die Erinnerungen an seine missglückte erste Liebe wieder in ihm hochstiegen. Aber jetzt lachte er seinen Kummer einfach weg und seine angestauten Tränen flossen ihm hemmungslos sein Kinn hinunter. Als dieses Lachen um die Wette vorüber war, wurde Ilon wieder ernst. Paul bemerkte schon lange, dass sie etwas stark bedrückte, wusste aber nicht, was es war. „Und wie war dein Spitzname auf deiner alten Schule?“, fragte sie Paul zur Ablenkung von ihren düsteren Gedanken und sah ihn mit ihrem traurigen Koalablick an. Paul hörte sofort auf zu grinsen und runzelte die Stirn. Er konnte es nicht leiden, an seinen verhassten Spitznamen erinnert zu werden, darum ließ er Ilons Frage unbeantwortet. „Was war das für ein Krach zwischen dir und deiner Stiefmutter, als ich vorbeikam?“, wechselte er das Thema. „Ah, nichts Besonderes“, winkte sie ab. Paul machte ein erstauntes Gesicht. „Wie, nichts Besonderes? Ich habe euch bis nach draußen gehört!“ Ilon kaute nervös an ihrer Unterlippe herum. Sie gab ihm zu verstehen, dass sie mit diesem Thema längst abgeschlossen hatte und nicht mehr darüber reden wollte. „Die Stiefmutter wollte wieder mal in die Kirche, um zu beten, und ich wollte nicht mit“, erzählte sie erzwungen, da ihr klar war, dass er nicht lockerlassen würde. „Morgen ist der Jahrestag des Brandes im Spielzentrum, weißt du? Und da gehen wir zu dieser Zeit immer beten, manchmal sogar stundenlang! Es ist so mühsam, so lange auf der harten Kirchenbank zu hocken! Ich habe ihr gesagt, sie solle lieber selbst gehen und ich passe auf Maxi auf, aber sie wollte mich und Max nicht allein lassen.“ Paul spitzte seine Ohren, wie immer, wenn Ilon auf den Brand zu sprechen kam. „Und aus diesem Grund hast du heute wieder geschwänzt? Ich meine, wegen dieser Brandgeschichte, ja?", fragte er sie übertrieben teilnahmsvoll. Was hätte er bloß nicht getan, um an mehr Informationen zu kommen! Ilons Blick schweifte zu der endlosen Reihe vorbeifahrender Autos, die eine Wasserfontäne aufstoben. „Nein", widerlegte sie seine Annahme, „ich wollte nur nicht die blöden Gesichter derjenigen sehen, die mich immer auslachen." „Eine komische Einstellung!", wunderte sich Paul, dem Ilons ungewöhnliches Verhalten immer suspekter vorkam. Er wollte sie darauf hinweisen, wie brenzlig ihre Lage in der Schule war, und öffnete schon den Mund dafür, aber sie kam ihm vor und sagte mit einer bitteren Entschlossenheit in der Stimme: „Ich weiß, was du mir sagen willst wegen Schwänzen – ist eh egal. Ich bin eigentlich aus einem anderen Grund da. Ich wollte mich nur noch von dir verabschieden." Sie lächelte Paul, der mit offenem Mund erstarrte, mit ihrem traurigen Lächeln an. „Ich habe gestern meinen Vater angerufen", erklärte sie, „und er kommt mich heute Abend abholen. Darum dachte ich, dass er es war, als du angeklopft hast." „Abholen wohin?", fragte Paul, der seine Fähigkeit zum Reden wieder erlangte. „Weit weg von hier, in eine andere Stadt!", sagte sie und Paul konnte trotz der Traurigkeit die Erleichterung in ihrer Stimme spüren. „Hast du ihm endlich alles über deine Stiefmutter erzählt?", fragte er sie ungläubig und versuchte zu verstehen, wieso seine Stimme plötzlich so heiser klang. In seinem Hals steckte von jetzt auf gleich ein dicker Kloß und das lag nicht allein an seiner Erkältung. Schon wieder, innerhalb von kurzer Zeit, musste er sich von einem Menschen verabschieden, der ihm irgendwie wichtig geworden war. Trotz aller ihren Macken war Ilon eine loyale Freundin und, obwohl er sich so oft gewünscht hatte, sie wäre für immer verschwunden, war er selbst davon überrascht, wie schwer es ihm fiel zu akzeptieren, dass er sie möglicherweise nie wieder sehen würde. „Wir fahren zu meiner Oma!", erzählte sie mit einem Leuchten der Hoffnung in ihren dunklen Augen. „Ich habe sie nicht mehr gesehen, seit ich so klein war!" Paul bekam sich allmählich in den Griff und setzte sein selbstsicheres Lächeln wieder auf. „Super!“, begrüßte er ihren Lebenswandel. „Wäre ich du gewesen, hätte ich schon längst meinen Stiefbruder gepackt und mich mit ihm aus dem Staub gemacht! Bloß um nicht bei einer Verrückten leben zu müssen, die mich mit ihrer religiösen Spinnerei immer wieder schikaniert!“ Sie schaute ihn mit einem hellen, dankbaren Blick an. „Zum Teufel mit ihr!“, rief sie mit übertriebenem Enthusiasmus, aber ihre Augen verrieten ihm, dass sie alles andere als fröhlich war. Sie griff in ihre tiefe Jackentasche, die mit etwas Weichem vollgestopft war, und zog ein kleines Päckchen heraus. Sie drückte es Paul in die Hand und steckte prompt ihre frierenden Finger in die Jackentasche zurück. Paul nahm das Päckchen automatisch entgegen, ohne nachzusehen, was drin war. Ilon senkte ihren Blick und schwieg verlegen. Paul verstand – der Moment des Abschieds war gekommen. Sie spürte es auch, aber keiner von ihnen wagte es, als erster die Abschiedsworte auszusprechen. Es war Paul, der das bedrückende Schweigen brach. „Wenn du willst, verrate ich dir meinen Spitznamen“, bot er ihr an, um die trübe Stimmung zwischen ihnen ein wenig zu lockern. Ilon zeigte ihr Interesse, indem sie ihren neugierigen Blick auf sein Gesicht richtete. „Erzähl mal, wie lautet er?“ Paul zog die Augenbrauen zusammen und schwieg kurz. Es fiel ihm nicht leicht, seinen demütigenden Spitznamen auszusprechen, der ihm in seinem Leben so viele Unannehmlichkeiten bereitet hatte. Aber, da Ilon sowieso aus seinem Leben verschwand und darum keine Möglichkeit hätte, sich bei jemandem aus seinem Umkreis zu verplappern, riskierte er es. „Sie nannten mich ‚Kleiner Prinz‘“, murmelte er leise, „wegen meinen langen Haaren, weißt du?“ Selbstverständlich rechnete er damit, dass sie ihn auslachte, so wie er es bei ihrem Spitznamen getan hatte, aber sie nickte nur zustimmend und sagte knapp: „Ich finde, es passt gut zu dir.“ Diese Aussage fand Paul noch schlimmer als Spott. Er wollte Ilon seine Meinung zu ihrer Äußerung sagen, aber dann hupte es laut und die beiden drehten ihre Köpfe Richtung Straße. Paul sah in einiger Entfernung einen großen weißen Personenwagen stehen. Ein dunkelhaariger, leicht übergewichtiger Mann stieg aus und winkte

ihnen energisch zu. „Vati!", schrie Ilon voller Freude und winkte mit beiden Armen zurück. Dann drehte sie sich wieder zu Paul um und drückte mit ihren vor Kälte tauben Fingern kurz seinen Arm. „Lebewohl!", sagte sie einfach und blinzelte eine kleine Träne weg, die sich in ihren dichten Wimpern verirrt hatte. Und dann, völlig unerwartet: „Schade, dass du nicht mein Bruder bist. Ich hätte so gerne einen Bruder wie dich gehabt!" Paul suchte fieberhaft nach für den Abschied passenden Worten, konnte aber dummerweise keine finden und sagte nur: „Du auch Lebewohl! Ruf mich wieder an, wenn du Lust dazu hast." Ilon lächelte zum letzten Mal ihr trauriges Lächeln, drehte sich weg und rannte über die tiefen Pfützen auf den weißen Wagen zu. „Ich habe dich heute nicht angerufen!", rief sie ihm über die Schulter hinweg. „Ich habe dich überhaupt noch nie angerufen!" Paul fiel die Kinnlade runter.

„Was sollte das bitte schön heißen? Wenn Ilon es nicht war, wer war es dann?" Immer noch fassungslos über ihre letzten Worte, beobachtete Paul, wie Ilon beim Wagen ankam und dem dicklichen Mann, der mit ausgebreiteten Armen auf sie wartete, um den Hals fiel. Der Mann umarmte sie mit einem Arm und winkte Paul mit dem anderen zu. Paul winkte zurück, schluckte den zähen Kloß runter, der ihm während dieser Szene wieder die Kehle hochgekommen war, drehte sich weg und ging fort.

Die unverblümte Wahrheit über Pauls Mutter

Paul machte gerade die ersten Schritte Richtung seines Hauses, als sich die Symptome seiner schlimmen Erkältung mit neuer Kraft bei ihm meldeten. Seine angeschwollenen Atemwege schmerzten bei jeder Portion kalter Luft, die er einatmete, und das hohe Fieber vernebelte seine Sicht. In seinem pochenden Kopf reihten sich die Geschehnisse des heutigen Tages grotesk aneinander. Als Erstes dachte er natürlich an Diana und ihre verliebten Blicke, die sie ihm während des gesamten Schultages zugeworfen hatte. So wie sie ihn ansah, konnte es unmöglich sein, dass sie ihn bloß ausnützen wollte. Obwohl er glaubte, mit der ganzen Sache abgeschlossen zu haben, öffnete sich in der Tiefe seines liebeskranken Herzens ein kleines Hintertürchen für sie. „Vielleicht wollte Ilon ihr nur eins auswischen", überlegte er, während er sich, völlig durchnässt und hustend, seinem Haus näherte. „Kein Wunder, so wie Diana sie immer behandelt hat! Ilon wollte sich nur an ihr rächen, darum hat sie ihr dieses fiese Abschiedsgeschenk verpasst." Er tröstete sich mit diesem Gedanken, obwohl sein Verstand ihm unmissverständlich sagte, dass Ilon für solch raffinierte Intrigen nicht abgebrüht genug war, geschweige denn schlau. Wie dem auch sei, beschloss er für sich die Sache mit Diana wenigstens vorübergehend zu beenden und nahm sich vor, allgemein vorsichtiger und weniger naiv im Umgang mit Mädchen zu sein. Als er an einem überfüllten und laut blubbernden Abwasserschacht vorbeilief, zog er Dianas Einladung aus seiner Brusttasche und warf sie in den schäumenden Wasserstrudel. An seinen Fingern haftete immer noch das zarte Aroma ihres Parfums, er hielt sie nah an seine Nase und die eiserne Hand des Kummers schloss sich noch fester um sein armes Herz. Er rieb die Finger an seiner Jeans ab und schleppte sich mühselig weiter. Die Vorstellung, die ganze Nacht in seinem Zimmer verbringen zu müssen, wo die nach Rauch stinkende und schwarzen Ruß verstreuende Kreatur auf ihn lauerte, gab ihm den Rest. Er stellte sie sich mit dem Telefonhörer in der verkohlten Hand vor, wie sie ihn mit Ilons Stimme anrief, und zweifelte daran, dass sie ihn heute Nacht aus Rücksicht auf seine Krankheit verschonen würde. Aber das Geisterkind konnte doch gar nicht sprechen! Oder vielleicht war das diese religiöse Fanatikerin aus dem Park, die ihn angerufen hatte? „Was hat das alles zu bedeuten?“, murmelte er sich entgeistert unter die Nase, als er am Hauseingang ankam. Völlig abgeschlagen stieg er die Stufen zu seiner Wohnung hoch und ging direkt in die warme Küche, wo Großmutter mit einer Teetasse in der Hand die neue Ausgabe ihrer Lieblingszeitung las. Unterwegs warf er das kleine Päckchen, das Ilon ihm in die Hand gedrückt hatte, auf das Wandregal im Flur, neben das verflixte Telefon.

Großmutter konnte ihre Freude nicht verbergen, als sie ihn reinkommen sah, und rief ihm erstaunt zu: „Du bist schon da? Das war vielleicht eine kurze Party!“ Sie freute sich dermaßen darüber, ihren Enkel bei einem aufkommenden Sturm in Sicherheit und in der warmen Stube zu wissen, dass sie ihn gar nicht zurechtwies, obwohl er eine nasse Spur hinter sich herzog. „Die Party wurde abgeblasen“, warf er ihr im Vorbeigehen kurz zu und nahm direkt Kurs auf den bereits gedeckten Tisch. „Wegen des schlechten Wetters“, fügte er ein wenig später hinzu und setzte sich, so nass wie er war, auf seinen Platz. Die unwiderstehlichsten Düfte lockten ihn wie ein Magnet, und, trotz seiner Abgeschlagenheit, verspürte er einen gewaltigen Appetit. Großmutter brachte die dampfenden Teller zum Tisch und Paul widmete seine volle Aufmerksamkeit dem Essen. Sein ganzer Frust und alle Strapazen der letzten Zeit schlugen bei ihm in Hunger um. Er verschlang seinen Teller innerhalb von Sekunden und hielt Ausschau nach dem Nächsten. Er brauchte nichts zu sagen – seine hungrigen Augen sprachen für ihn. Als er, vor dem leeren Teller sitzend, seine Oma fragend ansah, brachte sie ihm schmunzelnd einen neuen prall gefüllten Teller, den er innerhalb kurzer Zeit ebenso leer aß. Großmutter, die mit ihrem Essen kaum angefangen hatte, beobachtete seine Fressattacke mit Verwunderung, äußerte sich aber nicht dazu. Als sie ihm ein großes Stück Apfelkuchen auf einem Dessertteller reichte, berührten sich ihre Finger kurz und das warme Lächeln auf ihrem breiten Gesicht wich Besorgnis aus. Sie streckte ihre füllige Hand nach seinem Kopf aus, wischte ihm die nassen Haare aus der Stirn und presste ihre weiche Handfläche dagegen. „Oh, du kochst förmlich, mein Lieber! Ich wusste doch, dass du dich ohne Winterjacke bestimmt erkälten würdest, und genau so ist es passiert! Wenn du wenigstens einmal im Leben auf deine alte Oma hören würdest, müsstest du nicht das ganze Wochenende im Bett liegen müssen!“ Sie schaute den beschämten Paul vorwurfsvoll an. „Nach dem Essen ab in dein Zimmer und schleunigst unter die Decke!“ Paul stand vom Tisch auf und trug seinen Teller zur Spüle. „Danke, Oma. Das Hühnchen war superlecker!“, bedankte er sich rülpsend für das feine Essen. „Ich würde noch gern ein heißes Bad nehmen, bevor ich ins Bett gehe.“ Großmutter schaute ihn zweifelnd an. „Ich weiß nicht, ob es eine gute Idee ist, mit so einem vollen Bauch in die Badewanne zu steigen. Und auch noch mit Fieber! Was, wenn du einschläfst oder dich übergeben musst?“ „Dann kotze ich die Wanne voll – was ist schon dabei? Außerdem kratzten im heissen Wasser alle Viren ab“, scherzte Paul und begab sich mit seinem runden Bauch ins Bad. Großmutter, die seinen Scherz überhaupt nicht lustig fand, begann kopfschüttelnd die dreckigen Teller abzuwaschen.

Paul lag im dampfenden, nach Tannennadeln duftenden Bad und genoss es mit jeder Zelle seines durchgefrorenen Körpers. Sein Magen war bis zum Platzen voll und seine straffen Muskeln und die schmerzenden Gelenke entspannten sich im wohltuenden Wasser. „Wer war der geheimnisvolle Unbekannte, der mich angerufen hat?“, ging es ihm wieder und wieder durch den Kopf. „Und was wollte er mit seinem Anruf wohl bezwecken?“ Wollte die unbekannte Person, dass er den Abschied von Ilon nicht verpasste? Zu diesem Zeitpunkt ahnte er noch nicht, dass in Wirklichkeit viel mehr dahintersteckte und welche Folgen dieser dubiose Anruf für sein weiteres Leben haben würde. Das

Plätschern des fließenden Wassers wiegte ihn in den Schlaf und das Denken fiel ihm zunehmend schwer. „Was hatte Ilon noch über den Jahrestag des Brandes im Spielzentrum gesagt?", versuchte er mit letzter Kraft seine Gedanken zu sammeln. „Sie sagte, dass es morgen wäre ..." Seine schweren Augenlider fielen ihm zu und das Letzte, was ihm noch durch den Kopf ging, bevor er endgültig einschlief, war, dass Badewannen doch nur halb so schlimm wären, wie er es immer dachte.

Paul donnerte mit seinem neuen, glänzenden Rad den steilen, steinigen Hang zum Fluss hinunter. Er hatte die grünen Wiesen mit ihren vielen Schafen und Kühen und auch die blühenden Rapsfelder gerade hinter sich gelassen, und tauchte in den kühlen Schatten der hohen Bäume, die dicht nebeneinander am Flussufer standen. Der steile Pfad führte direkt zu einem kleinen Steg, wo er und Sandro oft und gerne angelten. Paul spürte, wie seine Badehose sich um seine Pobacken spannte, und freute sich auf das kühle, erfrischende Wasser. Neben seinem

Rad rannte ein ausgewachsener, muskulöser Schäferhund, der sich problemlos dem hohen Tempo seines Rades anpasste. Seine breite hellrosa Zunge hing aus seinem Maul und seine klugen, fast menschlichen Augen waren stets auf Paul gerichtet.

„Ist das meiner?", dachte er im Schlaf und sein Herz machte dabei einen glücklichen Sprung. Er schielte zu dem Hund runter, wobei er den gefährlichen Hang unter seinen Rädern keine Sekunde aus den Augen ließ. Irgendetwas stimmte mit den dunkelbraunen Augen des Hundes nicht, aber Paul, dessen Blick stets auf den Radweg gerichtet war, hatte Mühe herauszufinden, was es war. Aus dem Augenwinkel betrachtete er das hechelnde Hundegesicht aufmerksamer und sah, dass seine Augen von dichten, buschigen Wimpern umsäumt waren, die so gar nicht nach Hundewimpern aussahen! Der Schäfer hatte Ilons Augen, die ihm auf Schritt und Tritt mit ihrem traurigen, treuen Blick folgten! Paul versuchte zu bremsen, aber der steile Hang ließ es nicht zu und er fuhr immer schneller, ohne am langersehnten Flussufer anzukommen, obwohl das schon längst der Fall sein sollte. Das Hecheln des Hundes neben ihm wurde immer lauter und übertonte allmählich alle anderen Geräusche um ihn herum, bis ...

... das schrille Klingeln des alten Telefons im Flur ihn erbarmungslos aus seinem Traum riss. Paul schreckte hoch und das schaumige Badewasser schwappte aus der überfüllten Badewanne auf die glatten, steinernen Bodenfliesen und seine überall zerstreuten Kleider. Die große Wasserpfütze breitete sich blitzschnell aus und erreichte fast die Schwelle der abgeschlossenen Badezimmertür. „O Mann!", rief Paul halblaut und versuchte mit seinem nach unten ausgestreckten Arm die am Fuß der Badewanne liegende Jeanshose zu erreichen, um mit ihr den Boden ein wenig zu trocknen. Dabei lauschte er angestrengt den Geräuschen aus dem Rest der Wohnung, froh darüber, dass er nicht derjenige sein würde, der den Hörer abnehmen musste. Er glaubte nicht, dass der Geist es wagen würde, seine Großmutter zu belästigen, und darum wurde seine Neugier umso größer. Er hörte Großmutter aus der Küche rufen: „Geduld, meine Lieben, einen Moment noch! Ich komme ja schon!“, als ob der Anrufer sie auf eine wundersame Art hören könnte. Paul lauschte ihren am Boden schleifenden Schritten, die ihm unendlich langsam vorkamen, und hoffte insgeheim, dass sie es doch nicht rechtzeitig schaffen würde, wartete aber gleichzeitig angespannt auf das Gespräch. Endlich erreichte sie das Telefon und Paul hörte ein leises „Klack“, als sie den Hörer abnahm. „Hallo, wer ist da?“, sprach sie in den Hörer, woraufhin ein endloses Schweigen folgte, sodass Paul glaubte, das Gespräch wäre beendet, noch bevor es angefangen hatte, und sie hätte längst aufgelegt. „Falscher Alarm! Jemand hat sich verwählt“, dachte er erleichtert und wartete, bis sie in die Küche zurückkehrte, aber dann redete sie plötzlich, und klang ihrer Stimme ließ sein Blut gefrieren, als säße er nicht in einem heißen Bad, sondern in dem Eisloch eines verschneiten Sees. So hatte er seine Großmutter noch nie reden hören! Ihre sonst so weiche, liebliche Stimme klang laut und schroff, sie sprengte förmlich die entspannte Stille der Wohnung. Ihr kalter, feindseliger Ton überraschte ihn dermaßen, dass er nicht sofort in der Lage war, sich auf ihre Worte zu konzentrierten. „Was redest du da?!“, zischte sie hasserfüllt in den Hörer. „Und wieso rufst du uns überhaupt an, nach allen den Jahren? Sag mal, bist du etwa wahnsinnig?!“ Und dann in einem leiseren, aber nicht weniger vernichtenden Ton: „Du wunderst dich noch, dass ich ihn von dir versteckt halte? Wir mussten doch vor dir fliehen, schon vergessen?“ Sie schwieg wieder und Paul hörte, wie am anderen Ende der Leitung eine weibliche Stimme weinerlich und verzweifelt auf sie einredete. Die Frau klang richtig laut, ihre Stimme stieg zu einem hysterischen Kreischen an, aber genau das hinderte Paul daran, von alledem wenigstens ein einziges Wort zu verstehen. Würde die Frau ruhiger und deutlicher reden, hätte er vielleicht mehr Glück gehabt, aber sie war leider total außer Fassung – sie klagte und schluchzte laut und unverständlich. Paul versuchte sich in eine überproportional große Ohrmuschel zu verwandeln, die die kleinsten Vibrationen der Luft aufnahm. Er strengte sich dermaßen an, etwas aus diesem jämmerlichen Schluchzen herauszuhören, dass ihm die Kopfhaut wehtat. „Du hast ihn damals fast umgebracht, du skrupellose Mörderin!“, unterbrach Großmutters hasserfüllte Stimme das endlose Klagen auf dem anderen Ende der Leitung. Pauls Herz hörte für einen kurzen Moment auf zu schlagen. Wen hatte die Frau umbringen wollen, ihn vielleicht? Oder jemand anderen? Sehr leise, beinah atemlos, stieg er aus dem Bad und lief vorsichtig Richtung Tür, mit der Absicht sie einen Spalt weit zu öffnen, rutschte aber prompt auf den nassen Fliesen aus und schlug sich ziemlich schmerzhaft die rechte Schulter am Badewannenrand ein. „Autsch!“, schrie er leise auf und schlug mit dem feuchten, im heißen Bad aufgeweichten Fuß auf die blöde Wanne ein. Dieser Racheakt fügte ihm neuen Schmerz hinzu – diesmal an den Zehen. Fluchend hinkte Paul zur Tür und musste feststellen, dass es zu spät war – Großmutter hatte bereits aufgelegt. Der laute Knall, als sie den Hörer auf das Telefon warf, war nicht zu überhören. Paul lauschte den Geräuschen aus dem Flur und entspannte sich ein wenig, als er Großmutters schleppenden Schritte hörte, die zurück in die Küche führten. Blitzschnell schlüpfte er in ein frisches Pyjama, zog den Stöpsel aus dem Abflussrohr der Badewanne und stürmte aus dem Bad ihr nach. Sein ganzer Körper fühlte sich wie weichgekocht an und die Luft draußen kam ihm angenehm kühl vor. Aber das Bild, das sich seinen Augen bat, sobald er die Küche betrat, sorgte bei ihm erneut für einen Schweißausbruch: Seine Großmutter saß am Tisch, ihr Kopf mit dem grauen zurückgekämmten Haar ruhte auf ihren Armen und ihre Schultern erbebten in einem stummen Tränenanfall. Paul fühlte sich plötzlich total hilflos und todunglücklich, als er seine Oma so bitterlich weinen sah. Sie war fast immer seelisch unerschütterlich und in all den Jahren sah er sie nicht öfter als ein paarmal so stark weinen, abgesehen von den Tagen, an denen sie um ihren verstorbenen Sohn trauerte. Er näherte sich ihr langsam von hinten und berührte mit seinen vor Schreck steifen Fingern ihre weiche, runde Schulter. „Oma, was ist passiert?“, wisperte er, selbst den Tränen nah. Großmutter hörte sofort mit dem Weinen auf, als sie ihn neben sich bemerkte, drehte aber ihr nasses, verweintes Gesicht nicht nach ihm um, sondern starrte nur still vor sich hin. Paul lief um den Tisch herum und sah in ihre hellen, bis zum Rand mit Tränen gefüllten Augen, woraufhin sie ihren Blick auf die Tischplatte senkte und die Lippen fest zusammenpresste. Paul interpretierte ihren Gesichtsausdruck als ein Zeichen der Verschlossenheit. Das bedeutete für Paul nichts Gutes, da er nun endlich wollte, dass sie ihr Schweigen brach. „Oma, was ist los?“, wiederholte er seine Frage, diesmal mit einer festeren Stimme. „Wer hat vorhin angerufen?“ Großmutter blickte ihn aus ihren roten, angeschwollenen Augen streng an und schwieg. Paul setzte sich ihr gegenüber und verschränkte demonstrativ die Arme vor der Brust. Mit dieser Pose machte er ihr unmissverständlich klar: Er würde hier so lange sitzen bleiben, bis er die Antworten auf alle seine Fragen bekam. Seine großen, auf Großmutters Gesicht gerichteten Augen strahlten Entschlossenheit aus. „Jetzt wird sie sich aus der Sache nicht mehr rausreden können!“, freute er sich, als er sie tief seufzen sah – für ihn ein klares Signal der Kapitulation. Großmutter fuhr mit der Hand über ihr glattes, graues Haar und verschob sinnlos den Salzstreuer auf der Tischdecke paarmal hin und her, bevor sie Paul endlich anzusehen wagte. Der Ausdruck in ihren Augen verwirrte ihn – sie wirkten ängstlich und ratlos. Seine tapfere Großmutter, die sich immer schützend vor ihn stellte, fürchtete sich offensichtlich vor etwas! Was könnte es bloß sein? Pauls Neugier wuchs ins Unermessliche, darum war er sehr erleichtert, als sie ihr Schweigen endlich brach und zu reden begann. „Die Frau, die eben angerufen hat, ist deine Mutter, Paul“, fing sie mit ihrer Erklärung an. Paul versteifte innerlich. Großmutter hatte ihn fast nie bei seinem Vornamen genannt, immer nur „Paulchen“ oder „Paschenka“. Es war für ihn ungewöhnlich, sie so ernsthaft zu erleben, aber genau das war sein Ziel! Großmutter selbst staunte nicht schlecht, als er so wenig Regung bei diesen schicksalhaften Worten zeigte. Das bestätigte ihre Befürchtung, dass schon jemand anderes vor ihr ihn darüber aufgeklärt haben musste, und sie wusste sofort, wer es war. Natürlich Charlott, die nicht davon abzubringen war, ihren langen Schnabel in die Angelegenheiten anderer Leute zu stecken! Nicht umsonst hatte sie Paul von dieser Heuchlerin gewarnt! „Tut mir leid, dass ich dich belogen habe, was den Tod deiner Mutter betrifft“, fuhr sie trocken fort, „aber ich konnte nicht anders, glaub mir! Ich habe es nur einzig und allein zu deinem Schutz getan!“ Sie schaute Paul, der zurückgelehnt und mit verschränkten Armen ihr gegenübersaß, mit einem schuldbewussten Blick an. Paul, der nach außen einen sehr lässigen Eindruck machte, war in Wirklichkeit alles andere als gelassen: Sein ganzer Körper war steif wie der einer Statue, seine Nackensehnen fühlten sich wie überspannte Stahldrähte an. „Damals, als dein Vater starb, da verlor sie keine Zeit und wurde sofort wieder schwanger“, sprach sie verbittert weiter. „Du warst noch sehr klein – gerade viereinhalb. Du hättest ihre Liebe in dieser schlimmen Zeit so sehr gebraucht! Dein lieber Papa war weg und die Mama ...“ Ihre Stimme brach ab und sie kämpfte wieder mit den Tränen. Dann riss sie sich zusammen und redete weiter, wobei ihre Stimme immer härter klang und die runden Gesichtszüge wirkten schärfer und kantiger wie in Stein gemeißelt. „Statt sich um ihren kleinen Sohn zu kümmern, verschwand sie immer öfter aus dem Haus. Nur Gott allein weiß, wo sie sich rumtrieb! Sie sagte mir nie was, ließ dich tagelang allein und ging einfach!“ Bei der Erinnerung an diese schwere Zeit und an das untragbare Verhalten ihrer Schwiegertochter, kam sie in Rage und vergaß dabei, dass ihre unbarmherzigen Worte Paul, der nicht mal vierzehn war, hart trafen. Nur mit großer Mühe verbarg er den Schockzustand, den Großmutters Beschuldigungen seine Mutter betreffend in ihm auslösten. Sie redete in einem hochgereizten Ton weiter und ließ ihrem angestauten Ärger freien Lauf. „Einmal, als sie wieder bei uns auftauchte, sah ich sofort, dass sie schwanger war. Und keine drei Monate später kam dein Bruder zur Welt!“ „Das heißt, es ist tatsächlich wahr?!“, schrie Paul laut auf, unglaublich erfreut darüber, dass seine Vermutungen sich nun bestätigten. „Wo ist er jetzt, wo wohnt er?“, wollte er wissen, aber Großmutter tat so, als ob sie seinen herzzerreißenden Ruf gar nicht gehört hätte. „Sie nannte ihn Robin“, erzählte sie ungerührt weiter. „Wie Robin, wieso Robin?“ Paul stand sein unendliches Staunen ins Gesicht geschrieben. Das ganze Gerüst aus den vielen logischen Verknüpfungen und Zusammenhängen, die er in seinem Kopf auf mühsamste Art und Weise zusammengetragen hatte, krachte beim Klang dieses Namens in sich zusammen. „Bist du dir ganz sicher?“, bohrte er mit einem flehenden Blick in seinen großen blauen Augen nach. „Könnte es sein, dass sein Name doch Kay war und du ihn einfach vergessen hast?“ Als Großmutter den Namen „Kay“ aus seinem Mund hörte, erstarrte sie plötzlich wie vom Blitz getroffen. Ihr Gesicht wurde kreidebleich und die Lippen ihres halboffenen Mundes liefen bläulich an. Sie fasste sich an die linke Brustseite und schnappte gierig nach Luft. Beim Anblick ihrer schrecklich geweiteten Augen bekam Paul es selbst allmählich mit der Angst zu tun. Wer war dieser mysteriöse Kay, dessen Name bei den meisten Leuten so eine heftige Reaktion auslöste? „Woher hast du diesen Namen?“, fragte ihn Großmutter mit erstickter Stimme, als sie wieder die Fähigkeit zum Reden erlangte. „Charlott hat mich so genannt“, erinnerte Paul sie und fügte in einem unschuldigen Ton hinzu: „An unserem Umzugstag, weißt du noch?“ Großmutter fiel ein Stein vom Herzen. Sie holte tief Luft und ließ sie mit einem Pfeifen in der Kehle wieder raus. „Nein, Paul!“, sagte sie erleichtert. „Sein Name war Robin. Die alte Charlott hat sich geirrt!“ Paul schüttelte verwirrt mit dem Kopf, wie ein Boxer, der gerade von seinem Gegner einen heftigen Schlag ins Gesicht bekommen hatte. „Und wieso habe ich diesen Namen in meinem Kopf?“, fragte er sie stur. „Ich weiß nichts von einem Kay!“, beharrte Großmutter genervt auf ihrer Aussage. „Ich bin nicht dement, Paul, das weißt du am besten! Warum glaubst du Charlott, die du seit einer knappen Woche kennst mehr als deiner Oma?“ Paul blinzelte verloren. Mit dieser Frage machte sie ihn so gut wie mundtot. Ihm blieb nichts anderes übrig, als ihr schweigend weiter zu folgen. „Wie schon gesagt, sein Name war Robin“, fuhr sie fort, froh darüber, seine lästigen Fragen losgeworden zu sein.

„Das Kind war sehr krank – es hatte einen angeborenen Herzfehler. Das arme Baby, es tat mir vielleicht leid!“ Großmutter wippte mit ihrem grauen Kopf hin und her, aber ihr Mitgefühl wirkte auf Paul nicht echt. „Deine Mutter war mit ihm andauernd im Spital. Kein Wunder, dass sie für dich immer weniger Zeit übrighatte!“ „Und was war mit seinem Vater?“, fragte Paul, dem Großmutters respektlose Art seiner Mutter gegenüber zunehmend auf die Nerven ging und er wollte sie von diesem für ihn sehr schmerzhaften Thema ein wenig ablenken. Aber er erreichte genau das Gegenteil. „Soweit ich weiß, hatte er keinen!“, spuckte sie in einem ekelhaften Ton aus. „Irgendeine zufällige Bekanntschaft!“ Pauls Rücken wurde vor Scham schweißnass und er schnaubte hilflos. Es war so ungerecht von ihr, über seine Mutter so herzuziehen! Vor allem, weil sie gar nicht da war und sich unmöglich selbst gegen ihre Vorwürfe wehren könnte! Paul fühlte sich in der Pflicht, diese heikle Sache für sie zu übernehmen, wusste aber nicht, wie er das anstellen sollte. Großmutters fehlende Einfühlsamkeit machte ihm wirklich schwer zu schaffen. Sah sie denn nicht, wie sehr ihn ihre grausamen Worte leiden ließen? Anscheinend war das nicht der Fall, da sie im gleichen verächtlichen Ton weitersprach. „Deine Mutter kümmerte sich einzig und allein um deinen Bruder und vergaß komplett, dass sie noch einen Sohn hatte, so als würdest du gar nicht mehr existieren! Und trotzdem hörtest du nie auf, Tag und Nacht auf sie zu warten. Jedes Mal, wenn sie bei uns auftauchte, ging für dich die Sonne auf!“ Sie kaute an ihren Lippen herum und der Blick ihrer hellblauen verwaschenen Augen verlor sich in der weiten Ferne, wo sich alle in der Tiefe ihres Gedächtnisses wieder zum Leben erweckten Bilder der Vergangenheit abspielten. „Du ranntest ihr entgegen und fielst ihr um den Hals. Dein ganzes liebliches, kleines Gesichtchen strahlte nur so vor Glück! ‚Mami ist da, Mami ist da!‘, hast du damals geschrien!“ Großmutters Gesichtszüge wurden bei der Erinnerung an diese schöne Szene wieder weicher und ein bittertrauriges Lächeln erschien auf ihren fülligen Lippen. Aber dann verfinsterte sich ihre Miene erneut. „Sie verschwand aber ganz schnell wieder und du verbrachtest deine Tage mit Warten genau hier, an diesem Fenster." Sie deutete mit dem Finger auf das schmale Küchenfenster, durch das man auf den ganzen Fußgängerweg bis zur Hauptstraße blicken konnte. „Wirklich?", hauchte Paul kaum hörbar und betrachtete verwundert das kleine Küchenfenster, ehrlich erstaunt darüber, dass ihm so wichtige Erinnerungen aus seiner Kindheit komplett fehlten, als hätte sie jemand aus seinem Gedächtnis mit einem riesigen Radiergummi gänzlich ausradiert. „Ja!", bestätigte Großmutter barsch. „Genau da saßt du von Morgen bis Abend, statt draußen an der frischen Luft zu spielen, wie alle anderen Kinder in deinem Alter! Mir brach es das Herz, dich so leiden sehen zu müssen. Aber was hätte ich tun sollen? Ich konnte dir doch deine Mutter nicht ersetzen!" Großmutters Stimme zitterte vor Verzweiflung. Sie machte eine kleine Pause, um ihre Nerven ein wenig zu beruhigen. Paul begann langsam zu begreifen, wieso sie auf seine Mutter so schlecht zu sprechen war, konnte aber trotzdem nicht glauben, dass seine eigene Mutter ihn damals nur aus purer Herzlosigkeit so schlecht behandelt haben sollte. Es musste einen Grund dafür geben, wieso sie ihn als Kleinkind so sehr vernachlässigte! „Ich kümmerte mich alle Tage allein um dich", hörte er seine Großmutter weiterreden. „Ich brachte dich in den Kindergarten und ich holte dich wieder ab. Und ich war diejenige, die dich getröstet hat, als du dich in den Schlaf geweint hast." „Haben wir denn nicht alle zusammengewohnt?", überanstrengte Paul sein Gedächtnis. „Du, meine Mutter, Robin und ich?" „Nein", folgte die Antwort. „Kurz nach der Geburt deines Halbbruders zog sie in eine kleinere Wohnung, nicht weit von hier. Dort lebte sie mit ihrem zweiten Sohn." Paul runzelte die Stirn. Konnte es sein, dass seine Oma seinen Halbbruder so sehr nicht leiden konnte, dass sie seinen Namen gar nicht aussprechen mochte, zumindest nicht zu oft? „Und was ist danach passiert?", rüttelte er seine plötzlich stumm gewordene Großmutter wach, die zu tief in ihren Erinnerungen versunken war. „Du hast vorhin gesagt, du musstest mich vor ihr schützen. Wieso das?" Großmutters Augen, die in der Ferne immer weiter nach den verblassten Bildern der vergangenen Zeiten suchten, richteten sich wieder auf Paul. „Eines Tages wollte sie dich für einen Ausflug abholen", sagte sie nach einem tiefen Seufzer. „Du hast dich darauf riesig gefreut! Deine Kleider hast du dir selbst ausgesucht und dich ganz allein angezogen! Du saßt da, am Fenster, fast eine ganze Stunde lang und starrtest wie immer auf die Straße. Sie kam mit Robin bei uns vorbei und nahm dich mit. Sie brachte euch beide zu diesem verfluchten Spielzentrum und, stell dir das nur vor, genau an diesem Tag hat es dort diesen tödlichen Brand gegeben!" Paul erstarrte mit halboffenem Mund und weitaufgerissenen Augen. Das konnte doch nicht wahr sein! Nein, das konnte unmöglich so gewesen sein, wie sie es erzählte! Nie im Leben würde er so etwas wahnsinnig Schreckliches vergessen! Aber dann erinnerte er sich an seine Visionen vom Feuer und begann zu verstehen, woher sie stammen könnten. Er und sein Halbbruder hatten den schlimmsten Brand, den es je in der Stadt gegeben hatte, hautnah erlebt! Diese Vorstellung war so überwältigend, dass Paul in diesem Moment an nichts anderes denken könnte. Aber Großmutters Erzählung war noch nicht zu Ende und er musste sich zusammenreißen, um ihr weiter folgen zu können. „Ich war beinah gestorben vor Sorge, als ich die schwarze Rauchsäule zum Himmel aufsteigen sah!" In Angesicht dieser schrecklichen Erinnerung schlug sie ihre Arme hoch und ihr Blick vernebelte sich vor Angst um ihren Enkel – genau wie damals. „Zu dieser Zeit arbeitete ich noch in der alten Stofffabrik", erzählte sie weiter, „und rannte, wie von Hunden gejagt, nach Hause. Ich habe bis zuletzt gehofft, dich dort gesund und munter vorzufinden, aber du warst noch nicht da! Ich wartete und wartete und rief deine herzlose Mutter pausenlos auf ihrem Haustelefon an. Am späten Abend brachten dich zwei Polizisten endlich nach Hause. Ich habe dich kaum erkannt – du warst vom Kopf bis Fuß mit Ruß bedeckt, schwarz wie ein Mienenarbeiter, und total verstört!" Für Pauls Ohren klang diese Geschichte nach einer Horrorstory. Atemlos lauschte er Großmutters unglaublicher Erzählung. „Von den Polizisten habe ich erfahren, dass dein kleiner Bruder den Brand nicht überlebt hatte. Sein schwaches Herz hatte den ganzen Schrecken einfach nicht verkraftet.“ Paul, der mit dieser grausamen Schlussfolgerung längst gerechnet hatte, schluckte sie fügsam hinunter wie eine gallenbittere Pille. „Und meine Mutter, was war mit ihr?“, fragte er mit zitternder Stimme. „Sie war für sehr lange Zeit verschwunden“, erzählte Großmutter. Sobald die Sprache wieder auf Pauls Mutter kam, klang sie gereizter denn je. Sie schlug mit der flachen Hand auf die Tischplatte, um ihrer Empörung mehr Ausdruck zu verleihen. „Nicht ein einziges Mal hat sie nach dir gefragt! Und dabei wusste sie genau, wie schlecht es dir ging! Kein Wunder, bei dem, was du alles erlebt hast! Schließlich war dein Bruder direkt vor deinen Augen ums Leben gekommen und du selbst hast nur dank deines Schutzengels überlebt!“ Großmutter schielte auf das Foto auf dem Esstisch, auf dem Pauls Vater abgebildet war, und schluckte eine neue Ladung Tränen hinunter. Dabei machte sie eine kurze Pause, die Paul sehr gelegen kam, da er mit seinen ersten schockierenden Eindrücken noch nicht fertig geworden war und selbst verzweifelt mit den Tränen kämpfte. „Du hast damals sogar angefangen zu stottern – so sehr hat dich diese schreckliche Sache mitgenommen. Jede Nacht bist du schreiend aufgewacht und ich nahm dich zu mir ins Bett, damit du wenigstens ein paar Stunden ruhig schlafen konntest. Im Schlaf hast du manchmal von schrecklichen Dingern geredet, aber die meiste Zeit hast du nach deiner Mutter gerufen. Und du bekamst damals eine ungeheure Angst vor Feuer! Ich konnte nicht mal den Herd anmachen, wenn du in der Nähe warst, und wir mussten uns eine Zeit lang von Fertiggerichten ernähren.“ Großmutter rümpfte die Nase und lächelte ihr bitteres Lächeln. „Und sie kam nie wieder zurück?“, flüsterte Paul zerknirscht. „Oh doch! Und ob sie wiederkam!“ Großmutters Blick wurde wieder finster. Ihre Augen funkelten böse und warfen mit Blitzen um sich, als sie über die Wiederkehr ihrer Schwiegertochter sprach. „Das ist es ja! Kaum warst du endlich dein Stottern los, tauchte diese Hexe wieder auf und brachte ein neues Unheil über uns alle! So hatte ich sie noch nie erlebt – von Kopf bis Fuß in langen, schwarzen Kleidern verpackt, wie eine gottverdammte Nonne! Man sagte, sie sei einer Sekte beigetreten, die damals besonders eifrig nach jungen Leuten warb. Manche Menschen redeten von bizarren, gottlosen Ritualen, die Sektenmitglieder bei sich abhielten. Wenn du mich fragst, hatte das Ganze nichts mit Religion zu tun, eher mit schwarzer Magie und Satanismus!" Pauls von Tränen feuchte Augen weiteten sich bei dieser Aussage erneut. Konnte es tatsächlich sein, dass seine Mutter, nachdem sie innerhalb der kürzesten Zeit ihren geliebten Ehemann und ihren kleinen Sohn verloren hatte, aus ihrer Verzweiflung heraus einer Sekte beigetreten war? Oder trug sie die langen Kleider nur, um die Brandmale zu kaschieren, die sie am Tag des Brandes mit Sicherheit bekommen haben musste? Die beiden Erklärungen erschienen ihm gleich plausibel. Er erinnerte sich an die Frau im Park, die religiöse Prospekte verteilte, und an Ilons Stiefmutter, die ebenfalls wie eine Nonne aussah. Waren all diese Leute auch in dieser Sekte? In diesem Moment bereute er es, den Prospekt der Frau im Mülleimer entsorgt zu haben. Wer weiß, vielleicht hätte es dort Hinweise gegeben, die das bizarre Verhalten dieser drei Frauen erklärten? „Sie fragte nach dir und ich habe sie verjagt, da sie nicht ganz bei Trost war. Auf mich machte sie einen labilen Eindruck und ich wollte nicht, dass sie dich erneut einer Gefahr aussetzte. Dann schlich sie sich in deinen Kindergarten ein." „Und was dann?", fragte Paul, der schlussfolgerte, dass ihre Geschichte bald zum Ende kommen würde und dass dieses Ende alles andere als rosig war. „Ich kam dich nach der Arbeit abholen, wie jeden Tag, und die junge, dumme Kindergärtnerin teilte mir mit, dass du von deiner Mutter abgeholt worden warst, obwohl ich sie ausdrücklich gebeten hatte, dich mit ihr nicht gehen zu lassen! Ich habe sie angeschrien! Ich werde nie vergessen, wie ich den ganzen Weg bis zu ihrer Wohnung gerannt bin und vor ihrem Bett zusammenbrach!" Großmutter schlug ihre Hände vors Gesicht und Paul sah, wie eine glänzende Träne, die es zwischen ihre zitternden Finger heraus geschafft hatte, ihr den Handrücken runterfloss. Paul überlegte sich tröstende Worte, wollte Großmutter aber nicht unnötig unterbrechen, da die

Spannung in ihrer Geschichte gerade ihren Höhepunkt erreicht hatte. Er wartete geduldig, während Großmutter ihr Taschentuch aus der Schürze nahm und geräuschvoll ihre laufende Nase säuberte. „Du hast nicht mehr geatmet, als die Ärzte eintrafen. Ihr lagt beide nebeneinander im Sterben, im Bett deiner Mutter. Auf ihrer Brust lag ein Abschiedszettel. Da stand, dass sie nicht mehr leben wolle und dich mit sich in ein besseres Leben mitnehme. Hätte ich damals nur ein paar Minuten mehr Zeit gehabt, hätte ich ihren Wunsch nur zu gern in Erfüllung gebracht und sie eigenhändig erwürgt, aber ich musste dich retten! Meine Hände zogen sich von allein zu ihrer verfluchten Kehle, aber da kam die Ambulanz und die Rettungsärzte zogen mich weg vom Bett. Sie nahmen euch beide mit und reanimierten euch in ihrem Wagen, und ich kniete immer noch in diesem grässlichen Schlafzimmer, nicht mal in der Lage aufzustehen. Nur nach einer Beruhigungsspritze konnte ich mit dem Bus ins Spital fahren, wohin sie dich gebracht hatten. Später wurde mir gesagt, dass du einen Herzstillstand erlitten hättest." Paul war überwältigt über die Anzahl der furchtbaren Geschehnisse, mit denen Großmutters Geschichte vollgespickt war. „Wieso bin ich fast gestorben? Was ist passiert?", wollte er wissen. „Deine sogenannte Mutter hatte dir Schlaftabletten unter das Essen gemischt", folgte die bittere Wahrheit. „Während du im Krankenhaus lagst, bereitete ich alles für unsere Flucht vor. Ich wusste, dass es irgendwann wieder so weit sein würde: Sie würde auftauchen und ihre grausame Sache vollenden. Darum fand ich schnell einen Mieter für unsere Wohnung, packte unsere sieben Sachen und, sobald du entlassen wurdest, flohen wir aufs Land, ins Bauernhaus deiner Großtante." „Großtante Alise?", erinnerte sich Paul. „Ja, genau. Sie ist die Schwester deines verstorbenen Großvaters und lebt längst im Ausland. Ihr Haus hatte sie netterweise uns überlassen." Vor Pauls Augen erschien das dürre, schmale Gesicht seiner Großtante, das er auf einigen der Fotos in Großmutters altem Fotoalbum gesehen hatte. Dort hatte sie genauso einen ernsthaften Blick und buschige Augenbrauen wie sein Großvater. „Auf dem Land hast du dich überraschend schnell erholt", berichtete Großmutter, selbst erleichtert darüber, dass all die schrecklichen Geheimnisse, die sie seit Jahren mit sich trug, nicht mehr auf ihrer Seele lasteten. „Ich rechnete jederzeit damit, dass du mir Fragen über deine Mutter und deinen Bruder stellen würdest, aber du schienst alles Böse vergessen zu haben, so als wäre es nie passiert! Es musste eine Schutzreaktion deines Verstandes gewesen sein, die dich vor den schlimmen Erinnerungen bewahrte. Hätte ich nur die leiseste Vorahnung gehabt, dass sie nach ihrer Entlassung aus der Klinik immer noch in der Stadt lebt und nach dir sucht, wäre ich nie hierhergezogen!" „Und weshalb rechnest du nicht damit, dass sie nach mir sucht?", röchelte Paul, dessen Stimme sich von ihm langsam, aber sicher verabschiedete. „Nach dem missglückten erweiterten Suizid deiner Mutter kam sie für sehr lange Zeit in eine psychiatrische Anstalt. Die Ärzte dort hatten nicht vor, sie frühzeitig zu entlassen, da ihr unberechenbares Verhalten mit einer schweren seelischen Störung in Verbindung stand. So wurde es mir zumindest von unseren gemeinsamen Bekannten erzählt, als ich ab und zu in die Stadt fuhr, um die Miete zu kassieren. Übrigens, sie alle haben sich von ihr abgewandt, nachdem sie dir diese furchtbare Sache angetan hatte. Alle, bis auf eine einzige Person ..." Großmutter machte absichtlich eine vieldeutige Pause und schaute Paul eindringlich an. Sie schien sich sicher zu sein, dass ihm bereits klar war, wen sie damit meinte, aber Paul schaute sie mit seinem unschuldigen Blick ahnungslos an. „Weißt du wirklich nicht, wen ich meine?", hob sie überrascht ihre hellen Augenbrauen. „Na, Charlott, natürlich, wen denn sonst! Die ganze Zeit über hat dieses hinterlistige alte Biest zu deiner Mutter gehalten, selbst nachdem sie dich fast ins Jenseits befördert hatte!" Großmutter warf einen zornigen Blick zur Küchenwand, hinter der sich das Treppenhaus befand. „Ich bin mir absolut sicher, dass sie es war, die deiner Mutter verraten hat, dass du in die Stadt gezogen bist und dass sie ihr auch unsere Telefonnummer gegeben hat! Die hat sie, vermutlich, von meinem Mieter bekommen. Sie will euch beide zusammenführen, das hat sie mir vor ein paar Tagen direkt ins Gesicht gesagt! Was für ein Recht hat diese Dörrpflaume, an dem Schicksal der anderen Leute rumzuschrauben?! Es würde mich nicht wirklich wundern, wenn sie auch eine von diesen Teufelsanbetern ist!" Großmutter erstickte fast an ihrer Empörung. Paul war im echten Sinne des Wortes sprachlos. Was hatte Charlott mit der ganzen Sache zu tun? Er mochte ihre ungehobelte, ehrliche Art und konnte sich niemals vorstellen, dass sie ihm absichtlich schaden wollte, indem sie ihn an seine unberechenbare, geisteskranke Mutter auslieferte. Er stellte sich vor, wie Charlott in ihrer verrauchten Wohnung, wo sie mit ihrem roten Kater völlig zurückgezogen lebte, irgendwelche makabren Rituale durchführte und schüttelte energisch den Kopf. Er wollte versuchen Großmutters Behauptung, Charlott würde einer Sekte angehören, zu widerlegen, aber sie schirmte sich von ihm mit ihrer Handfläche ab und erstickte sein Vorhaben im Keim. „Sag lieber nichts! Ich weiß schon, dass du sie in Schutz nehmen willst. Ich weiß nicht, wie sie es geschafft hat, dich so einzulullen, dass du den Wald vor lauter Bäume nicht mehr siehst! Wenn sie auch nur zum Spaß versuchen sollte, dich mit ihrem unsittlichen Mist anzustecken, dann gnade ihr Gott!" Mit dieser Drohung beendete Großmutter ihre unheilvolle Geschichte, wusch sich die vor Aufregung glühende Stirn mit ihrem karierten Taschentuch ab und fokussierte ihren warmen, sorgenvollen Blick auf Pauls vor Fieber errötetem Gesicht. Zum ersten Mal heute fiel ihr auf, wie unglücklich und gekränkt er aussah. Mit Schrecken nahm sie seine riesigen, mit Tränen gefühlten Augen und seine bebenden Lippen wahr und eilte um den Tisch herum, um ihren kleinen, süßen Enkel in die Arme zu nehmen. „Oh, Paulchen, es tut mir so leid!", rief sie mit später Reue und drückte seinen heißen Kopf gegen ihre raue, nach Kochdämpfen riechende Schürze. Sie befreite seine schweißnasse Stirn von den darauf klebenden Haaren und küsste sie liebevoll. Paul fühlte sich viel zu schwach, um sich gegen ihre stürmischen Zärtlichkeiten zu wehren, obwohl er, nach all den unangenehmen Äußerungen seiner Großmutter gegenüber seiner Mutter, mit ihr eher auf Distanz bleiben wollte. „Was fällt es mir altem Schwachkopf ein, mit einem Kind über solch abscheuliche Dinge zu reden!" Sie knetete Paul mit ihren dicken Plunderarmen und presste seine ohnehin verstopfte Nase so fest gegen ihre Brust, dass er keine Luft mehr bekam. Paul drehte sein Gesicht so weit wie möglich zur Seite und flüsterte laut, um trotz seiner fehlenden Stimme von ihr gehört zu werden: „Ich werde mich von meiner Mutter in Acht nehmen. Du brauchst dir keine Sorgen um mich zu machen: Ich bin kein Baby mehr und kann auf mich selbst aufpassen." Er befreite sich aus ihrer lästigen Umarmung und stand schwankend auf. Schlagartig bewegte sich der Boden unter seinen Füßen nach hinten und er stützte sich auf die Tischplatte, um nicht umzukippen. Sein schweres Essen erinnerte an sich mit einer Übelkeitswelle. „Ich putze das Bad und lege mich ins Bett", krächzte Paul und verließ schwankend die Küche. Großmutters besorgter Blick folgte ihm bis zur Tür, aber sie unternahm nichts, um ihn zurückzuholen.

Die bittere Wahrheit:
Es ist nichts so, wie es scheint

Paul kniete auf dem nassen Badezimmerboden und trocknete mit seinem großen, flauschigen Badetuch die riesige Wasserlache, die sich von einer Wand bis zu der anderen ausgebreitet hatte. Sein Kopf fühlte sich schwer an, als wäre er mit flüssigem Blei gefüllt. Schlimme Gedanken, hervorgerufen durch Großmutters Geschichte, reihten sich aneinander und trugen dazu bei, dass er nebst seinen körperlichen Beschwerden auch noch unter seelischen Schmerzen litt. „Was macht es für einen Sinn, in einer Welt zu leben, wo die Mütter ihre eigenen Kinder tot sehen wollen?“, dachte er deprimiert und schluckte die Bitterkeit herunter, die ihm seine wunde Kehle hochkam. Er dachte an die Mütter seiner Klassenkameraden, die ihre Sprösslinge liebevoll umsorgten, die Kindergeburtstage für sie organisierten und bei jeder schulischen Veranstaltung immer dabei waren. Der schwere Wasserdampf im Bad ließ seine Übelkeit und den Schwindel stärker werden. Paul richtete sich langsam auf und presste das tropfnasse Badetuch mit zusammengebissenen Zähnen aus. Sein benebelter Blick fiel auf den Spiegel der Wandschranktür und ein überraschtes Röcheln kam aus seiner Kehle. Vom Badezimmerspiegel grinste ihn das Strichmännchen an! Eine unsichtbare Hand hatte es auf die beschlagene Spiegelfläche gezeichnet. Ohne zu überlegen, wischte Paul mit seinem Tuch über den Spiegel und ließ das verhasste Grinsen des Männchens verschwinden, aber es erschien wie von Zauberhand wieder. Er starrte das Bild nachdenklich an und der Plan in seinem Kopf, den er sich am Vortag ausgehegt hatte, reifte weiter und bekam nach und nach klare Umrisse. Entschlossen machte er das Wandschränkchen auf und eine ganze Armada von glänzenden Fläschchen auf den Regalen eröffnete sich seinem Blick. Paul nahm eins davon und hielt es vor seinen Augen. Sogar verschlossen roch es schwach nach Baldrian und Paul, der den Geruch nicht ausstehen konnte, wich zurück und hielt sich die Hand vor die

Nase. „Igitt!“, schimpfte er angewidert. „Wie können Katzen so was Ekliges so unwiderstehlich finden?“ Atemlos, um keine weiteren Baldriandämpfe aufzunehmen, schraubte er den Deckel weg und kippte eine gehörige Ladung Tinktur in den Becher, in dem normalerweise seine Zahnbürste stand. Er fand es unnötig, die Tropfen zu zählen, außerdem wusste er sowieso nicht, wie viele es sein sollten, und verließ sich auf seine Intuition, die ihm riet, nicht am Medikament zu sparen, um seine enorme Angst gegenüber dem Geist in den Griff zu bekommen. Paul beschloß, sich den Weg zu seinem Zimmer, wo die Colaflasche versteckt lag, zu sparen und die Tropfen einfach mit Wasser zu verdünnen. Das Wasser im Becher verfärbte sich kackbraun und roch fürchterlich. Der Geruch erinnerte Paul an alte Leute mit seelischen Problemen und schwachen Nerven, und machte es ihm verdammt schwer, die stinkende Brühe reinzuwürgen. Er tat es und sein Magen verkrampfte sich schmerzhaft. Diese Rebellion manifestierte sich in einem deftigen Rülpser, der an ein in Baldriansoße geschmortes Poulet erinnerte. Sein unverdauter Mageninhalt wollte dem Beispiel des Rülpsers folgen und machte sich auch auf den Weg nach oben. Paul kostete es viel Kraft, sich nicht in das Waschbecken unter dem Spiegelschrank zu übergeben. Er atmete tief ein und aus und schluckte den Speichel runter, der sich in seiner Mundhöhle sammelte. Paul stand eine Zeit lang mit zusammengebissenen Zähnen da, traute sich nicht die kleinste Bewegung zu machen, um seinen Magen nicht zusätzlich aufzuwühlen, und schwor sich, nie wieder so viel zu essen. Langsam ging es ihm besser: Sein Magen und seine Seele beruhigten sich wieder und er fühlte sich in der Lage, das Badezimmer zu verlassen. Vielleicht lag es an der Wirkung vom Baldrian, aber all die unwirklichen Sachen, die er eben von seiner Großmutter erfahren hatte, schienen nicht mehr so grausam wie davor und rückten nach und nach in den Hintergrund. Doch bevor er ging, putzte er sich noch mit einer dicken Schicht Zahnpasta die Zähne, um den widerlichen Nachgeschmack in seinem Mund loszuwerden. Danach verließ er das Bad und schleppte sich auf sein Zimmer. Die Schläfrigkeit übermannte ihn, und er befürchtete einzuschlafen und die entscheidende Begegnung mit dem Jungengeist zu verpassen, aber er musste sich dringend hinlegen. Als Paul durch den Flur zu seinem Zimmer lief, sah er unter dem Wandregal das kleine Päckchen am Boden liegen. Es musste sofort, nachdem er es dort abgelegt hatte, runtergefallen sein, sonst hätte es Großmutter längst gefunden. Paul nahm es verkehrt rum hoch und sein Inhalt fiel dabei heraus. Bei erstem Blick erkannte er den Pulli, den Ilon ihm Anfang der Woche geschenkt hatte. Sie hatte sich richtig bemüht, den dreckigen Pullover sauber zu waschen und zu bügeln und hatte dabei nicht an Waschmittel gespart, darum roch das gute Stück wie eine Drogerie. Der penetrante Geruch reizte Pauls geschwollenen Rachen und ließ ihn fast würgen. Vom Geruch angewidert, nahm er den Pulli mit zwei Fingern und warf ihn in den Wäschekorb. Danach öffnete er die Tür zu seinem Zimmer, machte ein paar Schritte im Dunkeln Richtung Schalter und trat prompt auf etwas, das sich wie eine Kugel anfühlte, die mit etwas Weichem und Pluderigen gefüllt war. Die Kugel zerplatzte unter seinem Fuß und seine Socke klebte am Teppich fest. Ahnungslos darüber, was es sein konnte, machte Paul den nächsten Schritt und trat sofort auf eine nächste Kugel, die sich unter seinem anderen Fuß ebenfalls in eine klebrige Masse verwandelte. Fluchend erreichte er den Schalter und das Licht im Zimmer ging an. Paul warf einen kurzen Blick auf den Boden und verstand sofort, was die Sache war. Die Pralinenschachtel, die er unter seinem Bett versteckt gehalten hatte, lag aufgerissen mitten im Zimmer und gut die Hälfte der Pralinen lag überall verstreut. Die zweite Hälfte fehlte – vermutlich lag sie unter dem Bett. Paul ging in die Knie, sammelte schnell alle Pralinen und warf sie in den Schachteldeckel. Dann eilte er wieder ins Bad, um einen feuchten Lappen zu holen. Mit dem Lappen in der Hand kehrte er in sein Zimmer zurück und begann die zerquetschten Pralinen aus dem Teppich auszureiben. Er schaffte es gerade noch rechtzeitig sauber zu machen, als Großmutter mit einer warmen Decke in einer Hand und mit einer dampfenden Tasse in der anderen bei ihm ankam. Bei ihrem Anblick ließ

Paul sich ins Bett fallen und presste seine Nase für einen Moment gegen das Kissen, damit Großmutter den Baldriangeruch in seinem Atem nicht bemerkte. Sie beugte sich über ihn und wickelte ihn sorgevoll mit der Decke ein. Dann hielt sie inne und schnüffelte neugierig an der Zimmerluft. Paul befürchtete schon aufgeflogen zu sein, und überlegte sich notdürftig eine Ausrede, weshalb er den Baldrian eingenommen hatte, als sie plötzlich schmunzelte und belustigt sagte: „Dein Zimmer riecht wie eine Konditorei!" „Ich mag keinen Lindenblütentee", maulte Paul in sein Kissen, da er bereits an dem Geruch erkannt hatte, was in der Tasse war. „Das Zeug ist schleimig, ich mag es nicht!" Eigentlich hatte er nie etwas gegen Lindenblütentee, konnte aber seinem armen Magen keine neuen Sachen mehr zumuten. Großmutter ging auf seine Klage nicht ein und drückte ihm die heiße Tasse in die Hand. „Schön austrinken, kuschelig einpacken und fest einschlafen", gab sie die Anweisungen, während sie das Kissen von unter seinem Kopf herauszog und ordentlich aufschüttelte. „Ein guter Schlaf ist die beste Medizin", belehrte sie ihn und gab ihm einen dicken Schmatzer auf die Wange. „Dann gute Nacht, mein Großer!", murmelte sie beim Rausgehen. „Ein Glück, dass morgen Samstag ist!" Sie vergaß offensichtlich, dass Paul immer noch eine heiße Tasse in der Hand hielt und schaltete beim Verlassen des Zimmers das Licht aus. Paul blieb mit seinem Tee im Dunkeln und fluchte insgeheim, da er nicht wusste, wohin damit. Vorsichtig stand er auf, lief mit der vollen Tasse zum Fenster, öffnete es und kippte den ganzen Inhalt einfach raus. Der eisige Wind schlug ihm beim Öffnen des Fensters entgegen und schleuderte ihm eine Ladung Regentropfen auf sein schönes, trockenes Pyjama. Er war zu erschöpft, um sich darüber zu ärgern, und außerdem fielen ihm zunehmend die Augen zu. Diese Nebenwirkung von Baldrian hätte er nicht voraussehen können und er kämpfte gegen seine Schläfrigkeit ein, indem er sich auf die Wangen schlug, an seinen kurzen Haaren rupfte und seinen Kopf kräftig schüttelte, dass bei seinem Schwindel sicher nicht sehr schlau war. All diese Maßnahmen halfen ihm nicht wirklich, was aber recht wirksam war, war seine Übelkeit, die ihn seit einer knappen Stunde plagte. Sie kam in Wellen und hielt ihn trotz extremer Müdigkeit und Abgeschlagenheit wach. Der Geist, der normalerweise die kleinste Gelegenheit nutzte, um Paul mit seiner Erscheinung durcheinanderzubringen, ließ ausgerechnet heute auf sich warten. Paul, betäubt von der Baldrianwirkung und Erschöpfung, riss sogar die Kleiderschranktür auf, um ihm ein Zeichen zu setzen, aber das brachte nicht viel – der Geist des verbrannten Jungen blieb verschollen. Paul starrte verbissen in das schwarze Schrankinnere, bis ihm die Augen wehtaten, und, als er doch nichts zu sehen bekam, schloss er seine Augenlider nur für einen kurzen Moment, um sich auszuruhen. Genau da döste er ein – und fiel wieder einmal in eine Art Wachtraum, in dem sein überforderter Geist all die finsteren Ängste, die ihn plagten, zum Ausdruck brachte. Zuerst sah er nichts außer Schwärze vor sich, aber dann erschien schon wieder nach und nach in Menschengröße die Silhouette des Strichmännchens vor ihm, dessen Umrisse aus einer Feuerspur bestanden. Das Feuer flackerte geräuschlos vor Pauls Augen. Es erzeugte weder Hitze noch Rauch, war aber unerträglich grell und ließ ihm Tränen aus den Augenwinkeln sprießen. Nicht wissend, wie er das Feuer löschen sollte, beschloss er einfach durch das Flammengerüst hindurchzuschreiten und fiel in tiefes Wasser, das sich in dem finsteren Hintergrund verbarg. Paul schrie vor Überraschung auf und bekam eine Portion tintenschwarzer Flüssigkeit in die Lunge. Das Wasser war nicht nur einfach schwarz, es roch modrig und war richtig gemeingefährlich. Der starke Unterwassersog packte ihn an den Füßen und zog ihn mit in die Tiefe. Paul zappelte ein paar Mal mit den Armen, um an die Oberfläche zu gelangen, gab aber ziemlich schnell auf und ergab sich seinem Schicksal. Als er sich schon tot glaubte, streckte sich plötzlich eine zarte, weibliche Hand von oben nach ihm aus. Paul wusste, dass die Hand seiner Mutter gehörte, die gekommen war, um ihn vor dem Ertrinken zu retten, und war unschlüssig, ob er ihre Hilfe in Anspruch nehmen sollte. Das, was er über sie erfahren hatte, ließ ihn an ihrer Aufrichtigkeit zweifeln. Dann griff er doch nach den schmalen Fingern, die ihn mit überraschender Kraft nach oben zogen. Das Erste, was er tat, als sein Kopf aus dem Wasser auftauchte, war der Frau, die ihn gerettet hatte, ins Gesicht zu blicken. Paul tat es und riss vor Entsetzen sein Mund weit auf. Er ließ die rettende Hand sofort los und schrie sich vor lauter Schreck die Seele aus dem Leib. Er tauchte wieder unter – so tief wie nur möglich – und schrie sogar unter Wasser weiter. Die schwarze Brühe floss ihm in den Rachen und füllte seine Lunge, aber er war unwahrscheinlich froh, dieses Gesicht nicht mehr vor sich zu haben. „Es ist Zeit!“, krächzte Charlotts Stimme ihm direkt ins Ohr. Er bekam etwas, was sich nach einem rauen Stoff anfühlte, in seine rechte Hand gedrückt. „Du musst mit ihm Gassi gehen!“, forderte Charlott. „Gassi gehen – womit?“, fragte Paul, mehr überrascht über seine Fähigkeit, unter Wasser reden zu können als über Charlotts ungewöhnliche Bitte. Etwas plumpste über seinem Kopf schwer ins Wasser und er verstand, was es war – der Kadaver des Welpen, dessen Kopf von seiner Besitzerin abgerissen wurde. Er stellte sich sein schleimiges schwarzes Fell vor, in dem es von winzigen weißen Maden nur so wimmelte, und spürte sein Abendessen die Speiseröhre hochsteigen. Manche von diesen Tierchen lösten sich vom Leichnam des Hundes und steuerten auf Paul zu. Sie streiften sein Gesicht, klammerten sich verzweifelt an seinen Haaren fest und landeten sogar in seinem offenen Mund. Er machte eine krampfhafte Schluckbewegung und widersetzte sich Charlott mit Worten: „Ich gehe nirgendwo hin! Außerdem bist du gar nicht da!“ Charlott schwieg, aber er bekam einen heftigen Stoß in die Rippen, der sogar unter Wasser deutlich spürbar war. Finger, kräftig wie Stahldrähte, packten ihn am rechten Ohr und zogen ihn hinauf. Paul jaulte von dem Schmerz, der durch seine rechte Kopfseite bis in den Hals schoss, fuhr zitternd und schweißüberströmt in seinem Bett hoch und rieb sich mit der Handfläche das pochende Ohr. Der Schmerz war unglaublich real und er spürte, wie sein Ohrläppchen zu einer beachtlichen Größe anschwoll. „Autsch! Lass das, verflucht!“, rief er verärgert seinem Traum hinterher. „Du alte Sau!“ Er riss seinen Kopf herum, um in den Schrank zu blicken, und bemerkte sofort ein schwaches grünliches Leuchten, das sein Zimmer in ein mystisches Licht eintauchte. Zu seiner Überraschung kam das Leuchten nicht aus dem Inneren des Schrankes, sondern von der Seite der Zimmertür. Paul stützte sich auf seinen Ellenbogen und sah nach hinten in besagte Richtung. Wenn es die Morgendämmerung gewesen wäre, wieso kam denn das Licht nicht vom Fenster, wo die Böen heftig an den Fensterrahmen rüttelten, sondern aus dem dunkelsten Bereich des Zimmers? Es musste etwas anderes gewesen sein und Paul fühlte sich bestätigt, als er eine beinah durchsichtige, kleine Ferse aus der halbverschlossenen Zimmertür herausragen sah. Sein Blick wanderte nach oben und er erblickte ein Stück Oberarm mit Ellenbogen und auch den unteren Rücken des Kindes, die ebenfalls halbtransparent waren und von denen ein unheimliches Leuchten ausging. Sein Herz begann wie wild zu rasen, als er die Streifen auf dem Shirt des Jungen bemerkte. Der Geist war schon fast draußen und nur ein kleiner Teil von ihm blieb noch in Pauls Zimmer. Er bewegte sich kaum und wartete offensichtlich auf Paul, der ungläubig seine verschlafenen Augen rieb. Natürlich verließ der Geist Pauls Zimmer nicht durch die Türöffnung, sondern, wie es für alle Geister üblich war, durch die hölzerne Fläche der Tür. Paul wälzte sich aus dem Bett und stand eine Minute lang auf seinen wackeligen Beinen. Er stützte sich mit der vom Fieber heißen Hand auf das Kopfteil des Bettes und kämpfte gegen eine neue Übelkeitswelle. Trotz dem Baldrian, mit dem er bis zu den Kiemen abgefüllt war, bekam er Panik, weil er den Geist beinah verpasst hätte, und umso mehr, weil er genauso gut verschwinden könnte, ohne mit ihm in Kontakt zu treten. Paul watschelte so schnell, wie er nur konnte, zum Zimmerausgang, und als er schon fast bei der Tür ankam, erschien ein runder Melonenkopf aus der hellgrauen Holzfläche und das fröhliche Babygesicht lächelte Paul aufmunternd zu. Das war so unerwartet, dass Paul für einen kurzen Moment erstarrte, dann schüttelte er schnell seine Starre ab und eilte dem Geist nach, der an der weitgeöffneten Wohnzimmertür vorbei durch den Flur Richtung Eingangstür marschierte. Paul öffnete leise seine Tür und hörte sofort Großmutters regelmäßigen, pfeifenden Atem. Die Aufregung des gestrigen Abends schien ihrem Schlaf nicht geschadet zu haben und Paul musste nicht befürchten, von ihr aufgehalten zu werden. „Ruhig, ruhig!", befahl Paul seinem wild pochenden Herzen, während er an Großmutters Zimmer vorbei durch den Flur lief. Im Laufen erhaschte er einen Blick auf die Wanduhr. Sie schien vor seinen Augen wild zu tänzeln und sich zu verdoppeln, aber er bekam die Uhrzeit doch mit: zwanzig Minuten nach Mitternacht. Er beneidete seine Großmutter aufrichtig um ihren ruhigen, tiefen Schlaf, während er dem Geist hinterherschlich. Er musste endlich die ganze Wahrheit über sein früheres Leben erfahren, damit er in Zukunft auch so ausgelassen schlummern konnte. Wenn er in diesem Moment nur annähernd geahnt hätte, wie sehr er sich in Bezug auf diese Sache täuschte, hätte er mit Sicherheit kehrtgemacht, aber er ahnte nichts und atmete erleichtert auf, als er den Jungengeist am Ende des Flurs auf sich warten sah. Paul näherte sich ihm vorsichtig, blieb auf der aus seiner Sicht sicheren Entfernung von zwei Meter vor ihm stehen und musterte ihn neugierig. Der kleine Junge sah mit seinem Engelsgesicht und langen Locken beinah vollkommen aus: keine verkohlten Körperteile, kein Russ an den Kleidern, kein Rauchgestank in der Luft. Na, wenigstens das! Etwas in seinem Aussehen machte Paul stutzig und bei längerem Betrachten verstand er, was es war. „O mein Gott!", rief er in seinem Inneren, als ihn die Erkenntnis wie ein Blitz traf. „Er sieht eins zu eins wie ich aus!" Das Gesicht und die Kleider des Jungen waren wie auf den Fotos aus Großmutters altem Fotoalbum, die ihn als Kleinkind zeigten. Pauls Spannung erreichte ihren Höhepunkt: Was würde der Geist ihm gerade mitteilen und auf welche Art? Aber statt mit ihm zu reden, nickte der Junge ihm kurz zu und verschwand durch die verschlossene Eingangstür. Paul blieb irritiert im Flur stehen, der ohne den Geisterschein komplett im Dunkeln versank, und schaute sich entrüstet die alte, fleckige Eingangstür an. Das erwartete also der Geist von ihm: dass er sich trotz des hohen Fiebers und seiner Muskelschmerzen nach draußen begab, mitten in den tosenden Sturm?! Zum Überlegen blieb ihm leider keine Zeit mehr – er konnte nicht riskieren, dass der Geist sich einfach in Luft auflöste, darum schnappte er sich seine durchnässte Jacke vom Haken und zog sie eilig an. Sie verschaffte seinem glühenden Körper eine willkommene Abkühlung. Paul suchte vergeblich nach irgendeiner Mütze, fand aber nichts weiter als Großmutters superlangen hellbraunen Schal. Er wickelte ihn sich ein paarmal um den Hals, öffnete mit vor Aufregung zitternden Fingern das Schloss und schlüpfte nach draußen ins Treppenhaus. Das Klicken des Schlosses, als die Tür hinter ihm zuging, erschien ihm ohrenbetäubend. Paul hielt inne und zog leicht den Kopf ein, in Erwartung von Großmutters Schritten auf der anderen Seite der Tür, aber alles blieb still. Er drehte sich langsam um und sah auf dem unteren Treppenabsatz, fast schon neben Charlotts Tür, die grüne Lichtquelle, die an das Leuchten eines Glühwürmchens erinnerte. „Will er da rein?“, dachte Paul für einen kurzen Moment, aber der Kindesgeist bewegte sich weiter. Die Füße des Jungen berührten die Treppenstufen nicht, als er nach unten Richtung Ausgang schwebte. Pauls schlimmste Befürchtungen hatten sich bewahrheitet: Der Geist lockte ihn tatsächlich nach draußen, in den strömenden Regen. Mit einem sehr mulmigen Gefühl folgte er ihm und geriet mitten in einen wild tobenden Herbststurm, der gerade seinen Gipfel erreichte. Die jungen Bäume in der Nähe des Hauseingangs neigten sich fast bis zum Boden und ihre nackten Äste klapperten im Wind wie Knochen eines tanzenden Skeletts. Eine leere Einkaufstüte rollte quer über den Bürgersteig, aufgebläht wie ein Windsack. Paul war für einen nächtlichen Spaziergang mitten in diesem Chaos nun wirklich nicht vorbereitet, aber der Geist ließ ihm keine andere Wahl. Hier draußen bewegte er sich viel flinker als im Haus, wahrscheinlich weil Paul ihn im Freien viel besser im Auge behalten konnte. Während Paul immer noch die letzten drei Stufen der Eingangstreppe hinunter lief, entfernte er sich mit einer rasender Geschwindigkeit Richtung Hauptstraße und flackerte schon zehn Häuser weiter von ihm entfernt. Die physikalischen Gesetze waren ein Fremdbegriff für ihn, er schwebte mühelos durch die dichten Luftmassen des ihm entgegen blasenden starken Windes und sein Leuchten schien heller, als ob jemand eine stärkere Glühbirne in sein Inneres gedreht hätte. Manchmal teleportierte er sich sogar ein Stück vorwärts, indem er plötzlich verschwand und eine Sekunde später an einer anderen Stelle auftauchte, die noch viel weiter vorne lag. „Warum hat er es so eilig?“, stellte Paul sich selbst die Frage und kämpfte sich durch den eisigen Schneeregen und den stürmischen Wind ihm nach. Sein stark angeschlagener Körper schaltete auf Automatismus um und er spürte weder seine Beschwerden noch die Eiseskälte. Er ging mit langsamen, aber zielstrebigen Schritten dem schwebenden Geist hinterher, der bereits die Hauptstraße erreicht hatte und ausgerechnet mitten auf dem befahrenen Teil der Straße stehen blieb. Zu dieser Zeit fuhren zwar so gut wie keine Fahrzeuge mehr, aber Paul bekam die berechtigten Zweifel, ob der Jungengeist ihn nicht in eine Falle locken wollte. Vielleicht, um seinen Körper nach dem Tod selbst in Besitz zu nehmen? Er blieb unschlüssig im dichten Schatten einer Hausfassade stehen und sah den Geist aus misstrauischen Augen an. Pauls Doppelgänger hob den Arm und winkte ihn ungeduldig zu sich. In diesem Moment ertönte das Heulen eines Motors und ein Raser, der in seinem neuen roten Sportwagen durch die nächtliche Stadt sauste, fuhr mit einer mörderischen Geschwindigkeit durch den leuchtenden Jungen hindurch, ohne überhaupt bemerkt zu haben, dass gerade ein Kleinkind unter seine Räder gekommen war. Paul entfuhr ein leiser Schrei, aber der Geist blieb natürlich unversehrt und tauchte auf der gegenüberliegender Straßenseite wieder auf, als ob gar nichts passiert wäre. Paul lief zur Ecke, wo seine Straße in die Hauptstraße mündete, und schaute sich neugierig um. Die ganze Umgebung schien wie ausgestorben: keine weiteren Autos auf der Straße und keine Menschenseele auf den Bürgersteigen. In den unzähligen Fenstern der nahstehenden Häuser gingen gerade die allerletzten Lichter aus. Paul wischte sich die vom Wind tränenden Augen mit seinem ekelhaft nassen, angeschneiten Jackenärmel und bog um die Ecke. Der Geist war außer Sicht, aber Paul brauchte keinen Wegweiser mehr – er wusste bereits, wohin der Junge ihn bringen wollte. Darum suchte er mit seinen müden Augen nicht mehr nach ihm, sondern lief stracks zu dem kleinen Park, der als Gedenkstätte für die Feueropfer des Kinderspielzentrums diente. Er war viel weniger beleuchtet als der Rest der Stadt: Paul konnte nur ein paar kugelförmige Laternen zählen, die in einem beachtlichen Abstand zueinander standen. Eine von ihnen befand sich im Zentrum des Parks, direkt neben dem Brunnen, und warf ihr mattes, gelbliches Licht auf die vom Regen wie ein Hexenkessel blubbernde Wasseroberfläche in dem kleinen Brunnenbecken. Paul näherte sich dem verschlossenen Parktor und klammerte sich an den schwarz gefärbten Eisenstangen fest. Die Sturmböen wickelten seinen viel zu locker gebundenen Schal langsam aus und die beiden Schalenden flatterten hinter Pauls Rücken im wild heulenden Wind hin und her.

Hätten seine alten Schulkameraden ihn jetzt so gesehen, hätten sie sich bei der Wahl seines Spitznamens bestimmt bestätigt gefühlt: Er sah in diesem Moment tatsächlich wie der kleine Prinz aus, der gerade von seinem fernen Stern auf die Erde gefallen war. Er verfolgte mit den Augen die winzige leuchtende Gestalt, die sich die Zentralallee des Parkes entlangbewegte, und rüttelte aus aller Kraft an den Gitterstäben des Zauns, in der Hoffnung, das alte, verrostete Hängeschloss würde unter diesem Druck einfach zerspringen, aber es war überaus robust und hielt seiner Kraft stand. Über den knapp zwei Meter hohen Zaun zu klettern, kostete Paul keine große Mühe. Er tat es und erstickte beinah an seinem Schal, dessen Ende sich an der lanzenähnlichen Spitze des Zaunes aufgespießt hatte. Paul riss sich los und rannte durch den dunklen Park zur Stelle, wo er den Geist zuletzt gesehen hatte. Er fand ihn bei der Memorialtafel, wo die Nachtschatten auf dem grauen Stein ihren gespenstischen Tanz aufführten. Der kleine Junge stand unbeweglich und mit gesenktem Kopf da – genau wie vor einigen Tagen auf

dem Fußballfeld. Seiner Pose nach zu urteilen, war er an seinem Ziel angekommen. Paul, der sich ihm von hinten näherte, lief es kalt den Rücken runter, als er sich an seine letzte Begegnung mit dem Geisterjungen erinnerte. Seine Hand, die immer noch das unheimliche Geschenk von damals spürte, wanderte von allein hinter seinen Rücken. Aber diesmal verschonte ihn der Geist mit seiner Großzügigkeit: Die Augen des Jungen, an die Gedenktafel gerichtet, dienten jetzt als Scheinwerfer und verströmten ein noch stärkeres Licht, das die Schrift auf der Memorialtafel gut sichtbar machte. Die Namen der im Feuer verunglückten Kinder kamen dadurch besonders gut zum Vorschein und stachen einem wie von selbst ins Auge. Paul las sie einen nach dem anderen und bekam Gänsehaut, als er den Namen „Robin Landauer“ auf der Tafel erblickte. Den Namen seines Halbbruders neben den anderen Opfernamen auf der Marmortafel zu sehen, erschütterte ihn bis ins Mark, obwohl es für ihn, dank der Beichte seiner Großmutter, keine Überraschung mehr war. Der Nachname des Jungen war ihm unbekannt und entsprach, vermutlich, dem Mädchennamen seiner Mutter, aber sein Vorname zeigte Paul unmissverständlich, dass es sich bei ihm um seinen verstorbenen Halbbruder Robin handeln musste. Paul blickte fassungslos zu dem kleinen Jungen vor ihm und seine Augen weiteten sich, als er ihn fröhlich nicken sah – die Bestätigung seiner Theorie, die der Geist in Pauls Gedanken gelesen hatte. Während Paul seinen Geisterfreund aus einem ganz neuen Blickwinkel betrachtete, zog jemand plötzlich zögerlich an seinem Hosenbein. Vor lauter Schreck fuhr Paul herum und schaute an seinem Bein entlang zum Boden. Er erblickte etwas Dunkles und Unförmiges – einen schleimigen Klumpen, der dicht neben seinem rechten Fuß auf den naßen Granitfliesen lag. Paul schrie panisch auf und trat instinktiv gegen das eklige Wesen, wobei sein Fuß auf eine weiche, klebrige Masse traf und sein Turnschuh in der breiartigen Substanz stecken blieb. Eine dünne, zitternde Kinderstimme fragte ihn ernsthaft: „Hast du vielleicht die Beine meines Bruders gesehen? Er kann sie nirgendwo finden!“ Während Pauls Verstand fieberhaft an dem

Sinn dieser Frage suchte, ertönte direkt vor ihm ein neues, noch schrecklicheres Geräusch. Es kam aus der Richtung des Fußweges, der ganz im Dunkeln lag. Etwas, das er nicht sehen konnte, schlich sich aus dieser finsteren Ecke des Parkes an Paul heran. Er vernahm ein schleifendes Geräusch – etwas kroch durch den durchnässten Boden in seine Richtung. Paul verlor vor lauter Panik komplett die Bewegungsfähigkeit, wie in einem seiner schlimmsten Albträume. Sein starrer Blick war an den schwach beleuchteten Teil des Fußweges gefesselt, wo die scharfe Grenze zwischen Licht und Schatten lag. Dort hinten, in der völligen Dunkelheit, befand sich das schreckliche Etwas, das sich ihm langsam, aber unaufhaltsam näherte. Als es endlich zum Vorschein kam, erschauderte Paul maßlos, obwohl er in der letzten Zeit schon so Einiges an unheimlichen Sachen gesehen hatte. Das Ding, das aus der Dunkelheit angekrochen kam, hatte den Kopf eines Menschen, allerdings ohne jedes Anzeichen von Gesicht oder Haaren – schlicht eine poröse, verkohlte Kugel, die auf schmalen, verkrüppelten Schultern saß. Dem Wesen fehlte gänzlich der Unterleib und es bewegte sich mit Hilfe von zwei kurzen Stummeln voran, die vermutlich einmal die menschlichen Oberarme waren. Es stemmte sie fest in den Boden und warf dann seinen Oberkörper ruckartig nach vorne. Dabei streifte sein von unten offener Bauch mit heraushängenden Därmen den Bodenbelag – daher das schleifende Geräusch. „Siehst du es jetzt?!", klagte die Stimme an Pauls Fuß. „Er kann ohne seine Beine nicht laufen!" „O mein Gott!", entfuhr es Paul, der nebst seiner Furcht großes Mitleid mit diesem so schrecklich verstümmelten Wesen verspürte. Seine vor Kälte tauben Lippen bebten, als er zu dem kleinen Ding am Boden stotterte: „Ich weiß nicht, wo seine Beine sind, ich habe sie nicht gesehen!" Pflatsch! Ein grauer Knäuel flog aus der Dunkelheit hinter Pauls Rücken an seinem Kopf vorbei und landete in der großen Regenpfütze neben dem Brunnen. Paul zuckte heftig zusammen, löste seinen Blick von der auf ihn zu kriechender Kreatur und schaute angestrengt den undefinierbaren Gegenstand an, der reglos in der Pfütze liegen blieb. Bei genauer Betrachtung erkannte Paul, dass es sich dabei um ein Plüschtier handelte – um ein Kaninchen, an dessen langen, schlappen Ohren faules Herbstlaub klebte. Ein leises Kichern ertönte aus der Richtung, aus der das Kaninchen angeflogen war. „Spiel mit mir!“, verlangte eine fröhliche Mädchenstimme aus der Dunkelheit hinter den Bäumen. Das gelbliche Laternenlicht war zu schwach, um die finstere Schwärze, die dort herrschte, zu durchdringen. „Mannomann!“, beklagte sich das unsichtbare Kind ironisch bei Paul. „Die beiden taugen einfach nichts. Ohne Hände zu spielen? Wie soll das denn, bitte schön, gehen?!“ Sie kicherte erneut und Pauls Haare stellten sich auf, als jemand von hinten kräftig an seinem Schal zog, und danach an seiner Kapuze. „Das muss das tote Mädchen sein“, jagte es ihm durch den Kopf. „Das, von dem Charlott erzählt hat!“ Er schaffte es in letzter Sekunde, den starken Drang, seinen Kopf nach hinten zu drehen, zu unterdrücken, und starrte stattdessen auf das Spielzeug am Boden. Ein tiefer Seufzer kam von unten, wo sich das schwarze Wesen immer noch an seiner Hose festklammerte. „Bitte, du musst es wissen!“, flehte seine liebliche Stimme Paul an. „Du hast ihm schließlich die Beine weggenommen!“ In Pauls Hirn legte sich ein Schalter um. Er spürte, wie sich sein Verstand gegen diesen Grusel kräftig wehrte und sich weigerte diesen verdammten Wahnsinn weiter mitzumachen. Er distanzierte sich innerlich von all den bizarren Dingern, die gerade um ihn herum passierten. Er schaffte eine Art Puffer zwischen ihm und dieser kranken Welt, und sein Kopf füllte sich mit rettendem Vakuum. Paul löste seinen Blick vom Boden und richtete ihn auf den leuchtenden Jungen neben dem Brunnen. „Robin?“, rief Paul ihm heiser zu und freute sich sehr, als der Geist auf seinen Ruf erneut mit einem Kopfnicken reagierte. Robin hob seine zarte Babyhand mit ihren zierlichen, durchsichtigen Fingern und winkte ihn zu sich. Dank dieser Geste erlangte Paul seine Bewegungsfähigkeit wieder und unternahm sofort den Versuch, sich seinem Halbbruder zu nähern, aber das kichernde Monster hinter ihm ließ es nicht zu und zog noch fester an Pauls Schal. „Ist mein hübsches Häschen nicht toll?“, nuschelte das Mädchen von hinten in sein Ohr und hauchte ihm ihren Fäulnisgeruch direkt ins Gesicht. „Es liegt für immer in meinem Bett! Es ist ein bisschen schmutzig geworden, ist aber immer noch süß, nicht wahr?“ Als es von dem würgenden Paul keine Antwort bekam, erhob das Mädchen seine Stimme zu einem wütenden, schrillen Schrei, der Pauls Kopf beinah platzen ließ. „Du schuldest mir ein Spiel! Spiel, Spiel, Spiel!!!“ Gleichzeitig klammerte sich das verstümmelte Wesen, das inzwischen bei ihm ankam, an seinem freien Bein fest und versuchte, es mit seinen verkohlten Stummeln an sich zu reißen, während das andere schleimige Ding Pauls anderes Bein in die Gegenrichtung zog. „Gib es mir!“, zischte es wütend. „Du hast mir meine gestohlen und ich nehme dir deine! Lass ihn nicht los, Alex!“ Mit einer Kraft, die man bei derart kaputten Kreaturen erst nicht vermutete, zogen und zerrten die beiden halbverwesten Wesen an Pauls Beinen, als ob sie ihn auseinanderreißen wollten. Pauls seelische Schutzmauer brach unter Gewalt der hässlichen Kreaturen zusammen und er machte sich fast in die Hose vor Schreck. Die Geister, die ihm bisher begegnet waren, jagten ihm zwar gehörig Angst ein, waren aber nicht mal annähernd so gewalttätig wie diese drei hier. Paul konnte von ihnen nicht mehr weglaufen, da seine Beine sich bereits in ihrer Gewalt befanden. Seine Arme waren zwar noch frei, aber er traute sich nicht die schleimigen Wesen anzufassen, vor allem nach dem, was mit seinem Schuh passiert war. In seiner Verzweiflung streckte Paul die beiden Arme nach dem Geist des Jungen aus und flehte gedanklich um Rettung – ausgerechnet von demjenigen, vor dem er sich einst so gefürchtet hatte. Der leuchtende Junge streckte ebenfalls seinen Arm Richtung Paul, den der in seiner blanken Panik sofort ergriff. Pauls Hände bekamen nichts zu fassen, aber der Griff der an ihm zerrenden Kreaturen löste sich augenblicklich und er schüttelte alle drei mühelos von sich ab. Paul schritt von ihnen fort und über das dreckige Plüschkaninchen in der Pfütze hinweg Richtung Robin und stellte erleichtert fest, dass ihm niemand folgte. Er stand jetzt direkt an dem überfüllten Becken des Brunnens. Die kalten Spritzer flogen hoch und landeten auf Pauls ohnehin durchnässten Kleidern.

Er schaute erwartungsvoll zu dem Jungengeist rüber, der ihn wieder, diesmal energischer, zu sich winkte. Er erschien ungeduldiger denn je und stampfte verärgert mit seinem kleinen Fuß auf. Paul begriff nicht, was er von ihm wollte: Er war ja schon nah genug an ihm, aber Robin verlangte von ihm, dass er sich auf eine ganz bestimmte Platte hinter dem Brunnen stellte. Er leitete ihn mit seiner Gestik zu einer Granitplatte am Fuß der Memorialtafel und sobald Paul mit beiden Füßen an der von ihm erwünschten Stelle stand, erhob er sein blasses Gesicht und lächelte ihn befriedigt an. Der Geist ging einige Schritte rückwärts, setzte sich im Schneidersitz in eine der zahlreichen Regenpfützen am Boden und schaute fröhlich zu Paul auf, der ihn verständnislos anstarrte. Dann ging alles ganz schnell: Die ganze Umgebung veränderte sich auf eine wundersame Art und Weise und schon ein paar Sekunden später befand sich Paul in einem riesigen, hellen Raum. Er war nicht allein da – viele andere Leute, mehrheitlich Kinder, tobten ausgelassen um ihn herum. Paul sah ihre glücklichen Gesichter und hörte ihre fröhlichen Stimmen, die von der hohen Decke und den Wänden des großen Raumes zu ihm rüber hallten. Eine lange Reihe großer Fenster, hoch über dem Boden, ließ fröhlichen Sonnenschein herein, der Pauls Gesicht liebevoll streichelte. Die angenehme warme Luft umhüllte Paul und seine Kleider fühlten sich plötzlich knochentrocken an. Am Boden, gegenüber von ihm, saß Robin – ein süßer kleiner Junge aus Fleisch und Blut! Dort, wo er saß, gab es keine Regenpfütze mehr, sondern eine Art Sandkasten, aber statt Sand häuften sich da unzählige Schaumstoffwürfel, die sein kleiner Halbbruder spielerisch aufeinanderstapelte. Das ganze Ensemble, die bunten Farben der Umgebung und die lauten Kinderstimmen wirkten absolut real. Paul schmeckte die Luft – sie roch vertraut nach Gummi und Kindersocken. Er blickte sich um und sah eine junge Frau in einem hellen Sportanzug neben sich stehen. Paul erkannte sie sofort und sein Herz begann wie wild zu rasen. Er schnappte nach Luft und fraß sie förmlich mit den Augen auf, aber die Frau würdigte ihn nicht mal eines Blickes: Ihre blauen Augen, die nichts außer blanken

Stolz ausstrahlten, waren stets auf den spielenden Robin gerichtet. „Mama, Mama, schau mal!“, rief Robin ihr laut zu und zeigte auf die aufeinander gestapelten Würfel. „Es sieht super aus, mein kleiner Spatz!“, rief die Frau lachend zurück. „Eine tolle Burg!“ Sie drehte sich zu Paul, wobei ihm das Herz fast aus der Brust sprang. Ihr Gesichtsausdruck veränderte sich, sobald ihre Blicke sich trafen. Paul verspürte ein Stechen in der Brust und einen Kloß im Hals, als er statt Liebe und Stolz blanke Enttäuschung in ihren Augen las. Der Schmerz war ihm vertraut, den spürte er nicht zum ersten Mal. Sein armes Herz fühlte sich an wie eine aufgerissene Wunde, die nie zum Heilen kam. „Wieso spielst du nicht mit deinem Bruder?“, fragte ihn die Frau kühl und schaute ihm dabei eindringlich in die Augen. Offensichtlich erwartete sie eine Antwort von ihm. Als sie weiterredete, klang ihre Stimme noch kälter und abweisender. „Warum antwortest du mir nicht? Redest du gar nicht mehr mit mir?“ Paul spürte zwei noch viel stärkere Gefühle in der Tiefe seiner Seele erwachen: Wut und Hass. Es wunderte ihn, wie mächtig diese beiden Gefühle waren und wie sehr sie an seiner Seele nagten. Wie es aussah, musste er sie schon längst in seinem Innersten ausgebrütet haben. Er war unglaublich wütend auf die Frau im hellgrauen Sportanzug – so wütend, dass sich seine Hände, die urplötzlich auf die Größe der Hände eines Kindes im Kindergartenalter geschrumpft waren, zu Fäusten ballten. Dazu mischte sich die grenzenlose unerwiderte Liebe zur Frau im Anzug und das Verlangen nach ihrer Nähe, was sein Leiden noch unerträglicher machte. Und er hasste von ganzem Herzen dieses kleine, putzige Baby, das, mit einem idiotischen Lächeln auf dem Engelsgesicht, seine widerlichen, dreckigen Händchen nach ihr ausstreckte. Paul wurde es heiß vor Hass. Er nahm ihm die Luft zum Atmen weg und Paul drehte sich zur Seite, damit die Frau, die ihn die ganze Zeit über vorwurfsvoll anstarrte, seinen Schmerz und seine bitteren Tränen nicht sehen konnte, die ihm unaufhaltsam seine rotgefleckten Wangen runterkullerten. Oh, wie gern würde er diesen Mamaliebling leiden sehen – genau so, wie er selbst gerade litt! Wenn man ihn nur wegzaubern könnte, wie in einem Märchen! Dann würde er, Paul, einzig und allein ihr Liebling sein! Um sich abzulenken, schaute er nach rechts, Richtung Kletterwand, die ein paar Kinder unterschiedlichen Alters unter Aufsicht eines Coachs zu erklimmen versuchten. Zwei hellblonde, gleichaussehende Jungs, vermutlich Zwillinge, hatten es am weitesten geschafft. Paul bewunderte ihre flinken, katzenartigen Körper und die langen Stahlseile, die ihren Sturz verhindern sollten. Die beiden waren allen anderen Kindern, die sich unbeholfen an den farbigen Vorsprüngen der Kletterwand klammerten, weit voraus. Der Coach, ein sportlich aussehendes junges Mädchen, munterte sie am Fuß der Kletterwand mit seiner freundlichen Stimme auf. „Wer von den beiden ist Alex?", dachte Paul insgeheim und erschauderte selbst über die entsetzliche Sinnlosigkeit dieser Frage. Fasziniert von der Kletterpartie der Jungs, wandte er sich an die Frau neben ihm. „Mama, darf ich auch klettern?" Vor dem Klang seiner eigenen Stimme zuckte er erschrocken zusammen – es war eine dünne Piepsstimme, wie bei einem Kleinkind. „Warte ein wenig, bitte", bat sie ihn, während sie ihren jüngsten Sohn nicht aus den Augen ließ. „Robin möchte noch eine Burg bauen. Geh zu ihm und hilf ihm ein wenig!" Nicht schon wieder Robin! Das hier war ein Ausflug für sie beide und auch alle beide sollten Spaß haben! Paul sah rot. Seine zwei treuen Begleiter – Wut und Hass – fraßen ihn von innen regelrecht auf. Der stumme Hilfeschrei, der sich in seiner Brust zusammenballte, drang nicht nach außen und erreichte nicht die Ohren der einzigen Person auf der Welt, an die er gerichtet war. Paul hyperventilierte, seine aufgestaute Aggression suchte dringend nach einer Möglichkeit, Dampf abzulassen. Wutentbrannt steckte er seine kleine Faust in die Hosentasche, wo die Streichholzschachtel lag, die er heute Morgen vom Fensterbrett in der Küche aus purer Langeweile mitgehen ließ, als er auf seine Mutter und seinen Halbbruder eine geschlagene Stunde lang warten musste. Er hatte mit ihr nichts Bestimmtes vor, hatte aber den ganzen Weg zur Spielhalle darauf geachtet, dass die Streichhölzer in der Schachtel nicht zu laut rasselten, obwohl seine Mutter sowieso hauptsächlich mit

Robin beschäftigt war und keine Augen für ihn hatte. Nur diese Tatsache allein machte Paul innerlich fertig. Er sah sich am Küchenfenster in der Wohnung seiner Großmutter – ein kleiner, trauriger Junge, der stundenlang auf seine Mutter wartete, und fühlte sich in diesem Augenblick genauso einsam und verlassen wie damals. Robin war jetzt ihr Ein und Alles und er, Paul, war genauso in Vergessenheit geraten wie sein toter Vater. In Pauls Augen war allein Robin daran schuld, dass er so unglücklich war! Dafür musste er büßen! Paul beobachtete durch einen dichten Tränenschleier, wie Robin mit einem breiten Grinsen auf seinem widerlichen Babygesicht mit rosaroten Bäckchen, den grünen Würfel auf seine dämliche Burg obendrauf stellte. Der Würfel purzelte immer wieder auf seinen Kopf runter und das brachte den kleinen Jungen zum Lachen. Seine Mutter lachte auch mit, sogar noch lauter als ihr Sohn, während Paul an seinem Elend erstickte. Robin nahm den Würfel und warf ihn nach Paul. Er verfehlte ihn natürlich – die Entfernung war zu groß – aber das gab Paul den entscheidenden Impuls zum Handeln. Das war der letzte Tropfen, der ins bis zum Rand gefüllten Fass seines Hasses fiel. Das unerträgliche Brennen in seiner Brust ließ ihn an Feuer denken. Nur Feuer würde ihm dabei helfen, das widerliche Grinsen vom Gesicht dieses verwöhnten Idioten zu vertreiben! Pauls Hand umklammerte die Streichholzschachtel fest und zog sie vorsichtig heraus. Seine Sorge, das Rasseln würde die Aufmerksamkeit seiner Mutter erregen, stellte sich als überflüssig heraus, da die Stimmen der spielenden Kinder alle Geräusche um sie herum übertönten. Er machte die Schachtel einen Spalt weit auf und zog ein Hölzchen ans Licht. Paul hielt es mit seinen schwachen Kindsfingern auf Hüfthöhe und blickte sich kurz nach alle Seiten um. Alles war ruhig: Robin spielte weiter mit seinen Würfeln und seine Mutter beobachtete ihn dabei. Robin schien in sein blödes Würfelspiel so sehr vertieft zu sein, dass er überhaupt nicht bemerkte, wie ihm aus dem halboffenen Mund ein dünner Speichelfaden hing. Angewidert hob Paul die Hand mit dem Streichholz in die Luft und hielt sie über der Schachtel bereit. Ein kleines

Mädchen mit zwei lustigen Zöpfen, das viel tiefer als Robin in der Würfelgrube saß, warf die bunten Würfel in die Luft und versuchte lachend einige von ihnen zu fangen. Sein Lachen, scharf wie eine Messerklinge, schnitt tief in Pauls Gehör. Robin gluckste und der Spuckefaden fiel auf sein schönes himmelblaues Shirt, das einmal Pauls Shirt war. Paul fuhr so schnell er konnte mit dem Streichholzkopf über die raue Seitenfläche der Streichholzschachtel. Er machte das bei sich zu Hause schon öfter, aber nur wenn seine Großmutter aus dem Haus war, und jedes Mal verspürte er eine freudige Erregung dabei – schon allein aus dem Grund, dass er etwas Verbotenes tat. Und jedes Mal, wenn er die kleine Flamme am Ende des Streichholzes erblickte, fuhr er von einer Mischung aus Faszination und Schreck zusammen und warf das brennende Streichholz weit von sich. Es landete meistens in Großmutters Geschirrspüle, wo es zischend erlosch. Paul nahm es hoch und schnüffelte an seinem verkohlten Ende, da er den Geruch über alles liebte. Er schmeckte nach Lagerfeuer und Freiheit, im Gegensatz zu dem widerlichen Zigarettenrauch in seinem Treppenhaus, der ihn immer zum Husten brachte, wenn er mit seiner Großmutter die Treppe hochlief.

Genau dasselbe geschah auch diesmal: Sobald Paul die kleine bläuliche Flammenzunge erblickte, zuckte er zusammen und warf das brennende Hölzchen weit von sich weg, direkt in die bunte Würfelgrube. In diesem Augenblick, durch seine seltsame Bewegung alarmiert, drehte die Frau im Sportanzug ihren Kopf zur Seite und sah ihn verwundert und besorgt an. Etwas fauchte zwischen den Schaumstoffwürfeln, wie eine wütende Katze, und Paul beobachtete ungläubig, wie sich die Würfel plötzlich zu verformen begannen. Dort, wo sein Streichholz gelandet war, krümmten sie sich und verloren ihre schönen bunten Farben. Statt fröhliches Rot, Grün und Gelb sah Paul nur noch hässliches Schwarz und die ersten dichten Rauchschwaden kamen hoch. Dann erblickte er die kleinen Flammenzungen, die an den Würfelkanten leckten. Die Würfel schmolzen vor Pauls fassungslosem Blick wie Schokoeis und verwandelten sich in eine blubbernde braunschwarze Teerpfütze, die an Vulkanlava erinnerte. Das alles passierte blitzschnell – immer mehr Würfel schmolzen und Paul bekam es gehörig mit der Angst zu tun. Das Einzige, was er gewollt hatte, war lediglich seinem verwöhnten Halbbruder ein wenig Angst einzujagen, und nicht eine globale Katastrophe auszulösen. Eingeschüchtert und beschämt über das, was er angerichtet hatte, wollte er seine Spuren verwischen und warf die ganze Streichholzschachtel seinem Streichholz hinterher – direkt in das lodernde Feuer. Es ertönte ein lautes „Paff!" und Paul sah einen Feuerball an der Stelle, wo die Schachtel hinfiel. Er riss instinktiv beide Arme hoch und starrte entsetzt in das Gesicht seines Halbbruders. In Robins weit aufgerissenen Augen sah er keine Anzeichen von Angst, nur grenzenlose Verwunderung. Paul sah ihn wie hypnotisiert an, während eine Flammenbarriere zwischen ihnen immer höher wuchs und ihm schließlich die Sicht auf seinen Halbbruder nahm. Bald wurde sie so hoch, dass Paul den Kopf in den Nacken legen musste, um die Flammenspitzen zu sehen. Paul hörte Robin hustend und weinend nach seiner Mama rufen. Das war das Letzte, was er von seinem kleinen Bruder hörte. Das Feuer wurde immer lauter und vertrieb allmählich alle anderen Geräusche in der Halle. Es breitete sich innerhalb von Sekunden in der ganzen Würfelgrube aus und sprang auf die nah stehenden Turngeräte über. Es knisterte triumphierend und der übel stinkende schwarze Rauch füllte den großen Raum. Glühende Funken sprühten nach allen Richtungen und flogen hoch über Pauls Kopf. Als manche von ihnen zischend kleine Löcher in seine Jacke brannten, wich er schreiend zurück. Die glühende Hitze in Pauls Gesicht wurde unerträglich und er torkelte rückwärts, immer weiter vom Feuer weg, das seine Fangarme nach ihm ausstreckte. Seine Mutter stürzte sich völlig unerwartet mit nach vorne ausgestreckten Armen ins Feuer, wie ein angeschossener Vogel. Paul hörte ihren leisen, verzweifelten Schrei, der im Getöse der Flammen runterging. Pauls Herz zersprang von der grenzenlosen Liebe zu ihr und der ungeheuren Angst um sie. Er verspürte wieder diesen unüberwindbaren Drang, seiner Mutter zu folgen, hatte aber viel zu große Angst vor dem Feuer. Von überall her drangen das Husten der Kinder und Erwachsenen und ihr entsetzliches Kreischen an seine Ohren. Paul löste seinen Blick von der Flammenmauer und sah zur Hallendecke hoch, wo sich die beiden Zwillinge, wie zwei kleine Eichhörnchen, ängstlich an den letzten Vorsprüngen der Kletterwand klammerten. Sie sahen irgendwie lustig aus: Ihre Posen und Gesichtsausdrücke waren absolut identisch, was Paul unter anderen Umständen bestimmt zum Schmunzeln gebracht hätte. Paul sah ihre vor Panik blassen Gesichter mit den schreienden Mündern und hochgezogenen Augenbrauen, und die Flammen, die sich in ihren weit aufgerissenen Augen spiegelten. „Es tut mir leid, ich wollte es nicht!", quietschte Paul, während er in ihre verlorenen Gesichter blickte. Der Coach der Jungs – das junge hübsche Mädchen, das bisher unermüdlich die Kinder bei der Kletterwand in Sicherheit gebracht hatte – lag bewusstlos am Boden, umhüllt von der tödlichen Rauchwolke. Ein anderer Mitarbeiter der Spielhalle stolperte über ihren leblosen Körper und schleppte sie mit letzter Kraft nach draußen. Die armen Jungs blieben ganz allein unter der Hallendecke zurück und beobachteten hilflos, wie der schwarze Rauch langsam zu ihnen hochstieg. Paul hatte Glück: Der Luftzug aus der offenen Hallentür trieb den Rauch von ihm weg und zur hinteren Wand der Halle, aber gleichzeitig nährten die sauerstoffhaltigen Luftmassen die gierigen Flammen, die mit unfassbarer Geschwindigkeit den großen Raum eroberten. Paul sah sich das letzte Mal die verzweifelten Zwillinge an und schritt zur Flammengrenze, die sich inzwischen viel näher bei ihm befand. Die heiße Luft verbrannte seine Atemwege und von dem inhalierten Rauch wurde ihm schwarz vor den Augen, aber er spürte nur den einzig wahren Schmerz – den in seinem blutenden Herzen. Zwei unglaublich starke Arme hoben ihn plötzlich hoch und trugen den beinah bewusstlosen Paul weg vom Feuer. Auf dem Weg nach draußen hörte er das markerschütternde Kreischen des Mädchens mit Zöpfen. Es war keine menschliche Stimme mehr, sondern der Todeskampf eines sterbenden Tieres. Pauls Hirn saugte diese Horrorlaute auf, die noch zahlreiche Nächte danach in seinen schlimmsten Albträumen auftauchen und ihn schweißgebadet und schreiend zurücklassen würden. Der blendende Sonnenschein draußen kam dem hustenden Paul milchig trüb vor im Vergleich zu dem grellen Licht der Flammen. Sobald er losgelassen wurde und wieder auf eigenen Füßen stand, rannte er zum qualmenden Halleneingang zurück, wo er seine Mutter zurückgelassen hatte, aber noch bevor er die Schwelle der brennenden Spielhalle erreichen konnte, befand er sich wieder im dunklen Park, in dem ein eisiger Herbststurm wütete. Statt glühender Hitze packte ihn die erbarmungslose Hand der Kälte am Kragen und schüttelte den bis zu den Knochen durchnässten Paul gehörig durch. Er sah Robin mit einem traurigen Lächeln auf dem hübschen kleinen Gesichtchen in der Wasserlache am Boden sitzen. Nein, er täuschte sich gewaltig! Der kleine süße Junge aus seiner Kindheit war weg, stattdessen sah er ein schwarzes, gesichtsloses Phantom vor sich, dessen Hitze die Regentropfen, die auf seinem verkohlten Körper landeten, in weiße Dampfwölkchen verwandelte. Eine unsichtbare Hand riss Paul den Boden unter den Füßen weg, als hätte ihm jemand hinten auf die Kniekehlen geschlagen. Er fiel neben dem Brunnenbecken auf die Knie, fasste sich mit der vor Kälte tauben Hand an die Brust und wippte in seiner grenzenlosen Trauer hin und her. Der kleine, lebenslustige, immer grinsende Robin war weg, getötet durch Hand seines eigenen Bruders! Einfach so, aus Dummheit und Eifersucht eines egoistischen Kindes! Er war für immer fort und keine Reue oder Gebete würden ihn jemals zurückbringen! Pauls seelische Qual war so unfassbar stark wie noch nie, und er krümmte sich auf dem nassen, rauen Bodenbelag, am Fuß des Beckens. Sein Schal, der vorhin vom Wind ins Brunnenbecken geblasen worden war, plumpste schwer und mit Wasser vollgesogen neben ihm zu Boden. Paul kam mit dem Gesicht an das in der Pfütze liegendes Kaninchen sehr nah – direkt an sein mit einer schleimigen, bräunlichen Masse bedecktes Fell. Der Fäulnisgeruch stieg von ihm auf und zu seiner Nase hoch und Paul übergab sich schwallartig. Der Anblick seines halb verdauten Abendessens und der scheußliche Baldriangeschmack in seinem Mund, der reichlich mit Magensäure vermischt war, sorgten fleißig für Nachschub. Zitternd vor Schwäche, beobachtete er, wie das Regenwasser sein Erbrochenes zu einem naheliegenden Abwasserschacht leitete und richtete sich auf seinen wackeligen Beinen auf. Er war so geschwächt und zitterte so stark, dass er sich am Beckenrand stützen musste, wie ein alter Mann. Er streckte verzweifelt seine Hand nach Robin aus, der sich vor seinen Augen langsam in Luft auflöste. Pauls Gedächtnis, das über die Jahre blockiert gewesen war, gab jetzt alle entsetzlichen Einzelheiten seiner schrecklichen Taten preis. Er sah sich mit Großmutters Nadelkissen in der Hand zum Wickeltisch seines Bruders schleichen, um unauffällig seine Schnuller zu klauen, oder wie er den schreienden Robin im Kleiderschrank seiner Eltern einsperrte, und ihm wurde allmählich klar, wieso seine Mutter mit seinem Halbbruder damals ausziehen musste. Er hatte es schlicht einfach nicht leiden können, wenn Robin seine Spielsachen nahm oder auf seinen Schoß kletterte, während er am Zeichnen war. Er war ihm immer ein Dorn im Auge und er hatte sich permanent geweigert, seinen Halbbruder als solchen zu akzeptieren. „Verzeih mir, Robin!", flehte er das Phantom in der Pfütze an, das ihm mit einer seiner Handstummel zum Abschied winkte. „Bitte, geh nicht!" Aber Robin verschwand endgültig und Paul wusste genau, dass er ihn nie wieder zu Gesicht bekommen würde – weder lebendig noch als Geist. Ein Schmerzensschrei, der direkt aus der Tiefe seines Herzens kam, zerriss die nächtliche Stille der Stadt. Wie sollte er mit dem Wissen leben, dass er seinen eigenen Halbbruder, der ihn, Paul, liebte und ihm vertraute, und all die anderen Kinder umgebracht hatte?! Sein Schmerz war so unsäglich stark, dass er am liebsten alles wieder vergessen wollte, aber die rettende Amnesie, die ihn über die Jahre hinweg vor den qualvollen Bildern aus seiner Vergangenheit bewahrt hatte, ließ ihn diesmal im Stich und er durchlebte immer wieder aufs Neue alle Einzelheiten dieses schrecklichen Tages. Sein Leid und die Machtlosigkeit, die

Vergangenheit ändern zu können, weckten die Wut in ihm und er schlug mit der Faust so heftig auf den Brunnenbeckenrand, dass seine abgeschürfte Hand Blutspuren auf dem weißen Stein hinterließ. In seiner Verzweiflung wandte er sich an Gott, aber seine Worte klangen mehr nach Vorwurf statt Reue. „Wie konntest Du es zulassen?!", klagte er mit einem verweinten, zum schwarzen Wolkenhimmel erhobenen Gesicht. „Ich war doch noch ein Kind! Warum hast Du mich nicht aufgehalten?!" Als Antwort zerriss ein blendend heller Blitz den nächtlichen Himmel und ihm folgte ein Donnerschlag, der Pauls vernebelten Verstand klärte und ihn auf den festen Boden der Tatsachen zurückholte. Er schüttelte benommen den Kopf, wusch sein angeschwollenes, tränenüberströmtes Gesicht mit dem eisigen Brunnenwasser ab und schleppte sich die Allee entlang zum Parktor zurück. Ohne Robins Schein wurde es noch finsterer im Park und er tastete sich durch die dichten Sträucher zu der Stelle, wo er vorhin über den Zaun geklettert war. Als er an der anderen Seite des Zauns angelangte, schlug die Kirchenuhr ein Mal und die Straßenlaternen gingen aus. Paul lief die völlig leere Straße entlang, überquerte sie bei der Kreuzung, bog beim kleinen Kleiderladen um die Ecke und verschwand in der dunklen Gasse. Wo lief er in der finsteren Nacht hin? Warum führte sein Weg nicht nach Hause, zu seiner Oma? Er ging zu dem einzigen Menschen auf der Welt, der sein unerträgliches Leid wenn nicht lindern, dann wenigstens teilen konnte. All die Jahre hatte dieser Mensch gewusst, was damals geschehen war, und diese schreckliche Wahrheit tief in seinem Herzen begraben müssen. Nicht mal seine Großmutter hatte eine Ahnung davon!

Endlich angekommen

Paul konnte sich im Nachhinein nicht mehr erinnern, wie er im vierten Stock ankam. Als er im schwachen Licht des Treppenhauses vor der verschlossenen Tür stand, überkamen ihn wieder Zweifel. Er schaute an sich hinunter und stellte fest, dass seine Kleider in einem jämmerlichen Zustand waren: Seine Hose war mit Schlamm bedeckt und an einem Knie zerrissen, und an seinem Jackenkragen klebten Reste von Erbrochenem. Sein ausgedehnter und von all den Strapazen der Nacht stark in Mitleidenschaft gezogener Schal zog sich hinter ihm her wie eine tote Würgeschlange und hinterließ auf den Treppenstufen dunkle Flecken. Das Regenwasser floss ihm förmlich die Kleider hinunter und bildete innerhalb von Sekunden eine kleine Pfütze um seine Füße herum. Paul suchte mit den Augen nach dem zersprungenen Glasvogel, musste aber feststellen, dass er weggeräumt worden war. Nur die feinen Glassplitter, die dem Besen entflohen waren, glitzerten in den dünnen Fugen zwischen den Bodenplatten. Er trat unsicher von einem Fuß auf den anderen und wollte bereits einen Rückzieher machen, als die verschlossene Tür vor ihm wie von allein aufging. Paul wurde an den Schultern gepackt und in die Wärme der dunklen Wohnung gezogen. Zwei schlanke, aber kräftige Arme umschlingen ihn stürmisch und warme, weiche Lippen übersäten sein Gesicht mit Küssen. Kleinen Frauenhände wuschelten sein Haar und wickelten ihn aus seinem Schal. „Oh, Kay!“, hauchte eine leise Stimme neben seinem Ohr. „Endlich bist du wieder bei mir!“ Die heißen Tränen der Frau brannten auf Pauls Wange und rannen ihm bis zu seinem Kinn hinunter. Er öffnete den Mund, um etwas zu sagen, aber Ilons Stiefmutter drückte ihm den Zeigefinger auf die Lippen und zog ihn mit sich den langen Flur entlang und in ein Zimmer. Sie schloss die Tür hinter ihnen ab und das Licht ging an. Paul kniff seine Augen zusammen und betrachtete durch die Wimpern die Frau vor sich. Endlich stand er bewusst seiner

Mutter gegenüber! Die dicken Tränensäcke unter ihren blauen Augen deuteten auf unzählige schlaflose Nächte hin, aber trotz all dem sah sie richtig glücklich aus. Ihre großen, feuchten Augen leuchteten wie zwei Edelsteine und die gelbliche Blässe in ihrem hübschen Gesicht war einem gesunden Rosa gewichen. Ihre lächelnden Lippen flüsterten unaufhörlich seinen Namen: „Kay, Kay, mein kleiner Kay! Du bist wieder da!" Paul starrte wie verzaubert in ihr leuchtendes Gesicht und sein gebrochenes Herz füllte sich mit Ruhe und Geborgenheit. Endlich war er angekommen! Als sie sich an ihm sattgesehen hatte, zog sie ihn wieder an sich heran und schlug erneut ihre Arme um ihn.

Diesmal umarmte er sie auch. Seine Gefühle überschlugen sich, eine stickige, heiße Welle stieg ihm die Kehle hoch und seine ganze Sehnsucht nach Mutterliebe, die all die Jahre tief in seiner Seele schlummerte, kam aus ihm mit der Tränenflut heraus. Paul presste sein Gesicht gegen die Schulter seiner Mutter und weinte bitterlich. Während er laut und ungehemmt schluchzte, fuhr ihre Hand tröstend über sein Haar. Als er endlich fertig war, schämte er sich über seine momentane Schwäche und versuchte sein verweintes Gesicht vor ihrem leuchtenden Blick zu verbergen. Er drehte sich weg und wischte sich mit dem Handrücken die triefende Nase ab. „Warum hast du nie nach mir gesucht?", fragte er sie mürrisch. Beim Reden raspelte es in seinem Hals und er musste husten. „Ich musste nach dir gar nicht suchen!", antwortete sie mit einer Leichtigkeit in der Stimme, die ihn stutzig machte. „Ich wusste schon immer, wo du warst und wie es dir ging", fügte sie sanft hinzu. „Bei deiner Oma wusste ich dich in guten Händen und musste mir um dich nie Sorgen machen!" Ihre Hand ruhte immer noch auf seinem Kopf. Paul wich zurück und schaute sie misstrauisch und erbost an. „Und wieso bist du dann nicht aufgetaucht, nicht ein einziges Mal?!", erhob er seine Stimme. Seine Mutter seufzte schwer und ihr Blick sank zu Boden. „Ich durfte nicht, weißt du", flüsterte sie bedrückt. „Ich wollte es mehr als alles andere auf der Welt, aber deine Oma hat mir das Sorgerecht für dich entzogen ..."

„Du konntest aber trotzdem vorbeikommen!", schnauzte Paul sie an. „Ich hätte es niemandem verraten!" Seine Mutter schwieg mit gesenktem Blick. Pauls Enttäuschung wuchs und er knurrte sie regelrecht an: „Was bist du für eine Mutter, he? Du hast mich verlassen, um einen anderen Mann zu heiraten, nicht wahr?!" Sie war nicht bereit, sich seinen Vorwürfen zu stellen, und hüllte sich in Schweigen. Paul hörte ihre schnellen Atemzüge, die Heftigkeit der Konfrontation machte ihr sichtlich zu schaffen, da sie ihre nach ihm ausgestreckte Hand ruckartig zurückzog und gegen ihre Brust presste. Paul sah in ihr bestürztes Gesicht und bekam allmählich Gewissenbisse, dass er sie so hart angefahren hatte. Die Hilflosigkeit und Traurigkeit in ihren Augen baten ihm einen perfekten Anblick in ihre Seele. So war sie nun mal: Ein schwacher Mensch, dessen Wille all den tragischen Umständen ihres Lebens unmöglich standhalten konnte. Diesmal hatte er das Bedürfnis, sie in den Arm zu nehmen und zu trösten. In diesem Augenblick hasste er sich selbst für seine Härte und murmelte versöhnlich: „Es war richtig, dass du mich damals umbringen wolltest. Ich hätte mich selbst umbringen können für das, was ich getan habe." Die Augen seiner Mutter weiteten sich entsetzt. Sie schüttelte energisch ihren Kopf und fuchtelte chaotisch mit beiden Händen um seine Worte abzuwinken, so als würde sie eine lästige Wespe vertreiben wollen. „Nein, nein, nein, mein Junge!", redete sie schnell. „So darfst du auf gar keinen Fall denken! Dich trifft keine Schuld an dem, was passiert ist!" Sie suchte verbissen seinen Blick und ergriff seine Hand mit ihren unruhigen Händen. „Ich habe dich so oft allein gelassen, weil Robin so krank war und ständig Hilfe brauchte. Es war meine Schuld, dass du sauer auf uns beide warst. Meine Sorge um sein schwaches Herz war einfach zu groß! Du hattest jedes Recht der Welt, eifersüchtig zu sein." „Aber ich habe ihn getötet!", wiederholte er stur. „Ihn und die anderen Kinder! Ich bin ein Mörder!!" In seiner Verzweiflung schlug Paul erneut mit der Faust an die Wand und riss dabei seine Schürfwunden an den Fingern wieder auf. Ein dünnes Blutsrinnsal zog sich von der aufgerissenen Wunde am Fingerknöchel seine erhobene Hand bis zu seinem Jackenärmel hinunter. Seine Mutter packte ihn fest an den Schultern und sah ihm tief in die Augen. „Was geschehen ist, ist geschehen, Kay!“, sagte sie mit einer mehr oder weniger festen Stimme. „Du musst nur eines begreifen: Es war NICHT DEINE Schuld! Verstehst du das, mein Junge?“ Egal, wie sehr Paul sich bemühte wegzusehen, ihre Blicke trafen sich trotzdem, und die grenzenlose Liebe in ihren Augen ließ das Eis in seinem Herzen endlich schmelzen. „Hör mir gut zu!“, redete sie weiter auf ihn ein. „Robin ist nicht im Brand gestorben! Sein Herz hat schon davor aufgehört zu schlagen, noch bevor das Feuer ihn erreicht hatte!“ „Woher willst du das wissen?“, fragte er ungläubig und spürte ihren warmen, nach Pfefferminze duftenden Atem auf seiner Wange, was ihm unglaublich guttat. „In seinen Lungen wurde fast kein Rauch gefunden“, klärte sie ihn auf. „Das bedeutet, er atmete nicht mehr, als er ins Feuer kam.“ Paul schaute sie entrüstet an. Falls das ein Trost sein sollte, dann nur sehr schwacher. Was war denn mit dem kleinen Mädchen und mit den Zwillingen? Haben sie nicht wegen ihm einen qualvollen Tod erleiden müssen? Paul sah, wie sehr sich seine Mutter bemühte, ihm seine unsäglich schwere Last von den Schultern zu nehmen, damit er irgendwie weiterleben konnte, aber seine Schuldgefühle waren einfach zu groß! Seine Dankbarkeit ihr gegenüber wuchs, er streichelte mit der Hand ihren ärmelfreien Oberarm und spürte unter den Fingern das vernarbte Hautgewebe – ein Andenken an das Feuer, das sie ihr Leben lang mit sich tragen musste. Auch das hier war seine Schuld und Paul spürte hilflos, wie sein armes Herz vor Schmerz zersprang, und seine Augen füllten sich erneut mit Tränen.

Die Zimmertür öffnete sich knarzend und die beiden zuckten erschrocken zusammen. Paul fuhr herum und sah den kleinen Max, der in seinem hellblauen Pyjama im Türrahmen auftauchte. Von ihren lauten Stimmen geweckt, rieb er sich verschlafen die Augen und starrte dann Paul grimmig an. Er erkannte in ihm den Jungen von gestern, der seiner Mama eine riesige Angst gemacht hatte und jetzt ihren Arm mit seinen Fingern berührte, und seine dicke Unterlippe begann zu zittern. Dann stülpte sie sich lustig nach außen und der kleine Junge fing zu schluchzen an. Seine Mutter eilte zu ihm und nahm in tröstend in ihre Arme. Dann hob sie Max hoch und brachte ihn zu Paul, der unbeholfen mitten im Raum stand. „Hier, Maxi", sagte sie sanft und wischte mit ihrer Hand die Tränchen aus seinen dunkelbraunen Augen. „Das ist dein Bruder Kay!" Max würdigte Paul eines grimmigen Blicks und drehte sich demonstrativ weg. Dann legte er seine kurzen Babyärmchen um den Hals seiner Mutter, verbarg sein Gesicht an ihrer Schulter und heulte los. Die Mutter wiegte den Kleinen in ihren Armen, aber Max ließ sich nicht so leicht beruhigen. „Kein Wunder, dass er auf mich so reagiert", dachte Paul unglücklich. „Hätte ich so einen lausigen Bruder wie mich gehabt, hätte ich mir auch die Augen ausgeheult!" Seine Mutter strich dem weinenden Max über den Rücken, während ihr liebevoller Blick auf ihrem ältesten Sohn ruhte. „Was stehe ich denn da?!", rief sie plötzlich erschrocken, als sie sich des jämmerlichen Zustandes von Pauls Kleidern bewusst wurde. „Du bist doch ganz nass vom Regen!" Sie rannte zu einem großen, ovalen Tisch und setzte Max in seinem Babystuhl ab. Dann lud sie Paul mit einer Geste ein, ebenfalls Platz zu nehmen, und verließ eilig das Zimmer. Paul setzte sich vorsichtig an eine Stuhlecke, damit seine dreckigen Klamotten so wenig Kontakt wie möglich mit dem sauberen Stuhlbezug hatten, und drehte sich mit einem erzwungenen Lächeln auf seinen steifen Lippen zu Max. Der kleine Junge wirkte zuerst abweisend, wurde aber sofort neugierig, als Paul in seiner Jackentasche kramte und das Quietschespielzeug rausholte. Paul drückte es ein paarmal zusammen, um Max' Interesse zu steigern, legte es auf den Tisch und schob es langsam zu ihm rüber. Der Junge schien höchstinteressiert, traute sich aber nicht an das Spielzeug ran. Die Mutter der beiden platzte in das Zimmer herein. „Hier, Kay!", rief sie fröhlich und legte vor Pauls Nase einen Kleiderstapel ab, der angenehm nach Lavendel duftete. „Das ist mein Trainer. Es ist vielleicht ein wenig zu groß, aber wird schon passen." Sie lächelte Paul aufmunternd zu. „Ab ins Bad und zieh dich schnellstens um, ansonsten kriegst du eine Erkältung!" „Ist schon passiert", murmelte er beim Aufstehen und schleppte sich mit dem Trainer ins Bad. Als er zurückkam, stand schon eine dampfende Tasse Kakao auf dem Tisch. Das laute Quietschen gab ihm zu verstehen, dass der kleine Max sich inzwischen an das Gummispielzeug getraut hatte. Er hielt es mit seinen pummeligen Babyhänden fest und lachte mit einer für so ein kleines Kind überraschend tiefen Stimme. „Setz dich doch", bat seine Mutter Paul lächelnd an und schob eine Pralinenschachtel zu ihm über. „Nimm eine!" Paul wich erschrocken von der Schachtel zurück und verzog das Gesicht. „Bloß keine Pralinen!", sagte er verlegen, als er ihren überraschten Blick bemerkte. Aber Max ließ es sich nicht zweimal sagen und griff fleißig zu. Sein neues Spielzeug landete am Boden, während er sich mit beiden Händen an der Pralinenschachtel bediente. „Nicht so gierig, mein Lieber!", stoppte ihn die Mutter und schob die Schachtel, trotz Maxis lautem Protest, ein wenig weg. Dann lehnte sie sich auf ihrem Stuhl zurück und beobachtete ihre beiden Kinder aus stolzen Augen. Paul nahm verlegen einen kleinen Schluck Kakao aus seiner Tasse. Nach all den Strapazen des heutigen Tages schmeckte der heiße, aromatische Kakao einfach himmlisch. „Du solltest deine Großmutter anrufen", sagte die Mutter plötzlich und ihre Augen trübten sich ein wenig. „Sie hat wahrscheinlich keine Ahnung, wo du bist und macht sich gerade große Sorgen!" Ihre Worte zeigten auf Paul Wirkung einer kalten Dusche. „Oma!", schoss es ihm durch den Kopf. „Was, wenn sie bereits aufgewacht ist und nach mir sucht! Und das mit ihrem Bluthochdruck!" Er würde es sich niemals verzeihen, wenn auch ihr seinetwegen etwas Schlimmes zustoßen würde! Von Reue geplagt schnappte er sofort das schnurlose Telefon, das seine Mutter ihm entgegenhielt. Aber sobald er den ungewöhnlich flachen, glatten Hörer in der Hand hielt, bekam er plötzlich eine geniale Idee. Seine Mutter machte große Augen, als er ihr das Telefon zurück in die Hand drückte. „Was ist, Kay?", fragte sie ihn verständnislos. „Willst du deine Oma doch nicht anrufen?" Paul schaute ihr mit einem klaren Blick in die Augen. „Nein", sagte er entschlossen. „Ich weiß was

Besseres! Wir gehen jetzt zusammen zu ihr – alle drei!" Wie erwartet, winkte sie seinen Vorschlag mit beiden Händen ab und schüttelte heftig den Kopf. „Nein, nein, nein, mein Junge, ich kann das nicht! So was kannst du von mir nicht verlangen!" „Sie will Oma aus dem Weg gehen, um die Aussprache zu vermeiden", dachte Paul und überlegte sich die Worte, die sie dazu bewegen sollten, doch mitzukommen. Jetzt, wo er ihren unentschlossenen Charakter besser kannte, wunderte ihn nichts mehr. Klar war die Sache für sie höchst unangenehm, aber Paul dachte nicht daran aufzugeben. „Bitte!", sprach er leise zu seiner Mutter. Er schaute ihr mit einem hoffungsvollen Blick tief in die Augen und fasste sie schüchtern an der Hand. „Das ist wichtig! Das muss einfach sein!" Ihm fehlten die richtigen Worte der Überzeugung und er fühlte sich durch das bedrückende Schweigen, das gerade zwischen ihnen herrschte, zunehmend gereizt. „Du hasst Oma, nicht wahr?", fragte er sie ziemlich giftig, als ihm die Schweigepause zu lang vorkam. „Aber nein!", schrie sie protestierend auf. „Auf gar keinen Fall! Nie im Leben! Ganz im Gegenteil – ich mag sie sehr! Ich habe sie schon immer gemocht, sonst hätte ich niemals zugelassen, dass du bei ihr aufwächst!" Paul erschien ihr heftiges Protestieren eher gespielt, aber er schwieg lieber und lauschte ihren Worten herablassend. „Ich habe mich auf sie schon immer verlassen können", redete sie energisch weiter. „Du warst bei ihr in guten Händen, da bin ich mir sicher! Schau nur, wie toll du geworden bist! Ist das nicht der beste Beweis dafür?" Sie lächelte Paul übertrieben fröhlich an, aber der Ausdruck ihrer Augen verriet Paul, dass sie bloß Angst hatte. Ihre Rede war stets von entsprechend heftiger Gestik begleitet, die für diejenigen Leute typisch ist, die kein zu großes Selbstvertrauen besitzen. Sie tat ihm leid, aber er ließ nicht locker. „Dann komm doch mit, wenn du sie magst!", sagte er mit Nachdruck. Ihr Blick schweifte wieder weg und sie machte unbewusst einen Schritt zurück. „Es ist so ...", stammelte sie verlegen. „Wie schon gesagt, ich mag deine Oma wirklich, aber sie kann MICH leider nicht ausstehen, verstehst du? Sie hat mir damals gesagt, ich solle mich nie wieder bei euch blicken lassen! Sie hat sogar deinen Vornamen geändert, nur um meine Suche nach dir zu erschweren, und das Gericht hat ihr damals rechtgegeben!" Jetzt kämpfte sie wieder mit den Tränen. Ihre Stimme begann zu zittern und sie presste ihre ruhelosen Hände gegen ihre Brust. „Und neulich am Telefon, da hat sie mich wieder runtergezogen! Ich glaube, es ist besser, wenn sie mich nicht zu Gesicht bekommt." Paul staunte sehr über diese Worte. Sie hatte tatsächlich eine riesige Angst vor seiner Großmutter! Vor der alten, gebrechlichen Frau, die in ihrem Leben keinem Menschen ein Haar krümmen konnte! „Unsinn!!", platzte es aus ihm so laut heraus, dass der spielende Max erschrocken in seinem Stühlchen hochfuhr. „Sie mag dich auch! Das hat sie mir selber gesagt! ‚Ich werde sie immer lieben, weil mein Sohn sie so sehr geliebt hat' – so ihre Worte!" Er wunderte sich selbst darüber, wie überzeugend er lügen konnte. Die Idee, seine Familie wieder zu vereinen, war so überwältigend, dass er es einfach nicht lassen konnte. Es fiel ihm nicht leicht, seine Mutter als Menschen zu akzeptieren, der es für notwendig hielt, seine Existenz unter der Sonne jedes Mal aufs Neue rechtfertigen zu müssen. Aber gleichzeitig spielte ihm ihre Schwäche in die Karten. Jetzt wusste er besser, wie er mit ihr reden sollte: keine Vorwürfe, keine Konfrontation mehr, sondern nur die klaren Worte der festen Überzeugung, sogar wenn sie beim näheren Betrachten nicht unbedingt einen Sinn ergaben. Und tatsächlich gab sich seine Mutter geschlagen und begann sich zögerlich und mit einem zweifelsvollen Kopfschütteln anzuziehen. Max nutzte die Ablenkung seiner Mutter, lehnte sich weit nach vorne, sodass sein kugelrunder Babybauch auf der Tischplatte landete, und zog die Pralinenschachtel wieder näher an sich ran. „Das ist einfach super!" Paul war so glücklich wie schon lange nicht mehr. „Einfach fantastisch! Warte, ich helfe dir!" Er rannte in den Flur und suchte hektisch nach Maxis Jacke. Er fand sie an einem der Garderobenhaken, schnappte sie und rannte zurück ins Zimmer. Seine Mutter widersprach ihm nicht und nahm die Jacke dankend entgegen. Der kleine Max protestierte laut, als die beiden ihn in seine dicken Winterklamotten einzupacken begannen. „Ich weiß nicht, ob das hier richtig ist“, murmelte sich die Mutter der beiden leise unter die Nase, als sie nach ihrer eigenen Jacke griff. „Sie hat sich all die Jahre so eine große Mühe gemacht, dich von mir fernzuhalten.“ „Du verstehst es falsch!“, motivierte Paul sie, indem er die negative Haltung seiner Großmutter ihr gegenüber verharmloste. „Sie war einfach durch die ganze Sache ein bisschen überfordert, weiter nichts! Ich werde ihr alles erklären, du wirst schon sehen!“ Damit sie keine Zeit hatte, es sich anders zu überlegen, half er ihr fleißig beim Anziehen von Max und schnürte seine dreckigen Winterstiefel zu. Währenddessen lutschte Max gedankenlos an seinen Schokofingern. Beim Verlassen der Wohnung fiel Pauls Blick auf das eingerahmte Foto im Flur, direkt über dem Spiegel, auf dem zwei kleine Jungs in die Kamera lächelten. Sie sahen einander so ähnlich, dass man sie für Zwillinge halten könnte, wäre da nicht ein Altersunterschied von ungefähr drei Jahren. Der Jüngere hatte vertrauensvoll seinen Arm um den Hals seines Bruders gelegt. Wer seine rosigen, gesunden Bäckchen sah, hätte bei ihm nie im Leben eine Herzkrankheit vermutet! Der ältere sah nicht so glücklich aus wie sein kleiner Bruder, sein Lächeln sah erzwungen aus und der Blick der großen blauen Augen ernst und nachdenklich. „Oh, Robin!“, entwich es Paul beim Betrachten des Bildes. „Ich danke dir so sehr, dass du uns wieder zusammengebracht hast!“ Bei diesen Worten drehte seine Mutter, die mit dem Öffnen der Eingangstür beschäftigt war, den Kopf in Pauls Richtung und schaute ihn fragend an. Paul kam in Erklärungsnot, wusste aber nicht, wie er ihr die ganze Geschichte mit dem Geisterjungen schildern sollte, und beschloss, sie lieber für sich zu behalten. „Was ist eigentlich mit Robins Vater?“, lenkte er ihre Aufmerksamkeit in eine andere Richtung. „Weiß er überhaupt, was mit seinem Sohn passiert ist? Und wieso bist du nicht mehr mit ihm zusammen?“ Seine Mutter ließ die Schlüssel fallen und schaute Paul fassungslos an. „Ich verstehe dich nicht, mein Junge“, stammelte sie verwirrt. „Ich dachte immer, du wüsstest, was deinem Vater widerfahren ist … Er ist doch bei seiner Arbeit verunglückt, erinnerst du dich nicht mehr?“ Jetzt war es Paul, dem vor Staunen die Kinnlade hinunterklappte. Was hatte sein Vater bitte schön mit dieser Sache hier zu tun? Und dann dämmerte es ihm langsam, und sobald er verstand, wieso die Mutter seinen Vater in Bezug auf Robin erwähnte, riss es ihm endgültig den Boden unter den Füßen weg. Er verlor jeden Halt und plumpste auf den niedrigen, runden Lederhocker neben der Garderobe. In seiner beispiellosen Trauer stützte er sich mit tief gesenktem Kopf auf die Knie, vergrub seine Finger in seinem kurzgeschorenen Haar und zog so kräftig daran, als ob er es ausreißen wollte. Er wippte wie ein alter Mann hin und her und klagte, am Boden zerstört: „O Gott! Robin war mein richtiger Bruder, mein Papa war auch sein Papa! Und ich habe ihn umgebracht! Lieber Gott, ich habe meinen eigenen Bruder umgebracht!“ Diese neue Erkenntnis gab Pauls gebrochenem Herzen den Rest – sein seelisches Leid wurde unerträglich und drohte ihn komplett zu vernichten, und er heulte sich die Augen aus dem Kopf. Seine Mutter, die nicht genau verstand, weshalb er so reagierte, schloss sich ihm an. Die beiden fielen sich erneut in die Arme und Pauls Mutter versuchte vergeblich, ihren untröstlichen Sohn zu beruhigen. Irgendwann ließen seine Tränen nach und mit ihnen ging auch der Schmerz. Er fühlte sich leichter, als fiel ihm eine schwere Last von den Schultern, und seine Seele wurde dank der Tränen reiner, wie ein Phönix, der aus der Asche der Verdammnis neu geboren wurde.

Willkommen zu Hause!

Der nächtliche Spaziergang war etwas absolut Neues für Max und er schaute sich neugierig nach allen Seiten um, als das Trio aus dem düsteren Treppenhaus auf die komplett dunkle Straße trat. Pauls Mund öffnete sich vor Staunen, als er die hellen Sterne in dem nächtlichen Himmel sah. Der Sturm war weggezogen, nur die eisige Winterluft, die von ihm zurückgelassen wurde, blies ihnen entgegen und ließ die drei vor Kälte erzittern. Diese kalte Luft tat Paul gut, er atmete wieder frei durch seine Nase. Auch das Halsweh und die Abgeschlagenheit waren weg. Das unbeschreiblich große Glück, seine tot geglaubte Mutter gesund und munter vorgefunden zu haben, und die Hoffnung auf die Zusammenkunft seiner Familie, ließen sein Herz vor Aufregung hüpfen, und er lief fröhlich und leicht durch die nächtliche Stadt. Seine Mutter, die sich scheu und sorgenvoll nach allen Seiten umschaute, bemühte sich, mit ihm Schritt zu halten. Vor Anstrengung keuchend, lief sie neben Paul und drückte den ungewöhnlich stillen und ruhigen Max fest an sich.

Als die drei in Pauls Strasse abbogen, bemerkte er das Licht in seiner Wohnung und fuhr vor Schreck zusammen. Seine Großmutter war doch aufgewacht, vermutlich um festzustellen, ob er immer noch Fieber hatte, und war jetzt bestimmt verzweifelt auf der Suche nach ihm! Er beschleunigte seine Schritte und seine Mutter neben ihm stöhnte leise auf. Sie begann mit ihrem Kind in den Armen hinter Paul her zu hüpfen und Max, dem die ganze Geschichte immer weniger gefiel, begann nervös zu zappeln und zu meckern. Als plötzlich ein riesiger, schwerer Schäferhund mit einem hellen Dreieck an der Brust aus der Dunkelheit angerannt kam, Paul bellend anfiel und fast zu Boden warf, schrie seine Mutter, deren Nerven zum Zerreißen gespannt waren, laut auf und der kleine Max brach in Tränen aus. Paul taumelte ein paar Schritte rückwärts, dann gelang es ihm, das Gleichgewicht wieder zu erlangen. Blinzelnd sah er zu dem hechelnden Hund vor ihm und staunte viel mehr darüber, dass er dem aus seinem Traum verblüffend ähnlich sah, als über den Angriff selbst. Erst jetzt bemerkte er den Polizeiwagen, der neben dem Hauseingang stand, und sein Herz rutschte in die Hose. „Zu mir, Elvis!", rief eine tiefe Männerstimme dem Hund zu, der daraufhin sofort von Paul abließ und in der Düsterkeit der Nacht verschwand. Stattdessen tauchte ein riesiger Mann in Polizeiuniform neben den Dreien auf und steuerte direkt auf Paul zu. „Bist du Paul?", fragte der Mann ihn streng, und als Paul bejahte, drehte er sich zu seinem Kollegen um, der neben dem Hauseingang mit Pauls Oma redete. Paul sah, wie hilflos sich seine Großmutter an der Hausmauer stützte, und bekam starke Gewissensbisse. „Wir haben ihn!", rief der Polizist halblaut seinem Kollegen zu und machte eine entwarnende Geste. Daraufhin blickte Pauls Großmutter in seine Richtung, bemerkte die Dreiergruppe auf der nassen Straße und sackte langsam zu Boden. Der kleinere, aber nicht weniger muskulöse Mann in Uniform, der neben ihr stand, konnte ihren Sturz gerade rechtzeitig verhindern und führte Großmutter zur Bank neben dem Hauseingang, wo sie sich kraftlos niederließ. „Oma!", rief Paul mit einer vor Sorge weinerlichen Stimme und eilte zu ihr. Dabei ließ er seine Mutter mit dem heulenden Max in den Armen nicht allein zurück, sondern zog sie an ihrem Jackenärmel mit sich, aus Angst, dass sie die Hektik der Situation ausnützen und sich unauffällig aus dem Staub machen würde. Unterwegs zur Bank, wo seine Großmutter, schwer atmend und mit der Hand auf der Herzgegend, auf ihn wartete, fiel ihm das schwache orange Licht einer brennenden Zigarette in Charlotts Küchenfenster auf. Ihre dunkle Silhouette hinter dem halbdurchsichtigen Vorhang machte Paul ein Handzeichen. Paul hielt eine Sekunde inne und strengte seine Augen an, dann verstand er es. Charlott zeigte ihm einen Daumen hoch! „Sie hat es gewusst, die alte Füchsin!", ging es Paul durch den Kopf, als er ihr dankbar zurückwinkte, bevor er und seine Mutter ihren Weg fortsetzten. „Sie hat es schon immer gewusst!" Und, trotz der beachtlichen

Entfernung und einem verschlossenen Fensterrahmen, glaubte Paul Charlotts raue Stimme zu hören, die ihm von der anderen Seite des Vorhangs zuflüsterte: „Willkommen zu Hause, Kay!“

Epilog

Paul schoss wie eine Pistolenkugel die Stufen zu seiner Wohnung hoch und steuerte direkt auf den Kleiderschrank zu. Mutters Anruf kam noch während seiner Arbeit: Pauls Frau Emmy komme mit Wehen ins Krankenhaus und er müsse unbedingt ein paar wichtige Sachen für sie abholen, bevor er zu ihr fahre. Sein fünfjähriger Sohn Colin wartete an der Schwelle zu seinem Zimmer auf ihn. „Papa, Tante Ilon ruft an!" Colin war gerade in dem Alter wie Paul damals, als sein Leben diese tragische Wende nahm. Und rund fünfzehn Jahre waren seit der verhängnisvollen Nacht im Oktober 1999 vergangen, die Pauls bisheriges Leben auf den Kopf gestellt hatte. Wie hatte er all die Jahre gelebt, mit dem Gedanken ein Mörder zu sein? Tja, es war alles andere als einfach für ihn, mit seiner Vergangenheit endlich den Frieden zu schließen! Es gab immer wieder schlimme Phasen der inneren Zerrissenheit und der quälenden Zweifel am Sinn seiner Existenz, und er musste sich jeden Tag aus dem Bett zwingen, um einen neuen Tag anzutreten. Er überlegte sich immer wieder, ob auch sein von ihm selbst ruiniertes Leben einen Wert hatte, sogar mit Aussicht auf eine anständige Zukunft und Glück. Manchmal gelang es ihm sogar, die dicke Mauer der Depression, die ihn in den frühen Jahren seiner Jugend stets begleitete, zu durchdringen und seinen Alltag zu genießen, aber dann kam die Nacht mit ihren Albträumen und alles ging von vorne los. Dieses tagtägliche Ringen mit sich selbst trübte sein sonst so fröhliches, unbekümmertes Wesen und beraubte ihn des kostbaren Restes seiner Kindheit mit einer noch schlimmeren Folge: Sein Selbstvertrauen wurde stark geschädigt, was in diesem Alter alles andere als wünschenswert war. Aber das alles hatte auch seine Vorteile: Er lernte das Leben zu schätzen und jeden einzelnen Tag als Gottes Geschenk zu betrachten. Er tauchte bewusster in einen neuen Tag ein und schwor sich, den Rest seines Lebens der Rettung anderer zu widmen. In dieser

Phase begann er sich nach Berufen umzusehen, die ausschließlich mit Rettungsaktionen zu tun hatten. Das wiederum prägte ihn positiv: Mit einem klaren Lebensziel vor den Augen gewann er sein Selbstvertrauen zurück und war nach einiger Zeit sogar wieder in der Lage, die schönsten Gefühle des Lebens wie Liebe und Glück zu empfinden. Es gelang ihm, den fürchterlichen Mechanismus der Selbstzerstörung zu stoppen, den seine wach gewordenen Erinnerungen in Gang gesetzt hatten. Aber all die flammenden Schwüre seiner Jugend erwiesen sich lediglich als Mittel zum Zweck: Der Einzige, der unterm Strich gerettet wurde, war Paul selbst, der sich übrigens nie mit seinem richtigen Namen angefreundet hatte, da die Assoziationen, die der Klang dieses Namens in ihm auslöste, zu traumatisch für sein gebrochenes Herz waren. So wurde er zu dem, was er heute war: Ein treuer Ehemann und ein guter Vater, der seine Familie und seine Arbeit liebte. Ob er sich selbst den Tod seines Bruders und der anderen Kinder mittlerweile verziehen hatte? Nein, das hat er nie, das hätte er niemals!

Paul ging in sein Arbeitszimmer und setzte sich an seinen Laptop. Seine Mutter, die an seinem Computertisch saß und per Skype mit Ilon redete, machte ihm mit einem geheimnisvollen Lächeln auf den Lippen Platz und verliess mit leisen Schritten das Arbeitszimmer. Nach Großmutters Tod vor neun Jahren lebten sie alle unter einem Dach: Paul, seine Mutter und Max. Als auch Charlott vor ungefähr sechs Jahren an einem Lungentumor starb, vermachte sie Paul ihre Wohnung, wo er mit seiner Frau Emmy kurz danach einzog. Vor einigen Monaten zog Max in eine Studenten-WG um und ließ seine Mutter in ihrer alten Wohnung allein, wo sie sich mit der Begeisterung und Aufopferung einer liebenden Großmutter um den kleinen Colin kümmerte, während Paul und Emmy arbeiteten. Sie blieb von ihrem zweiten Ehemann, Ilons und Max' Vater, getrennt, pflegte aber ein gutes Verhältnis zu Ilon, die ihre Meinung über ihre „verrückte" Stiefmutter änderte, nachdem sie alles über ihre Leidensgeschichte erfuhr. Paul und Ilon hielten den Kontakt all die Jahre aufrecht und jeder von ihnen wusste alles über das Leben des anderen. Der Grund dafür war Max, der gemeinsame Halbbruder der beiden – er sorgte dafür, dass ihr Kontakt nie abbrach.

Paul setzte sich an seinen Computertisch und wunderte sich wie jedes Mal, wenn er Ilon sah, wie sehr sie sich verändert hatte. Aus einem hässlichen Entlein war in der Tat, wenn nicht gerade ein Schwan, dann irgendein anderes, sehr hübsches Wesen geworden, das mit Sicherheit kein Koalabär war! Sie trug nicht mehr die grässliche Brille mit den runden Gläsern, sondern Kontaktlinsen, die ihre Augen zusammen mit der passenden Schminke viel größer und ausdrucksvoller erscheinen ließen. Ihre dicke Kartoffelnase wurde zu einem niedlichen Stupsnäschen und die schicke moderne Frisur betonte ihre zierlichen, feinen Gesichtszüge. Die eleganten Kleider waren für sie inzwischen ein absolutes Muss – immerhin arbeitete sie als Dolmetscherin für einen großen Konzern im Ausland. Bei Ilons gepflegter Erscheinung wunderte es Paul nicht, dass sein langjähriger Kumpel Sandro ganz verrückt nach ihr war. Alle in ihrem Umfeld wussten schon längst, dass Sandro ihr einen Heiratsantrag machen wollte und nur auf einen passenden Moment wartete. Alle, ausgenommen Ilon selbst, natürlich. „Na, hey!“, begrüßte Ilon ihn warmherzig. „Wie geht es unserem Superdaddy?“ Ilons sonnengebräuntes Gesicht grinste Paul aus dem Bildschirm heraus an. Paul konnte seine grenzenlose Freude keine Sekunde länger zurückhalten. „Emmy ist im Krankenhaus, es ist so weit!“ Seine Wangen glühten und er hielt seine schwitzenden Hände möglichst weit weg vom Bildschirm, damit Ilon nicht sehen konnte, wie sehr sie vor Aufregung zitterten. „Ich weiß!“ Sie nickte zustimmend und Paul sah an ihrem strahlenden Blick, wie sehr sie sich für ihn freute. „Ich hoffe, du hast nichts dagegen, die Patentante für die kleine Laura zu werden?“ Er legte eine kleine Pause ein und fügte schmunzelnd hinzu: „Mit Sandro als Patenonkel, natürlich.“ Ilon verzog ihre hübschen, purpurrot gefärbten Lippen zu einer schnippischen Grimasse, die Paul nur zu gerne übersah. „Sag mal, ist dieser Kerl eigentlich noch bei Trost?!", erhob sie ihre Stimme. „Wieso, was ist passiert?", spielte ihr Paul die Ahnungslosigkeit vor. „Er hat mir neulich ein Foto von einem Diamantenring geschickt und mich danach gefragt, ob mir das komische Teil gefällt!" Paul verdrehte die Augen. Sein Freund hatte es offensichtlich mal wieder nicht geschafft, Ilon seine Gefühle zu gestehen. „Na, das muss er dir schon selber sagen", antwortete er knapp und ignorierte dabei ihren fragenden Blick. „Du weißt doch was, nicht wahr? Gib es zu!", bohrte sie nach, aber Paul wich diesem Verhör so gut er nur konnte aus. „Hoffentlich verprügelst du ihn nicht wieder, wie damals, als er deine Tasche im Bus vergessen hatte?" „Dort waren meine Geldbörse und mein Telefon drin!" Ilon machte eine Geste, als ob sie Pauls armen Kumpel den Kopf abreißen würde. „Ich muss jetzt, ja?", sagte Paul ungeduldig, der wie auf heißen Kohlen saß. „Also, was sagst du?", kam er wieder auf sein Angebot zu sprechen. „Möchtest du Lauras Patentante werden oder nicht?" Ilon schwieg verlegen und Paul bekam allmählich ein ungutes Gefühl. Er hatte mit Begeisterung ihrerseits gerechnet und ihr Schweigen machte ihn stutzig. Wollte sie wirklich absagen? Und wieso? Hatte sie vielleicht mit Emmy einen Streit, von dem Paul nichts wusste? „Es ist so", brachte sie nach einer Weile heraus. „Ich wollte eigentlich EUCH wegen der Patenschaft fragen. Dich und Emmy." Sie senkte ihren Blick und verbarg ihre verdächtig glänzenden Augen unter ihren superdichten, mit einer dicken Schicht Tusche bedeckten Wimpern. Paul verstand sie nicht. „Wie meinst du das?", fragte er mit einem Blick auf seine Armbanduhr. „Ich meine, ob du vielleicht der Patenonkel für UNS werden wolltest?", spuckte sie schnell heraus und errötete wie eine Erdbeere. „He, was?!" Paul verschlug es die Sprache. „Willst du mir sagen, dass du auch …?" „Ja, ich denke schon", bestätigte sie seine unglaubliche Vermutung. „Ich war neulich beim Arzt und er hat es mir auf dem Ultraschallbild gezeigt. Ich bin also auch schwanger …" Paul schaute sie ungläubig an, bis er endlich begriff, dass es nicht wie üblich ein Scherz ihrerseits war und sie es wirklich todernst meinte. Als es bei ihm endgültig angekommen war, füllte sich sein Herz mit Wärme.

„Herzlichen Glückwunsch!“, rief er begeistert. „Weiß Sandro schon Bescheid? So wie ich dich kenne, eher noch nicht. Soll ich es ihm sagen?“ Ilon winkte sein Angebot kategorisch ab. „Nein, lass es lieber, sonst springt er noch in den nächsten Flieger und tanzt morgen bei mir im Hotel an!“ Paul stellte sich gedanklich seinen leicht übergewichtigen Freund vor, wie er tänzelnd und mit einem riesigen Blumenstrauß in den Händen vor Ilons Türe stand, und prustete leise. Dann kam er auf ihre Anfrage zu denken. Das Dilemma mit der Patenschaft schien ihm im Moment zu kompliziert und er beschloss, es auf später zu verschieben. „Wir klären das mit der Taufe ein anderes Mal“, sagte er zu Ilon. „Ich muss jetzt wirklich los.“ „Sag Emmy toi, toi, toi von mir! Ich drücke ihr die Daumen!“ Ilon schloss ihre Daumen mit den langen, schwarz lackierten Fingernägeln in ihren Fäusten. „Tschüss, Mily!“, neckte Paul sie und zwinkerte ihr zum Abschied zu. Sie streckte ihm die Zunge heraus. „Tschüss, kleiner Prinz!“ Sie legte zuerst auf. Paul verließ eilig sein Arbeitszimmer und stieß im Flur mit seiner Mutter zusammen, die ihn mit ausgebreiteten Armen empfing. „Alles Gute zur Geburt deiner Tochter, mein Lieber!“, flüsterte sie ihm mit Tränen in den Augen zu. „Ich bin so stolz auf euch alle!“ „Sie weiß auch schon von Ilons Schwangerschaft“, dachte Paul fröhlich, während er seine Mutter warmherzig umarmte und ihren schmalen Körper fest an seine breite Brust drückte. „Alle wissen es schon, ausgenommen Sandro. Armer Sandro, weiß er eigentlich, worauf er sich da eingelassen hat?“ Um seine Mutter umarmen zu können, musste er sich weit nach vorne beugen, da sie mindestens drei Köpfe kleiner als er war. „Danke, Mum!“ Sie unterdrückte einen tiefen Seufzer und hüllte sich ins Schweigen, um den Zauber des Momentes nicht mit ihrem Schwatzen zu verderben. „Typisch Mum!“, dachte Paul mit einer unaussprechlichen Zärtlichkeit in seinem Herzen und lief mit einer großen Reisetasche in der Hand in sein Schlafzimmer, um ein paar Anziehsachen für seine Frau einzupacken. „Papi, nimmst du mich mit? Bitte, bitte!“, bettelte der kleine Colin, während Paul auf den Regalen des Kleiderschrankes nach der Unterwäsche kramte. „Morgen, mein Großer!", lächelte er seinen Sohn an und wuschelte sein hellblondes Haar. „Morgen fahren wir alle drei zu Mami und du begrüßt dein kleines Schwesterchen!" „Alle vier!", korrigierte Colin ihn und deutete mit seinem rosa Zeigefinger auf den Familienhund Mahlo, der auf einer Hundematratze in der Ecke des Schlafzimmers lag und mit seinen treuen, haselnussbraunen Augen jede Bewegung seines Herrchens verfolgte. „Geht in Ordnung!", lachte Paul und lud die fertig gepackte Tasche auf seine Schulter. Die Großmutter nahm Colin an der Hand und die beiden begleiteten Paul zur Tür. Er hüpfte die Stufen runter, sprintete zu seinem Wagen und fuhr los. Er eilte einer glücklichen Zukunft entgegen, wo in wenigen Stunden sein kleines Töchterchen mit ihrem ersten Babyschrei diese wundervolle, lebenswerte Welt begrüßen durfte …

ENDE

Die Autorin

Tanja Mooswald wurde 1972 in der kleinen Stadt Kandalakscha in Russland oberhalb des Polarkreises geboren. Als Kind zog sie mit ihrer Familie in die Ukraine, in die Heimat ihres Großvaters. Dort besuchte sie die Kunstschule und schloss die Ausbildung zur Krankenpflegerin ab. 2003 zog Mooswald in die Schweiz, wo sie heute mit ihrer Familie lebt. In ihrer Freizeit malt sie, spielt Schach und taucht gerne in Horrorwelten ein.
„Was bist du, Kay?“ schrieb Mooswald im Alter von 50 Jahren und es ist ihr erstes Buch.